ネットでらくらく！
個人輸入＆輸出で〈儲ける〉超実践テク131

本書の使い方

本書では、インターネットでできる個人輸入販売ビジネス、個人輸出販売ビジネスの実践的なノウハウ131を、詳しく解説していきます。本気で個人輸入＆輸出販売ビジネスで稼ぎたい方に、最適の一冊です。

SECTIONのタイトル
各SECTIONのテーマを表すタイトルです

章タイトル
そのページの章タイトルが書かれています

Section 13　商品を輸入＆輸出する前に事前に把握しておくこと

基本 / 準備 / 輸入仕入れ / 輸入販売 / 輸出仕入れ / 輸出販売

日本で売れる商品なのか見極めることが大事

輸出の場合は、海外で売れる商品を見極めるには、Terapeak というサイトを利用することで、世界最大のオークションサイト eBay での落札履歴が検索できます。輸入の場合、日本で売れる商品なのかということを見極めるには、「オークファン」というWebサイトを使えば、過去2年間の国内主要オークションサイトでの落札履歴を見られるのでおおよその判断がつきます。また、Amazonの売り上げランキングも非常に参考になります。このランキングは1時間ごとの集計でかなり精度の高いランキングが表示されています。一方、日本のネットショッピングの双璧である楽天市場も、売り上げランキングを公開しています。しかし、楽天市場のランキング上位に表示されている商品は、広告の効果やショップのメルマガで売れているものが多く、ナチュラルなランキングではないと考え、参考程度に留め、同時に日付の新しいレビューをチェックするとよいでしょう。オークファンを使い、オークションの落札履歴データと Amazon ランキングの両方を照らし合わせてみれば、間違いありません。

他にもランキングなどを見るサイトやツールがたくさんありますが、今回紹介したオークファンとAmazonランキングは輸入ビジネス実践者にとって外せない検索方法といえます。これらのサイトを使った検索方法はのちほど詳しく説明します。仕入れる商品について事前にしっかり

と研究すれば、売れないものを山ほど仕入れて、不良在庫になってしまうということはありません。それでは、輸入する前にしっかり確認しておくべき具体例を挙げて説明します。

● 食器など
食器類の輸入は基本的に食品衛生法に触れるということぐらい皆さんもおわかりだと思いますが、食器はどうでしょうか？これらは輸入できると思いますか？　答えは「YES」です。「YES」ですが、食器も食品衛生法をクリアしなくてはいけません。これらは厚生労働省の管轄なのでしっかりと申請すれば、個人の方でも通せます。ただ、この手続きには時間と手間がかかるので、先に取得してから輸入するのが鉄則です。もし、このことを知らずに輸入すると、食品衛生法の許可が下りるまで港で商品を管理する費用が発生します。そうなると完全に予算オーバーですよね？

● 薬事法に触れる商品
口紅、石鹸、メイクの道具（ブラシなども含む）、法律で禁止されている薬は輸入できません。これらは厚生労働省の管轄になります。輸入する前に申請が必要です。
参考URL 厚生労働省
http://www.mhlw.go.jp/bunya/iyakuhin/ippanyou/

● 航空法に触れる商品
液体、ジェルなどは航空便（EMSやDHL）での発送ができません。（船便を使えば輸入可能）。これらは国土交通省の管轄になります。
参考URL 国土交通省
http://www.mlit.go.jp/appli/file000005.html

● 軽犯罪法・銃刀法に触れる恐れがある商品
警棒、ヌンチャク、メリケンサックなど、武器として使える可能性があるものは輸入できません。ヌンチャクは武道の道具＝スポーツ用品だという見解で通関をすこ

強調部分
特に大事な部分は、色を変えて表現しています

解説
内容や手順を、図を用いて丁寧に説明してあります

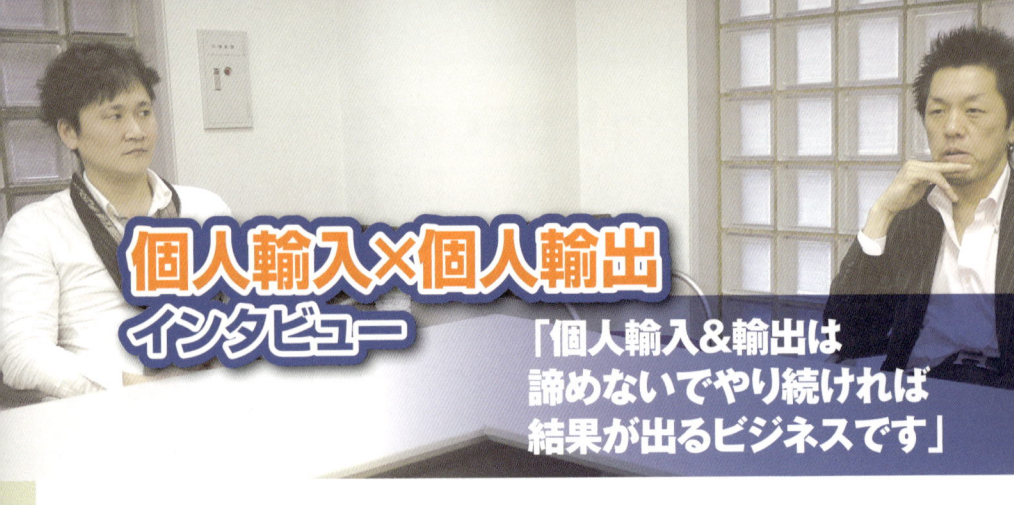

個人輸入×個人輸出 インタビュー

「個人輸入＆輸出は諦めないでやり続ければ結果が出るビジネスです」

山口 裕一郎（やまぐち・ゆういちろう）

1970年生まれ、東京都出身。超実践型オークションスクール山口塾を主催。30歳でインターネットの世界へ飛び込み、2年で年商1,000万円の売上を達成。主な著書は『ネットショップ＆ヤフオク 海外仕入れの達人養成講座』（翔泳社）。本書では序章〜3章の個人輸入を担当。

柿沼 たかひろ（かきぬま・たかひろ）

1978年生まれ、神奈川県出身。共著者の山口裕一郎が主催する中国、アメリカ仕入れに同行して輸入ビジネスを開始、1年で月商700万円の売上を達成。その後、Amazonを使った輸出販売に着手。先駆者がまったくいない中、独自の研究を重ねて結果を出す。海外法人も設立し、輸出入で成果を出し続けている。本書では4、5章の個人輸出を担当。

インターネットの普及により加速する個人輸入＆輸出ビジネス

——個人輸入、輸出ビジネスを始めたきっかけはなんですか？

山口 単純に儲かると思い、始めました。日本の問屋から仕入れても、なかなか儲けが出ません。例えば日本の問屋では、120円前後で販売されている一般的な、ボールペンの仕入れ値が70円、80円

します。この場合、どんなに頑張っても利益は1個売って何十円しか出ませんが、海外からだったら同じものをもっと安く仕入れることができ、その分、儲けも大きくなります。私の場合はやらないとお金が稼げない、というどん底からのスタートでした。そんな状況からでも、小資本で手当たり次第できるのがいいところですね。

柿沼　僕の場合は元々、バンドマンをやっていて、あまりお金がなかったので、古本を売ってお小遣いを稼いでいました。ある程度稼げるようになったときに、中古品は1点1点の状態が違って仕入れが安定しないので、新品を仕入れたいと思い、まず輸入を始めました。輸入品をバンバン売り、売上げが大きくなったところで会社を立ち上げました。そのとき、Amazonをプラットフォームとして販売していたのですが、「海外のAmazonでも販売できるのでは？」と思い、試しに10品ほど出してみたら、すぐに売ることができました。「これは同じことをやれば儲かる！」と思い、輸出を始めることにしました。

──始める前に事前知識はありましたか？

山口　個人輸入ビジネスの有料メルマガを出してる人は何人かいましたが、読んでもあまり信憑性を感じられませんでした。インターネットで調べてみたら、これは自分で始めてみた方がよさそうだな、と思いました。実際にそれで商売をしている人がすでにいるのは、強い自信になりましたね。それなら自分でもできるじゃん！と。あと、子どものころはアメリカ文化への憧れがあり、貿易をやってみたいな、という漠然とした夢もありました。

──インターネットが普及しているのも大きいですか？

山口　スタートしたときは実店舗もなければ実店舗を出す資金もありませんので、販路としては大きいですね。Amazon、eBay、ヤフオク！、その他国内のプラットフォームなど、インターネットの販路があるからこそ挑戦できるということはあります。

柿沼　インターネットのいいところは、一回ネットショップを作れば、世界中の人に見てもらうことができるところです。実店舗だと近所の人のみですからね。極端かもしれませんが、国内だったら数千万人の人が対象となるところがいいですね。

やりがい、楽しさとは？

──個人輸入＆輸出ビジネスのやりがい、楽しさとはなんですか？

山口　まず儲からないと面白くありません。誰かにいわれてやるのではなく、自分で何か仕入れて売ってみたとき、それが当たったときの喜び、「ほら、やっぱり売れるだろ！」（笑）みたいな嬉しさがあります。それから、自分で描いた戦略が当たると、気分がいいですよ。普通にAmazonに出品して売れるよりは、

自分で描いた戦略、例えばネットショップを作り、ここで無料オファーかけて、ここでステップメールを流して、最終的にオファーメール流したときにドカン！と買ってくれると、もう最高ですね（笑）。

柿沼 僕の場合は、いろいろな商品が見られるのがまず楽しいです。人生が豊かになるというか。元々興味がなかったものについて調べて、こんなものあったんだとか、こういう風に使うのかとかわかると、個人的に買ってみたりもします。あと、オークションに慣れると、買い物をすることに躊躇しなくなりました。買って、ダメなら売ってみようと。オークションで売れば、相場の状態によれば儲かるときもあります（笑）。例えば、欲しいカメラがあり、1ヶ月悩むくらいならまず買ってしまいます。選択肢の自由度が広がりましたね。あとは海外にお客様がいて、会いにきてくれたりとか、自分が海外に行ったときに会いに行ったりすることが楽しいですね。

結果を出すために必要なこと

―― なかなか成果が出せない人の共通点は？

山口 腰が座っていない人。副業だと腰に力が入らず、尻に火がつかないものです。私もそうでした（笑）。本業があるから、ちょこちょこと臨時収入が入ればな、となってしまう。本業がなくなれば、もうやるしかないので俄然、力が入りますけれども。あと、質問ばかりする人もダメですね。自分で解決する能力がありません。慎重になるのはわかりますが、1から10まで聞いているようでは厳しいです。

柿沼 目標設定がきちんとできない人は稼ぎづらいと思います。空いている時間でやればいい、という人は大抵やらない

です。予定が入ったから今日はいいや、とやっているうちにいつの間にか離れていってしまいます。1か月後に10万円稼ぐと決めたら、それに向かってどんどん細かく目標を設定しましょう。「商品を売って1個の利益がいくらか」「いくつ売ったら目標を達成できるか」をきちんと考えて、それが終わるまで寝ない、遊びに行かない、とやっていれば必ず結果が出るはずです。

——目標設定はどれくらいの単位で？

柿沼 僕は個人で始めたときは、3ヶ月くらいでした。3ヶ月後に30万稼げるようになりたい、という感じでやっていました。できれば短期、中期、長期で設定した方がいいですね。

海外とのやり取りは難しい？

——どうしても海外とやり取りするのは敷居が高いと感じる人が多いと思います。

柿沼 最初は大丈夫かなぁと不安でしたが、踏み込んでしまえばどうにかなります。元々凄い小心者なので、常に意識してメンタルブロックを取っ払うようにしています。その方が絶対に人生楽しくなりますしね。

山口 今はGoogle Chromeと翻訳サイトの精度が上がったので、そんなに壁はないですよ。自分が始めたころはGoogle Chromeはありませんでしたし、翻訳サイトの精度が悪かったのですが、今はマウスポインタを持ってくるだけで翻訳してくれて、ページ全体の翻訳機能もあります。慣れてくると日本語翻訳されているページよりも、英語のページの方が見やすくなります。

柿沼 使われている単語はどのサイトもほとんど同じですね。慣れてくれば、はじめてのページでも、わかるようにな

ります。

これから始める読者へメッセージ

――本書を読んでこれから始める人にアドバイス、メッセージをお願いします。

山口　世の中にはいろいろな商品があるので、まずは好きなものを売っていくといいのではないでしょうか。基本的に好きなものを扱っていくことで、長続きすると思います。そこからどんどんと掘り下げていきましょう。そのようにやっていけば飽きずに楽しくでき、稼ぐ可能性も大きくなります。会社が潰れるとか、身ぐるみ剥がされるとか、そこまで大きな勝負ではないので、100円で買ったものを150円で売り、そのお金で新たに仕入れをします。今度は1,000円で買ったものを1,500円で売る、その繰り返しだけです。うまくいかないこともありますが、そこで諦めなければ結果は出ます。理論だけではダメで、行動あるのみです！

柿沼　必ず結果が出るビジネスなので、諦めないで結果が出るまで何が何でもやり抜き、設定した目標に向けてコツコツと続けることですね。それをやっていれば本当にほとんどの人は結果が出ます。がんばってください！

――ありがとうございました！

はじめに

　「勝つまで諦めなければ、必ず成功する」「途中で諦めてしまうから、成功しない」。これは私がいつも胸に刻んでいるマイポリシーです。この本を手に取ったという人は、「お金を稼ぎたい！」という熱い気持ちを持っている人ですよね？　私は本気の人がこの本を読むことを想定して、高いテンションをキープしながら原稿を書き上げました。ですので、本気でない人は本書を買わなくても結構です。心からそう思っています。

　ここから先もお読みいただいている方へ。おめでとうございます。あなたは成功する確率が非常に高いトップ20％の仲間入りをしました。少しでもマーケティングを勉強したことがある方なら、80：20の法則はご存知かと思います。「全体売上の80％はトップの20％が生み出している」。このようにこの本では色々なビジネスの事例を当てはめ、実例を元に説明することが多いですが、要するにあなたは輸入＆輸出ビジネスを実践して、大きな売上を上げるトップ20％に入ればよいということです。輸入＆輸出ビジネスが熱いといっても、実際に本気で取り組んでいるのは全体の数％の人たちだけなのです。

　「思い立ったら吉日」「考える前にまず行動」、これもマイポリシーです。まだ何もやってないという方はとにかくこの本を片手に、できることから始めてください。初めは上手くいかないこともあるかもしれませんが、あまり深く考えずに我武者羅に突き進んでください。ビジネスには勢いも重要ですからね。この本に書いた通りにやれば、大きな失敗はしないで済みます。大きな失敗はすでに私が経験していますからね。著者としては自分が滑ってしまった経験を実例として、たくさん挙げながら解説した方がわかりやすい内容の本になるということはわかっているのですが、本当に全然、滑らないのです。わざとコンテンツ作りのために大失敗してしまおうかと思ったりしました（笑）。

　冗談はさておき、私が推奨する方法は実際の販売データを元に売れる商品だけを仕入れて販売するので、じっくりとデータを検証しながら仕入れれば、ほとんど失敗することはありません。唯一、失敗することといえば、実践しないことでしょうか？　どんなに凄いノウハウでも、実践しなければ1円も稼げませんからね。本書に書いた手法の数々は私が実践して、試行錯誤しながら掴んだリアルな方法です。少し大袈裟かもしれませんが、真実の物語です。「量は質を超える」、本当にこの一言に尽きます。実践に勝る方法はありません。10種類しか扱ってない人と、1,000種類の商品をテスト販売してきた人のどちらが稼げるかといえば、もう答えを聞くまでもありませんね。数稽古こそ、成功する秘訣なのです。

　スタートラインに立って一歩、踏み出しましょう。人生の逆転劇へ向けてのきっかけは作ったので、あとは自分自身がやるだけですよ。

　輸入＆輸出ビジネスの世界へ、さあ、どうぞ。

山口裕一郎

はじめに

　はじめまして、柿沼たかひろと申します。本書をお手に取っていただいて、本当にありがとうございます！　あなたはきっと、個人で取り組む、輸入＆輸出ビジネスにご興味があったので、この本を読んでくれているのだと思います。はじめに、簡単にご挨拶をさせていただきますので、少しの間だけお付き合いをよろしくお願い致します！

　半年ほど前に、今回、本書を共著された山口先生、出版社や編集の方々から「輸入、輸出両方のビジネスについて網羅した本を、一緒に作っていきませんか？」とご提案をいただいたとき、僕はとても嬉しかったです。というのも、僕自身が輸入ビジネスからスタートして、現在は輸入と輸出、両方のビジネスをしているという経験があるからです。僕は4年前に右も左もわからない状態で、はじめて中国へ仕入れに行き、我武者羅に輸入ビジネスをやってきました。それが今では、メーカーへの卸業や、学校などへの商品納入なども含めて、日本国内に向けてたくさんの商品を販売できるようになりました。そして、1年半ほど前に、ちょっとしたきっかけから、輸出ビジネスに出会ったことで、世界中へ商品を販売する方法を学び、輸入ビジネスで培ったノウハウを活用して、輸出ビジネスでも利益をあげられるようになりました。

　ところであなたは、輸入ビジネス、輸出ビジネスという言葉を聞いたとき、それぞれのビジネスにどんなイメージをお持ちでしょうか？　おそらく、「輸入ビジネス→世界中の製品を日本国内に向けて販売すること」「輸出ビジネス→日本の製品を世界中に向けて販売すること」と、こう思っているのではないでしょうか。輸出ビジネスの市場は、もちろん全世界です。しかし実は、輸出ビジネスの仕入れ先は日本に限定する必要はないのです。そう、中国から仕入れた商品をイギリスに販売することもできますし、フランスの製品をアメリカに販売してもよいというわけです。まさに、「世界中が仕入れ先」で「世界中が販売先」ということになりますね。

　輸入ビジネスと輸出ビジネスというのは、根本は同じなのです。「より安く仕入れた商品を、欲しい人の元に届ける」。基本的な原理はたったこれだけです。ですので、頭の中は常に、輸入、輸出と区切らずに、広い意味での「インターネットを活用した物販ビジネス」という感じにしておいていただきたいと思います（そうなってくると、反対に日本で仕入れて日本に販売するのもありですね）。

　この本を通じてあなたが、インターネット販売の基本、物販ビジネスの基本をしっかりと学んでいただければ嬉しいです。本書を通じてあなたが、自由な時間やお金を手にしてくれることを願っております。

柿沼たかひろ

Contents
目次

個人輸入 & 輸出 超実践テク131

序章
個人輸入＆輸出販売の基本

- Section 001　パソコン1台で億万長者を目指す21世紀型のビジネスモデル 8
- Section 002　ネットの普及で注目される個人輸入＆輸出 10
- Section 003　やるか？　やらないか？　輸入＆輸出ビジネスは誰でもできる！ 12
- Section 004　江戸時代から続くこのビジネススキルを身につければ一生、食うに困らない 14
- Section 005　特別な仕入れ先がなくてもバンバン稼げます！ 16
- Section 006　給料が上がらないなら自分で稼ぐスキルを身につけよう 18
- Section 007　個人輸入した商品をより高く販売する方法 20
- Section 008　個人セラーでも企業を相手に真っ向から戦える理由とは？ 22
- Section 009　稼いだお金を仕入れに注ぎ込み大きくしていく雪だるま式仕入れ方法 24
- Section 010　儲けのキモは「安く仕入れて高く売る、そして継続的に購入してもらうこと」 26
- Section 011　自分が全責任を持てば、自然とよい仕事に繋がり、利益が増える 28
- Section 012　人に任せられることは任せてしまおう 30

第1章
個人輸入、個人輸出の準備をしよう

- Section 013　商品を輸入＆輸出する前に事前に把握しておくこと 34
- Section 014　輸入＆輸出ビジネスで稼ぐにはクレジットカードは必須です 38
- Section 015　最重要！　海外から仕入れる前に必ずやっておくこと 40
- Section 016　通関をスムーズに通すコツ 42
- Section 017　輸入できる商品と輸入できない商品について 44
- Section 018　輸出できる商品と輸出できない商品について 46
- Section 019　商品にダメージがあった場合・商品に間違いがあった場合の対応 48

| Section 020 | 補償と保険について | 50 |
| Section 021 | 輸入＆輸出ビジネスで起こり得るトラブルについて | 52 |

第2章 ネットで個人輸入をする

Section 022	輸入販売のメリットとデメリット	56
Section 023	輸入に向いている商品・向いていない商品	58
Section 024	安くて、軽くて、小さいものを選ぶのが個人輸入の基本	60
Section 025	まずは売れているものを探す	62
Section 026	お薦めの情報収集方法はコレだ！	64
Section 027	トレンドを掴んで、一気に勝負する戦略	66
Section 028	2匹目のドジョウをたくさん掴むのが成功するコツ	68
Section 029	商品の仕入れ相場と販売相場を知る	70
Section 030	個人輸入の儲かるジャンル・儲からないジャンル	72
Section 031	あなたの趣味をお金に変える方法	74
Section 032	お薦めの仕入れ方法はコレだ！	76
Section 033	安定した仕入れをする方法	78
Section 034	試しに海外の商品をサンプルとして仕入れてみる	80
Section 035	日本では高額で販売されている商品を海外のサイトで安く仕入れる方法	82
Section 036	オークファンの基本的な使い方	84
Section 037	Amazonの基礎知識	86
Section 038	Amazonを使って輸入をしよう	88
Section 039	FBA料金シミュレーター（ベータ）の具体的な使い方	90
Section 040	Amazonランキングとオークションでの月間落札数を考慮する	92
Section 041	売れ筋商品を探し出す方法	94
Section 042	Amazonマーケットプレイスでライバルセラーの在庫数・販売商品を調べる方法	96
Section 043	TAKEWARIで世界のAmazonを一気に検索する方法	98
Section 044	eBay及びPayPalの基礎知識	100
Section 045	世界最大のオークションeBayを仕入れで使うマル秘テクニック	102

Section 046	よくある詐欺的手法と陥りやすい罠について	104
Section 047	転送業者を使って輸入をする	106
Section 048	海外から日本への発送について	108
Section 049	輸入ビジネスにおいて PDCA サイクルを繰り返すことが重要	110

第3章
輸入した商品を国内向けに販売する

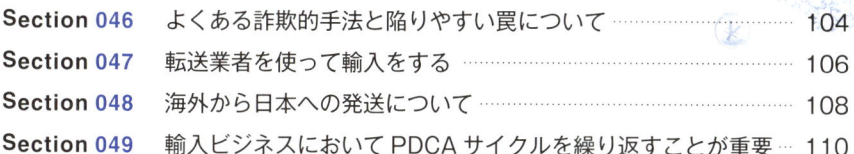

Section 050	可能な販路はすべて活用するべし	114
Section 051	Amazon マーケットプレイスで販売するメリットとデメリット	118
Section 052	インターネットを自動販売機化する方法	120
Section 053	AmazonFBA サービスの具体的な使い方	122
Section 054	ネットオークションで販売するメリットとデメリット	124
Section 055	ヤフオク！で販売して儲ける	126
Section 056	楽天オークションで販売して儲ける	128
Section 057	モバオクで販売して儲ける	130
Section 058	自分で運営するネットショップを持とう！	132
Section 059	出品する商品に合わせて出品する方法を変えていくのが鉄則	134
Section 060	便利なツールをフル活用する	136
Section 061	値付けのテクニックについて～Amazon マーケットプレイス編	138
Section 062	値付けのテクニックについて～ネットオークション編	140
Section 063	値付けのテクニックについて～ネットショップ編	142
Section 064	ライバルに大きく差をつけるタイトルとその重要性	144
Section 065	商品を売る魔法のフレーズ	146
Section 066	バリュー感をダイレクトにアピールする方法	148
Section 067	商品をさらに魅力的に見せる方法	150
Section 068	思わず買ってしまう魔法の説明ライティングテクニック	152
Section 069	スプリットランでテスト販売し、確実に売れる商品だけを仕入れる方法	154
Section 070	悪い評価を消してもらう方法～Amazon マーケットプレイス編	156
Section 071	悪い評価を消してもらう方法～ネットオークション編	158

Section 072	販売するシーズンについて	160
Section 073	商品の梱包方法	162
Section 074	アイテム別の賢い発送方法	164
Section 075	ただ発送するだけで儲かる方法とは？	166
Section 076	特定商取引法に従い、女性が安全に物販をするときの注意点	168
Section 077	クレーマーの対処方法	170
Section 078	個人情報の取り扱いは厳重に管理しよう	172
Section 079	あらかじめ知っておきたい！よくある失敗事例	174
Section 080	ロングラン販売している商品の撤退時期について	176
Section 081	さらに稼ぐための次のSTEP	178
Section 082	ショッピングモールへの出店	180
Section 083	ネットショップの販促に効果絶大！無料オファー戦略について	182
Section 084	送料無料戦略でさらに稼ぐ！	184
Section 085	親近感、信頼感を高める方法	186
Section 086	フロント商品とバックエンド商品を戦略的に扱う理由	188
Section 087	顧客リストは財産です	190
Section 088	輸入販売するときの便利なサイト、ツール一覧	192

第4章 海外向けに輸出する商品を国内で仕入れる

Section 089	誰もが手を出すのをためらうからこそビジネスチャンスがある	198
Section 090	儲かる商品の探し方	200
Section 091	稼げる商品を探し出すリサーチ術	202
Section 092	海外ウケがする売りやすい商品とは	204
Section 093	意外に売れない、売りづらい商品はコレ	206
Section 094	インターネットで仕入れ先を探す方法	208
Section 095	セールやキャッシュバックを利用して安く仕入れる	210
Section 096	問屋でまとめ買いをして仕入れる	212
Section 097	ライバルより安く仕入れるテクニック	214

Section 098	初心者でも滑らない海外向け商品セレクト術		216
Section 099	リアル店舗の販売価格が高い理由		218
Section 100	国内の展示会で卸業者を探す		220
Section 101	輸出販売でこれだけは気をつけたいことベスト10		222
Section 102	他のセラーと差をつけるための輸出戦略		224
Section 103	複数の仕入れ先があれば、必然的に安定した収入になる		226

第5章
国内で仕入れた商品を海外へ販売、輸出する

Section 104	輸出販売するメリットとデメリット		228
Section 105	輸出に向いている商品、向いていない商品		230
Section 106	販売ターゲットを絞り込む		232
Section 107	輸出販売方法の仕分け方		234
Section 108	Amazonマーケットプレイスで販売して儲ける		236
Section 109	AmazonFBAを使いこなす		238
Section 110	AmazonFBAの注意点		240
Section 111	eBayで販売して儲ける		242
Section 112	eBayの落札履歴リサーチ法とTerapeakの使い方		244
Section 113	独自サイトでの販売方法		246
Section 114	海外口座開設について		248
Section 115	海外法人設立について		250
Section 116	輸出販売攻略法と販売戦略		252
Section 117	破損などがあった場合の対処方法		254
Section 118	アカウントを剥奪されないための対処方法		256
Section 119	便利な翻訳サイトを使い倒す		258
Section 120	難しい文章を翻訳してもらう方法		260
Section 121	ファンの作り方		262
Section 122	リピーターになってもらう戦略について		264
Section 123	アップセルに繋げるテクニック		266

Section 124	最適な輸送手段を考える	268
Section 125	海外発送業者を使って個人輸出する	270
Section 126	航空運賃のアレコレ	272
Section 127	海上運賃のアレコレ	274
Section 128	TAXを考慮する	275
Section 129	通貨の差を考慮する	276
Section 130	便利なツールを活用する	278
Section 131	個人輸入＆輸出販売ビジネスお役立ち資料集	280

索引 …… 286

■『ご注意』ご購入・ご利用の前に必ずお読みください

　本書に記載された内容は、情報の提供のみを目的としています。したがって、本書を参考にした運用は、必ずご自身の責任と判断において行ってください。本書の情報に基づいた運用の結果、想定した通りの成果が得られなかったり、損害が発生しても弊社および著者はいかなる責任も負いません。

　本書に記載されている情報は、特に断りがない限り、2013年4月時点での情報に基づいています。ご利用時には変更されている場合がありますので、ご注意ください。

　本書では、「売上げ」をひと月あたりに得られる商材の売上げの合計金額、「利益」を売上げから卸価格、広告費などの費用を差し引いた金額として記載しています。

　取材者の実績・プロフィールはインタビュー時のものです。

　本書は、著作権法上の保護を受けています。本書の一部あるいは全部について、いかなる方法においても無断で複写、複製することは禁じられています。

　本文中に記載されている会社名、製品名などは、すべて関係各社の商標または登録商標、商品名です。なお、本文中には™マーク、®マークは記載しておりません。

序章

個人輸入&
輸出販売の基本

パソコン1台で億万長者を目指す
21世紀型のビジネスモデル …………… 8

ネットの普及で注目される個人輸入&輸出 … 10

やるか？　やらないか？
輸入&輸出ビジネスは誰でもできる! ……… 12

江戸時代から続くこのビジネススキルを
身につければ一生、食うに困らない ……… 14

特別な仕入れ先がなくても
バンバン稼げます！ ……………………… 16

給料が上がらないなら
自分で稼ぐスキルを身につけよう ………… 18

個人輸入した商品をより高く販売する方法 … 20

個人セラーでも企業を
相手に真っ向から戦える理由とは？ ……… 22

稼いだお金を仕入れに注ぎ込み
大きくしていく雪だるま式仕入れ方法 …… 24

儲けのキモは「安く仕入れて高く売る、
そして継続的に購入してもらうこと」 …… 26

自分が全責任を持てば、
自然とよい仕事に繋がり、利益が増える … 28

人に任せられることは任せてしまおう……… 30

Section 01 　序章｜個人輸入＆輸出販売の基本

パソコン1台で億万長者を目指す
21世紀型のビジネスモデル

| 基本 | 準備 | 輸入仕入れ | 輸入販売 | 輸出仕入れ | 輸出販売 |

序章　個人輸入＆輸出販売の基本

特別なスキルがなくてもサラリーマン以上の収入を稼ぎ出す

　稼ぐ秘訣を公開する前に、なぜ今、個人輸入＆輸出が熱いのかということを説明するため、少しだけ昔話にお付き合いいただければ嬉しいです。

　以前からこの稼ぎ方は存在してはいましたが、海外に送金するだけでも大変な時代で、仕入れもある程度まとまった数での取引が主でした。現在はインターネット上でクレジットカード決済ができ、送金の知識も必要ありませんし、商品も1つからの仕入れが可能なので、小資本で誰でもスタートできます。また、以前は決済の際、銀行が絡むL／C（信用状）の発行が必要で、それ以外でも何かと面倒なことが多く、その煩わしさ、面倒臭さから挫折したという方も多かったと思います。

　しかし、現在ではインターネットが普及し、時代が大きく変わりました。海外の販売者との取引に必要な英語が話せなくてもインターネットで即時翻訳できるのでまったく問題ないですし、取引相手と電話で会話する必要もありません。最低限、アルファベットが読める、単語が読めるという中学生レベルの英語力があれば、世界を相手に取引することが可能なのです。以前は大変な思いをしていた海外送金も、現在ではクレジットカードとメールアドレスを利用した「PayPal」（ペイパル）という決済システムを使えば、非常にかんたんに行うことができます。万が一の場合も、PayPalのバイヤーズプロテクション補償が適応されます。

　またインターネットを利用する販売方法が中心になることで、個人でも小さな会社でも大きな収益を生み出せるという

2011年6月の世界小売り／オークションサイトの訪問者数ランキング

順位	サイト名	訪問者数（単位：千人）	シェア（％）
1	Amazon Sites	282,233	20.4
2	eBay	223,520	16.2
3	Alibaba.com Corporation	156,780	11.3
4	Apple.com Worldwide Sites	134,296	9.7
5	楽天	57,785	4.2
6	Wal-Mart	44,650	3.2
7	Hewlett Packard	38,491	2.8
8	MercadoLibre	33,481	2.4
9	Otto Gruppe	31,779	2.3
10	Groupe PPR	31,686	2.3
	合計	1,383,098	100.0

15歳以上の家庭および職場からの接続が対象（資料：comScore Media Metrix）

▲ Amazonだけを見ても1ヶ月の訪問者数はなんと2億8200万人！（画像はITmediaニュースより）

参照URL
http://www.itmedia.co.jp/news/articles/1108/18/news025.html

ことも重要なポイントです。何気に書き綴っていますが、一昔前までは考えられなかった話です。

　後ほど詳しく説明しますが、Amazonマーケットプレイスの FBA サービスをはじめ、フルフィルメント（代行）サービスが個人でも利用できる時代です。これらのサービスを上手に使えば、あなたの主な仕事は売れる商品探しと決済くらいになるので、ビジネスはますます加速します。1 日に 100 個売れようが 500 個売れようが、発送業務などを Amazon がほぼ完璧に行ってくれます。これを利用しないわけにはいきません。特に個人の方、副業の方、小さい会社を経営する方は、こういったサービスを積極的に利用するのが利益を大きくする秘訣です。従業員を 1 人雇うよりも、こうしたサービスを賢く利用する方が人的ミスが少なく、コストパフォーマンスが高いという点も見逃せません。特別なスキルなどなくても、普通のサラリーマン以上の金額を稼ぐことは決して難しいことではありません。関税フリーを目指す規制緩和の動きがありチャンスなのです。すでに同じ手法で結果を出している人がたくさんいるということを考えれば、後はやるだけという勇気が湧くのではないでしょうか？　基礎力である土台や柱が弱ければ、しっかりした家が建たないのと同じで、インターネット物販で稼ぐ基本がしっかりしているかどうかが重要なのです。

　できない、稼げない、というのは途中で諦めて辞めてしまうからです。**正しいノウハウを身につけ、当たり前のことを当たり前にコツコツと実践すれば、必ず結果はついてきます**。それを信じて取り組めば、億万長者も夢ではありません。

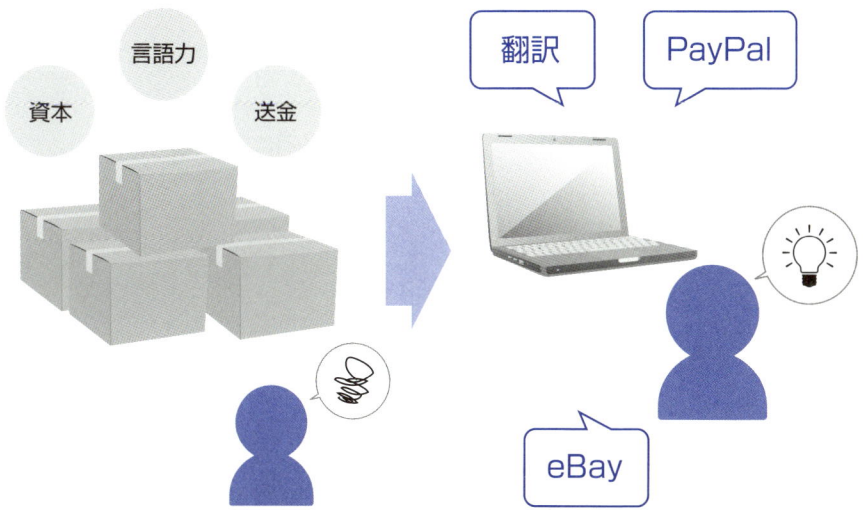

● パソコン 1 台あれば、1 人でも世界を相手に大きな収益を生み出せる時代が来たのです！

Section 02 　序章｜個人輸入＆輸出販売の基本

ネットの普及で注目される個人輸入＆輸出

| 基本 | 準備 | 輸入仕入れ | 輸入販売 | 輸出仕入れ | 輸出販売 |

注文、決済、発送確認……ネットですべて簡単にできる

　インターネットが普及したお陰で俄然、輸入＆輸出ビジネスがしやすくなりました。その中でも時間と距離が大幅に短縮され、一番便利になったなと実感できるのが決済関係です。「PayPal」という決済方法を使えば、ほぼリアルタイムで海外のセラーへの支払いや、バイヤーからの代金受取ができますし、輸送中の破損など、万が一のときも補償されます。国内の銀行口座も、確認、入金などが、インターネット上のネットバンキングで可能ですので、わざわざ銀行へ出向き、長い時間、順番待ちすることも少なくなりました。インターネット普及以前の決済方法としては郵便局や銀行から海外送金をするのが一般的で、セラーが代金を受け取るまでにかなりの時間がかかりました。それを考えると、もの凄い速度で決済ができる時代になったといっても過言ではないでしょう。

● インターネットを使ってパソコンから簡単に個人輸入＆輸出ができる時代になりました。

また、以前は注文の際にFAXを利用するのが一般的で、英語がわからない方はその文章、文法などを英語辞書で引きながら、なんとか英語で文章を書かなくてはなりませんでした。今では注文はWebサイトやEメールを使って行うのが一般的ですし、英語の文章、英文法などは英語翻訳サイトを使えば、辞書などを引かなくてもほんの数秒で英文が作れます。それをコピペして送るだけなので、あまり英語ができなくても海外の方と取引ができます。

　FAXではどうしても一方通行となるので、値段交渉などは、自分の意見や希望を伝えて、その後、相手の解答や反応を待たなくてはいけませんでしたが、「Skype」という無料電話・無料チャットを使えば、リアルタイムで相手とやり取りができます。通常、輸入関係でセラーと直接、話すことはないですが、もし、英語ができるのであれば、チャットだけではなく、海外への通話も無料でできます。海外への電話が無料でできるなんて、10年前は考えられなかったので、夢のような世界が到来しているのです。

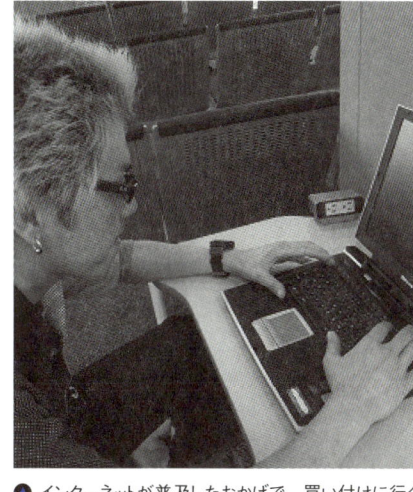

● インターネットが普及したおかげで、買い付けに行く空港でも仕事ができる時代が来ました。

　EMSやDHLなど、皆さんがよく使う国際郵便や国際宅配便で発送された荷物の状況は、各社のサイトで確認できます。もちろん、国内の発送に関してもインターネット上で状況確認ができるので、電話して確認してもらうこともほとんどありません。現地へ買い付けに行くといった場合でも、まずはインターネットでその国のことや旅費の相場を調べて、インターネットでチケット、ホテルなどを予約し、クレジットカードで決済して準備完了というケースが一般的です。ものを売る商売というと店舗型ビジネスしか考えられないという時代がありましたが、インターネットの普及により大きく変わりました。輸出ビジネスの場合、インターネットを上手に利用すれば、全世界を対象に販売ができるわけです。世界の市場規模は一説には65億人以上の市場ともいわれています。チャンスは限りなく大きく広がったといえるでしょう。**インターネットの普及によりこのような有利な追い風が吹いているので、輸入＆輸出ビジネスは雑誌、新聞、TVなどでも注目されています。**そしてそういう背景があるからこそ、この本も出版されて、今、あなたが手にしているわけです。

　この本を手にしたのも何かのきっかけですので、この追い風に乗ってください。

Section 03

序章 | 個人輸入&輸出販売の基本

やるか？ やらないか？
輸入&輸出ビジネスは誰でもできる!

| 基本 | 準備 | 輸入仕入れ | 輸入販売 | 輸出仕入れ | 輸出販売 |

やる気と適切なノウハウさえ押さえれば安定して稼げる

　まだ輸入ビジネス、輸出ビジネスをやったことがない人からすると、我々がやっていることがとても難しそうに感じるかもしれません。特に「貿易」という言葉が出てくると、思わず尻ごみしてしまうかもしれません。実はそうでもないのです。

● 貿易と聞くと難しい仕事に感じますが、実はそうでもありません。

　メールの送受信とインターネット検索がごく普通にできればOKで、実際には誰でもできることしかやっていません。それにも関わらず大きく稼げるのです。自分自身、パソコンさえ触ったことがない状態からこの業界に入ったという立派な経歴があるので（笑）、今、**パソコンスキルがあまりなくても全然、大丈夫**です。実際、今でもそんなにパソコン操作ができる方ではありません。それでもあまり不自由は感じませんし、最前線でバリバリと仕事をこなしています。変な先入観は捨てて、難しく考えずにシンプルに考えましょう。目的は「お金を稼ぐこと」です。パソコンスキルを上げるのが本来の目的ではなく、お金を稼げればよいのですからパソコンは単なるツールの1つにすぎません。**売れ筋商品を安く買ってきて、利益が出る価格で売ればよい**

のです。ですので、本書に書いた方法をまねして実践するだけで、資金が少なくても、普通のサラリーマンのお給料くらいなら誰でも稼げます。さらにもっともっと稼ぐことも十分可能です。スタート時だけは比較的簡単なAmazonマーケットプレイスやネットオークションの出品方法だけ覚えて、販売活動し、タネ銭ができたらSOHOさんを使ったり、スタッフを雇ったりして、ネットショップなどを運営するというのもビジネスマンとして正しい考え方です。方法や選択肢はいくらでもあります。要は本人が「やる！」と腹を括って取り組むだけです。実際、口ばかりで腹を括る度胸のある人が少ないので、「おりゃー！」と腹を括ってやるだけです。もし、そんな背水の陣という気持ちで取り組んでいるのに結果が出ないということがあれば、それは適切なノウハウで実践していないということです。東京駅から新大阪駅まで東北新幹線では行けないですよね？　それと同じでちゃんと結果が出る方法でやればいいだけの話なのです。インターネットを使った輸入ビジネス、輸出ビジネスで稼いでいる先駆者がすでにたくさんいます。どんなジャンルでもそうですが、成功者に成功の秘訣を聞き、そして教わるということが一番確実な方法であり、成功するために最も重要なことです。正直、独学でやっていたら何年かかるかわかりません。東京駅から新大阪駅まで歩いて行けないことはないですが、あまりにも時間がかかります。しかし、多少のお金を払えば、新幹線や飛行機を使ってほんの数時間で行くことができます。早く結果を出したいのであれば、多少、お金を払ってでも師匠を見つけて、弟子入りするという近道を選ぶことです。それが一番確実で費用対効果が高い方法なのです。間違った方法で頑張っても、いい結果が出るわけがありません（キッパリ）。そして、正しい方法さえ身につければ、自分の裁量で年齢や性別に関係なく5年、10年と安定して稼ぐことが可能です。そして積み重ねた経験と努力の継続により専門性が高くなるという特徴があります。そのための基礎作り、土台作りとして本書をお読みいただければ嬉しい限りです。

▲ 結果を出したいのであれば、近道を選ぶことです。

Section 04 　　　　　　　　　　　　　　　　　　　　序章 ｜ 個人輸入&輸出販売の基本

江戸時代から続くこのビジネススキルを身につければ一生、食うに困らない

| 基本 | 準備 | 輸入仕入れ | 輸入販売 | 輸出仕入れ | 輸出販売 |

ニーズある商品を安く仕入れ高く売る、シンプルなスキーム

　「ものを売って、その代わりに同等のお代金を頂戴する」。これは江戸時代から続く、まったく真新しいことは何もない商売の方法です。真っ当で堅実な方法であり、今後もなくなることのない商売の基本中の基本なのです。あとはプライドを持って、やり甲斐を感じて、お客様のために一生懸命やるだけです。さらにインターネットの普及により、Webでものを売るという商売の方法は今後も着実に成長していきます。そう、今がビッグチャンスなのです。**このビジネススキルを身につければ一生、食うに困りません**。消費者の皆さんが求めている商品をできるだけ安く買ってきて、できるだけ高く販売し、その差額を利益としていただくという実にシンプルなスキームなのです。

　この差額を大きくするには数々のテクニックが必要です。一見さんだけを相手にしていると程々は稼げますが、大きなレバレッジが効きません。

レバレッジとは（Wikipedia より）

レバレッジ (英語 leverage,gearing,levering) とは、経済活動において、他人資本を使うことで、自己資本に対する利益率を高めること、または、その高まる倍率。原義は「てこ（レバー、lever）の使用」。

　特に個人セラーや小さな会社は、レバレッジ＝てこの力を効かせて稼ぐことを頭に入れて販売活動をしていくことが重要です。簡単に説明すると、売上は「客数×客単価」です。客数とは、

人数×購入する回数（既存客＋新規客－離脱客）

ということになります。客単価は購入アイテム数×商品価格という図式になっています。

売　上＝客数×客単価
客　数＝人数×購入する回数（既存客＋新規客－離脱客）
客単価＝購入アイテム数×商品価格

※ P.14、15の計算式は「ビジネスは「客数」×「客単価」×「購入回数」だけで出来ている!」（渡邊健太郎著、ごま書房新社刊）より出典

　ですので、1度購入してくれたお客様に対して、定期的かつ魅力的なオファーをして購入回数、購入単価を上げていくことになります。一度購入しているお客様は、関連商品を含む同系統の商品を購入する可能性が極めて高いお客様だということは間違いないので、しっかりとしたアフターフォロー、アフターセールスが必要になります。といっても無理矢理押し売りするのでなく、お客様に喜んでもらうことを考えてオファーした方がどう考えてもスマートですし、販売者の精神衛生的にもいいですね。個人アカウントのネットオークションでは規約上、こういったセカンドオファーやバックエンド商品の販売ができません。そのためには独自のネットショップを作って、いろいろな方法で顧客情報を収集しながら展開していく必要があります。お客様に喜んでもらう方法は多数あります。

- 新製品の情報を発信する
- リピーター割引をする
- スタンプ制、ポイント制にして割引特典をつける
- 無料サンプルプレゼント
- 購入者限定プレゼント
- 誕生日割引＆プレゼント

　要は貴方だけにオファーしているのですよという特別感を出して、お客様に喜んでもらい、さらに新たに商品を購入してもらうということです。具体的にはメルマガで定期的にお得な情報を発信して、リンクを張り、直接、ネットショップに来てもらうという流れになります。販売する商品により、戦略も変わってきますので、トライ＆エラーを繰り返して、よい戦略は残し、反応が悪い戦略は中止して、どんどん精度を上げていきます。これを繰り返していけば、5年、10年と安定して長く稼ぎ続けることができます。

🔵 プライドを持って、やり甲斐を感じて、お客様を喜ばすのがこのビジネスです。

Section 05

序章 | 個人輸入&輸出販売の基本

特別な仕入れ先がなくても
バンバン稼げます！

| 基本 | 準備 | 輸入仕入れ | 輸入販売 | 輸出仕入れ | 輸出販売 |

業者から仕入れているのは実は全体のごく一部

　私が本書で提唱する方法は、決して机上の空論ではなく生きたノウハウです。もちろん、すべて合法的な正攻法です。「楽して儲かるノウハウ」といった類のものではありませんが、正しいノウハウを覚えてコツコツと実践さえすれば、必ず結果が出ます。これは決して難しいものではありません。特に販売する商品を仕入れる場合、卸業者を使わないといけないと思っている方が多いかもしれません。特に海外製品の販売だとなおさら、そう思うのかもしれません。しかし、実は卸業者などを使わなくても十分に稼げるのです。実際、業者から仕入れをしている方や企業もありますが、それは全体のごく一部です。**ヤフオク！やAmazonマーケットプレイスを見てみると、ほとんどが一般的な小売のサイトから仕入れている商品ばかり**のように感じます。実際、輸出入ビジネスで年間1,000万円以上稼いでいる方に聞いてみても、特別なルートで仕入れている方は稀です。このように大きく稼いでいる人でも普通に小売りで購入し、販売していると考えれば、自分にも簡単にできそうな気がしませんか？　小売りの価格で仕入れても、それ以上の価格で売れる商品を扱えばいいのですから、決して難しいことではありません。つまりは、利益が見込める商品を見つけ出せばいいだ

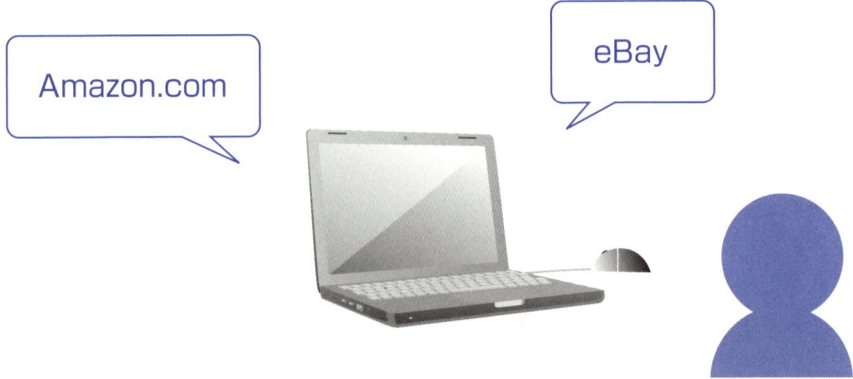

● 特に仕入れ先などなくても海外のサイトで買い物感覚で仕入れをすることができるんです

けの話です。すぐには見つかりませんが、そのような商品は必ずあります。特に初めはなかなか見つかりませんが、見つけるコツさえ掴めば、儲かる商品は星の数ほどありますし、その力を身につけさえすれば、永続的に稼げるのです。商品を探すにあたりやっていることといえば、Amazon マーケットプレイスやオークファンで日本での販売相場、Amazon ランキング、月間落札数などを調べて、日本国内と海外の販売価格の差額が大きければ海外で買えるサイトを探し、送料、商品代金、販売手数料などの経費を差し引いても利益が大きいと判断した場合、仕入れるという作業の繰り返しです。要は**需要と供給のバランスがよく、国内外の価格差があれば、問屋から仕入れなくても十分に商売になる**ということです。

　特にスピードがものをいう時代ですので、スピードがあれば勝ち残ることも可能なのです。問屋から仕入れると、多少、価格は安くなりますが、一度に仕入れる量は必然的に大きくなり、問屋が工場に発注して、商品が完成し、納品されるというのが一般的な流れです。また、大量ロットで仕入れて、販売しているうちに販売価格が大幅に下がる商品もあります。そういったリスクを考慮すると個人セラーや小さな企業は小ロットでの仕入れ中心になりますが、逆に考えるとこれは多少仕入単価が高くなっても、リスクが少ないので、今の時代に向いている仕入れ方といえるでしょう。もし火傷をしたとしても、小ロットでの仕入れなので最小限で収まります。いくら慎重にAmazon ランキングや販売価格を調べてから仕入れても、どうしようもないくらい安い価格で販売し出す業者が出現したり、為替相場の変動などの外的要因はでてきますが、そんなときに倒産するほどのダメージを受けないというのも、小ロット仕入れの隠れたメリットです。

● Amazon は世界にこんなにたくさんあります。そこから商品を探して販売するだけで稼げます！

参照 URL
http://www.amazon.com/

Section 06 | 序章 | 個人輸入&輸出販売の基本

給料が上がらないなら
自分で稼ぐスキルを身につけよう

| 基本 | 準備 | 輸入仕入れ | 輸入販売 | 輸出仕入れ | 輸出販売 |

インターネットを活用して「やる気」に成果を出す

　今の時代、会社で真面目に働いていても、給料が大幅に上がることはありません（キッパリ）。今後も会社員の見通しが明るいとはいえません。バブル時代ではないのですから、会社から支給されるボーナスだって実際のところ微妙ですし、出るだけマシという感じかと思います。分母が小さいだけに、節約するにも限界があります。そんな気持ちから副業として、輸入した商品をインターネットで販売する活動に取り組む方も多いかと思います。「絶対に稼いでやる！」そんなことを毎日真面目に考えている方にはチャンスがあります。

　国や会社が助けてくれないのなら、自分自身で稼ぐ力を身につけるしかありません。正しい方法で実践すれば、決して難しい方法ではありません。数あるお金儲けの中で、一番シンプルなのが物販なのです。**一昔前まではお店屋さんで商品を買うしかなかったのですが、インターネットの普及により、誰でも売り買いできる時代がきたのです。**インターネットが普及していない時代は物販をやるといったら、店舗を出す以外に方法がありませんでした。店舗を出すとなると、最低限数百万円単位での準備資金が必要になります。この時点で物販を諦めてしまう方も多かったと思います。

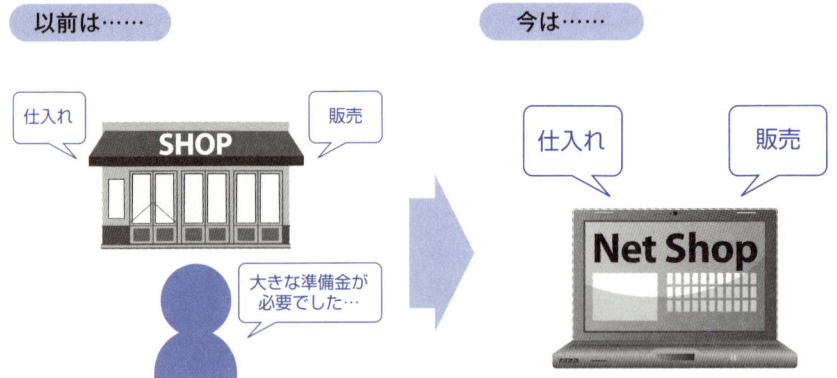

しかし、インターネットを利用すれば、少しのサイト利用料などだけで、販売活動がスタートできます。例えばモバオクなら月額315円で1,000品まで出品が可能です（特定商取引法などに基づいた必要事項を表示した場合）。副業からインターネット物販を始めて、軌道に乗ったら店舗を出すという選択も可能です。また、一昔前は独立、起業の勉強や研究をしようと思っても、書籍と企業が主催するセミナーくらいしか方法がなかったのですが、今ではインターネットが発達したおかげで、自分でアクションを起こせばいくらでも稼いでいる人たちと繋がることができます。成功したいなら、成功している方と繋がって、まねするのが一番早く、確実な方法です。こんな時代だからこそ、稼ぐスキルを身につけるべきです。思い立ったら吉日、早いも遅いもないです。よし！　やろう！　と腹を括ってしまえば、後は結果を出すために必死でやるしかありません。カッコ悪いからかもしれませんが、私から見ると「必死さが足りないなぁ」という方が多いのが現状です。何ででしょうね？　カッコなんてつけてる場合じゃないのに……。

　インフラ、ノウハウ、先駆者などすべて揃っているので、後は本人のやる気だけです。人間、本気でやればできないことなんてありません。「無理だと思っても、続けていれば無理ではなくなってきますし、無理して自分を追い込むことで結果的に成長できる」とワタミ取締役会長の渡邉美樹氏もおっしゃっております。資格らしい資格もなく、大学も行っていない私でも貿易会社を営んでいるのですからあなたにもできます（断言！）。しかも、自分が好きなときに働き、自分が好きなものしか扱わないので、雇われて仕事をしているときよりもストレスも少なくなりましたので、よいことばかりです。

以前は……

今は……

インターネットで成功者とダイレクトに接することができる！

Section 07　　　　　　　　　　　　　　　　　　序章｜個人輸入&輸出販売の基本

個人輸入した商品を
より高く販売する方法

| 基本 | 準備 | 輸入仕入れ | 輸入販売 | 輸出仕入れ | 輸出販売 |

ライバル出品者に差をつけるアイデア

　まずはライバル出品者を探して、その出品者よりも高く売る方法を考えましょう。インターネットでの販売はライバルの戦略など、情報が筒抜けなので、アイデアで勝負です。極論、鋭いアイデアさえあれば勝ち残れるといっても過言ではありません。本書では私が実践して効果が高かった戦略を中心に１つ１つ解説していきますが、**自分なりにいろいろと高く売る方法を考えて１つ１つ実践することが大切**です。

　例えば、一般的には使用方法がわかりづらい輸入品の場合、日本語のオリジナルの取り扱い説明書を製作して、それをUSP（ユニークセリングプロポジション＝他にはない独自の強みを主張すること）として他と差をつけることも可能です。消耗品などの場合は単純にまとめ売りしたりするだけでも売り上げが伸びるので、ライバルに大きく差をつけることができます。

　さらに突き詰めると、オリジナル商品を製作し、販売すればライバルにまねされずに永続的に稼げます。初心者の方に多く見られる特徴としては、販売している商品が売れなくなるとやたらと販売価格を下げる傾向があります。確かに販売価格を下げれば売れるかもしれませんが、悪いスパイラルになり、仕事量、作業量の割には儲からないということになります。価格を下げて売るだけではなく、価格を下げずに今まで以上に売る方法を考える癖をつけるようにしましょう。

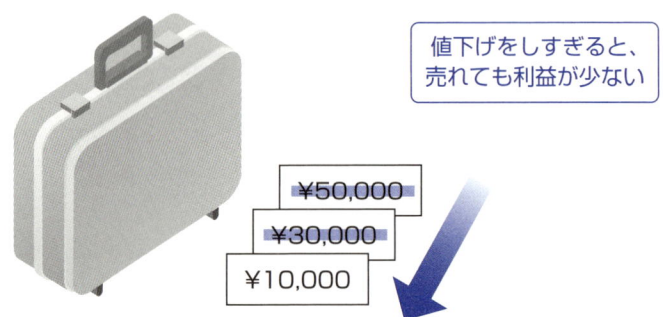

値下げをしすぎると、売れても利益が少ない

🔻 値下げをせずに売る方法を考えなければいけません。

　オークションの場合、即決価格をつけるのも1つの手ですし、ネットショップなどの場合、例えば5,250円以上お買い上げで送料無料にする戦略を取ったり、10,000円以上お買い上げの方にはプレゼントをサービスするといった戦略も効果があります。返金保証をつけることもインターネット通販では非常に効果的であり、この手法は「リスク・リバーサル」と呼ばれ、多くの業界で活用されています。返金保証＝リスク・リバーサル戦略は特に新規顧客の購入に対するハードルを低くするのが目的です。新規顧客の心理としては購入したことがない店で購入するのはやはり不安がつきまとうものなのです。特にインターネットでの購入の場合、実際に触ったりできないので、実店舗での買い物に比べて、多少なりとも不安になる場合が多いかと思います。

　「もし気に入らなかったら、返品しても全然OKですよ♪」とやわらかく提案すれば、ハードルは一気に下がり、気軽に購入できるようになり、その結果として売り上げが上がります。そうして購入までの大きな心理的ハードルを下げてあげればいいのです。まだこの返金保証を導入していない方はすぐにやってみてください。実際に返品されることもありますが、それ以上に売り上げ向上を実感するはずです。価格を下げるのは最終手段として取っておいて、利益をキープする方法を考えてドンドン実践しましょう。やってみると、こういったアイデア出しは結構楽しい作業なのでかなりハマりますよ。

　そうして試行錯誤を繰り返しながら販売活動をして、お客様が商品を手にして喜んでくれるというのが、このビジネスの楽しみでもあります。

● インターネットでの販売は鋭いアイデアさえあれば勝ち残れます！

Section 07　個人輸入した商品をより高く販売する方法

Section 08 　　　　　　　　　　　　　　序章｜個人輸入&輸出販売の基本

個人セラーでも企業を相手に真っ向から戦える理由とは？

| 基本 | 準備 | 輸入仕入れ | 輸入販売 | 輸出仕入れ | 輸出販売 |

個人セラーが大企業を相手に戦う方法

　個人が大企業を相手に戦う、そんな方法があるのか！？　と叫んだ方も多いかと思いますが、実際にあります。例えば大手企業が目を向けないニッチなものを扱えば、個人セラーでも大きく稼げます。大手企業が商品を販売する場合、人件費がかかり過ぎたり、市場規模に合わないといった商品や、ニッチ過ぎて取り扱いが難しい商品には手をつけない傾向が多少なりともあるようです。ですが、個人セラーや小さな企業なら、そういった商品でもフットワーク軽く扱って利益を出すことが可能なのです。

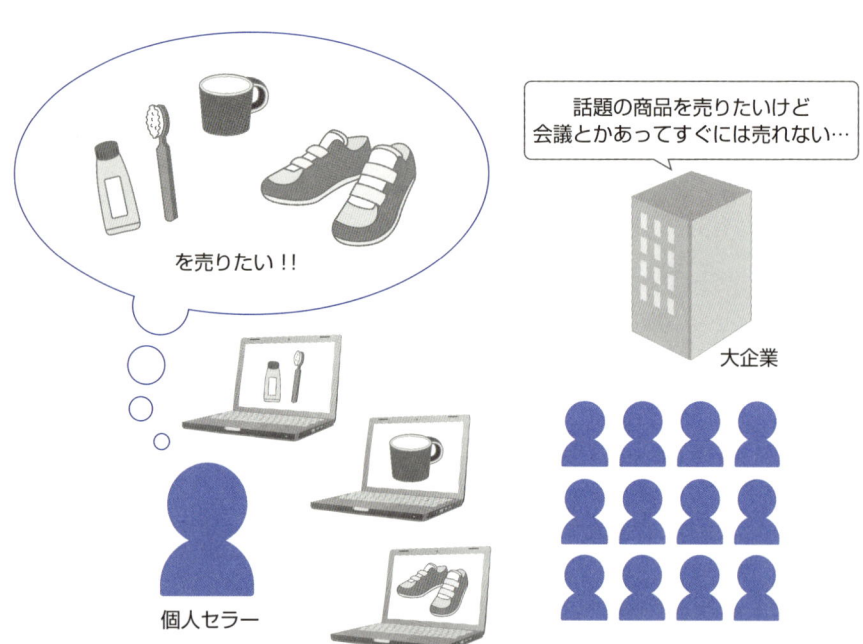

● 個人セラーは企業よりも早く商品を売り出すことができます!

ビジネスはスピードです。モタモタしていたらお金の神様は逃げてしまいます。大手企業はその名の通り、たくさんの人で組織が形成されているので何か販売する商品を1つ決めるだけでも時間がかかります。**個人セラーや小さな企業の場合、素早くすべてを決定することができるので、大手企業が参入してくる前にどんどん勝負することができます。**いろいろな収入の柱を立てていくことがビジネスを安定させる基本的な考えであり、重要な部分です。そのためいくつかの商品は、スピード勝負の短期的売り上げを上げる商品でもよいのです。

さらに他の部分でも追い風が吹いています。Amazon マーケットプレイスの場合、販売者が大手企業なのか、個人セラーなのか、ぱっと見ただけではわかりません。また購入者も「出品者が大手企業ではないからこの出品者からは買わない！」という視点で出品者を見ているわけではありません。欲しい商品を、よい評価の出品者から安く買いたいという2点だけで見ています。ですので、Amazon マーケットプレイスの場合、販売者が大手企業でも個人セラーでもまったく差がないといえます。

またヤフオク！ストアの場合、外税にするか内税するかを運営者が自由に価格設定することができます（決済金額が外税計算になるケースが多いです）。さらに発送方法の選べる幅が狭く送料が高い場合が多いので、ヤフオク！ストアと個人 ID のセラーがまったく同じ商品を同じ価格で出品している場合、慎重で賢いユーザーは送料や手数料の総額が安い個人 ID のセラーから購入するというケースも多いのです。

このように、インターネットを使って販売すれば、個人セラーでも大手企業と対等、いやそれ以上に戦える方法は無限大にあります。ですので、「大企業じゃないから売れない……」という考えは今すぐ捨てて、個人セラーや小さな企業ならではの商品と戦略で勝負してやる！　という考えに切り替えましょう。

価格	出品者
10,000 円	個人セラー
10,500 円	大企業 A
11,250 円	大企業 B

価格を見て買うためこの場合は個人セラーの商品が選ばれやすい！

▲ 個人セラーでも大企業に真っ向から挑み、勝てる時代です！

Section 09

序章 ｜ 個人輸入＆輸出販売の基本

稼いだお金を仕入れに注ぎ込み
大きくしていく雪だるま式仕入れ方法

| 基本 | 準備 | 輸入仕入れ | 輸入販売 | 輸出仕入れ | 輸出販売 |

手元に置いても意味がない、利益を元手に仕入れに投資を

　物販で稼いだ資金を大きくしていくためには、「稼いだお金を次に注ぎ込む！」という流れを繰り返す必要があります。インターネット物販、いやビジネスはこれの繰り返しです。眼を閉じて雪だるまを想像してみてください。はじめは小さな雪の塊でも、雪の上で転がしていくと雪の塊はどんどん大きくなります。雪だるまは大きくなればなるほど、転がすだけで開始したときより早く大きくなります。そんなイメージで**インターネット物販で生まれたお金をどんどん仕入れに投資していく**のです。

　商品の仕入れだけではなく、広告や Web サイト構築の費用に投資していくのもよ

▲ 転がせば転がすほど大きくなる雪だるまのように、利益をどんどん投資しましょう！

いでしょう。今の世の中、お金を持ったままじっとしていてもお金が増えることはほぼありません。自分で生み出したお金でお金を生み出すイメージで、どんどん攻めていきましょう。攻めるというと、一気に大きな金額を仕入れにブチ込みたくなる豪快な方もいるかもしれませんが、**商品、サービス、広告などに分散して投資するのが賢明**です。分散しておけば、万が一、1つの収入の柱が倒れても他の収入の柱があれば、いきなり収入が途絶えるということはありません。

　特に資金が少ないときは少しずついろいろな商品、サービスに投資するということも重要です。投資する金額を少しにしておけば、万が一のとき、最小限のダメージで済みます。仕入れに関しては今より多くの商品を取り扱うように意識していけば、今までなかなか見つけることができなかったドル箱商品が見つかる可能性も高くなります。10個しか商品を扱っていない方より、100個、1,000個と商品を扱っている方のほうがヒット商品を掴む可能性が高いのです。要は数の理論です。安定にあぐらをかいていたらその先は衰退しかないので、攻め込むのが重要です。ヒット商品を掴んだら、その商品の仕入れにまた投資します。

　最悪な例としては一気にたくさん投資した場合、スッパリと諦めることができずに撤退が遅れることがあり、なんとか盛り返そうと粘っているうちに負債が大きくなる場合もあります。雪だるまは溶けてしまうと転がりません。このような理由により、多少、手数と作業は増えますが、いろいろな商品を探し出し、販売し、徐々に投資をしながら幅を広げていくのが、雪だるま式で稼ぐ鉄則です。手数や作業が増えてきたら便利なツールを導入したり、スタッフを入れるなりして作業を減らす努力をしましょう。雪だるまは転がし続けることに意味があるのですから、作業が多くなり転がせなくなると本末転倒です。こんな流れで、稼いだお金をどんどん増やしていってください。

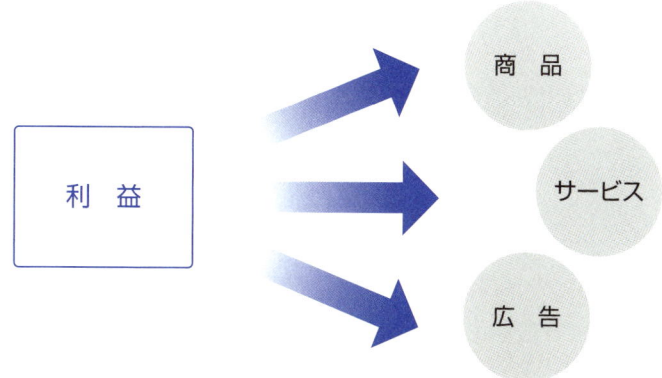

● 投資は分散させることで、1つが失敗しても最小限のダメージで済みます。

序章 | 個人輸入&輸出販売の基本

Section 10

儲けのキモは「安く仕入れて高く売る、そして継続的に購入してもらうこと」

| 基本 | 準備 | 輸入仕入れ | 輸入販売 | 輸出仕入れ | 輸出販売 |

国内外の価格差と継続的な購入を狙う

　儲かる商品の検索を続けていくと日本で販売されている価格より、海外で販売されている価格の方が断然安いという商品はたくさん見つかります。そういった**価格差のある商品でなおかつ、オークファンで調べた月間落札数が多くAmazonランキングが高い商品を多数、扱うのが安定して稼ぐコツ**です。現在、日本国内で大きく稼いでいる方のほとんどが海外製の商品を扱っているという事実を見れば、一目瞭然です。このように、国内外の価格差だけでも稼げますが、どうせならもっと大きく稼ぐことを考えましょう。

国内価格	￥10,000
海外価格	$50 (約5,000円)

🅐 海外価格が国内価格よりも安いものは多くあります。

　例えば、釣り道具を販売するとします。残念ながら資金が少なく、大量の在庫を管理する場所もありません。逆にいえば、それはチャンスなのです。インターネットでの販売の場合、何でも売っている百貨店タイプのショップより、あるジャンルに特化した専門ショップの方が利益を生みやすいのです。釣り道具を販売して稼ごうと思い、数ある商品群の中からルアー（疑餌）とロット（釣り竿）を選びました。どちらが継続的に購入してもらえるか、考えなくてもわかりますよね？　釣りをやられる方はわかると思いますが、ルアーはかなりの頻度で壊したり、失くしたりします。木に引っ

かけたり、水中の岩などに引っかけたりして失くしたり、ソフトルアーなどは魚にカジられて壊れたりします。一方、ロッドは頑丈かつ、しなやかにできているのでなかなか壊したり、失くしたりしません。通常、ロッドは１本、プロでも数本使用する程度ですが、ルアーは一般のアングラー（釣り人）でも何十個も持ち歩きます。このように考えるとどちらが継続的に多数、購入してもらえるアイテムかわかるはずです。

　ネットでの販売の場合、一度、購入してもらったお客様に何度もリピート購入してもらうことが稼ぐ肝であり、重要なことです。具体的には見込み客からお客様になってもらうために、無料サンプルのプレゼントから商品購入に誘導したり、激安のお試し商品を買ってもらい、顧客情報を掴み、その後にオファーして高額商品をリピート購入してもらう仕組みを作っていくことになります。商品の構成的には、利益を生まない安い商品（フロント商品）と利益を追求する高額商品（バックエンド商品）という最低２パターンの商品を戦略的に販売していくことになります。

　しかしせっかく、リピート購入してもらう仕組みを作っても、ルアーとロッドでは消費量が違いますので、購入率、購入数も全然、違ってきます。これを考慮すると資金が少なく、大量の在庫を管理する場所もない方はルアーを販売して、リピート購入を狙う戦略の方が賢いといえます。どうしてもロッドを扱いたい場合、ルアー販売で資金を作りながら、同時に顧客リストを構築し、そのリストにオファーをかけるという流れにすれば、リスクは低く展開できます。世の中には儲かる商品は星の数ほどあるということを忘れないでください。商品を選ぶ際、頭を柔らかくして、この辺りも考慮すると効率よく稼げるようになります。

▲ どちらが購入頻度が高いかを考えて、リピート購入してもらえる商品を取り扱いましょう。

Section 10　儲けのキモは「安く仕入れて高く売る、そして継続的に購入してもらうこと」

Section 11

序章｜個人輸入＆輸出販売の基本

自分が全責任を持てば、
自然とよい仕事に繋がり、利益が増える

| 基本 | 準備 | 輸入仕入れ | 輸入販売 | 輸出仕入れ | 輸出販売 |

責任を自覚することが大事

　現在、会社勤めで、今後は独立したいという方も多いかと思います。私自身も会社員の副業としてこういったインターネットでの販売を始めたわけですが、副業時代は会社に属しているという気持ちからやはり甘えが生まれるのか、大きな結果は出ませんでした。大きな結果を目指すようになったのは、恥ずかしながら失業してからです。だからといって、「会社を辞めろ！　そんなんだから成功できない！　甘いんだよ！」とはいいませんが、会社を辞めたことが本気でやるきっかけとなったのは事実です。もちろん、会社勤めをしながら結果を出している方もたくさん知っていますし、真剣にやれば両立も可能だと思います。私がやる気に火がつくのが遅いタイプなのかもしれませんが、失業してから家賃も払えない、税金も払えない、生活費もままならないという状況に陥り、やっと尻に火がつき、シャカリキにやり始めたという感じです。インターネット通販で食っていきたいという気持ちにブレはありませんでしたが、どこでもいいからインターネット通販をやっている会社に潜り込んで、勉強しながらお金を溜めて、準備万全で始めたいという気持ちを持っていました。意外と慎重な性格だったりします（笑）。それはさておき、面接に行っても1社も受からないし、職探

🔺 本気になって取り組めば、よいことばかりです。

しをしているうちに貯金は底をつき、30過ぎているのに家賃さえも払えないという最低な状態でした。そこでようやく腹を括りました。「甘い考えをすべて捨てて、今、すぐに独立し、食っていこう！」と決意し、役所に開業届を出しに行ったところ、あっけないほど簡単に受理されて、晴れて開業。その後、代表者に自分の名前を入れた個人事業主の名刺を作ったりしているうちに自分で仕事をして食っていくという自覚を持つようになりました。そうして不安定ながらスタートし、引き下がれない状況を自ら作り、全責任を自ら持つ決意をしてから稼げるようになりました。「なりました」というのは少し語弊があるのですが、貪欲になったといったほうがいいでしょう。ですので**「これから本気で頑張りたい！」という方は全責任を自分が持つということを自覚すれば、結果はついてくるはずです。**

　毎日、最終的な決断を下すのは自分自身です。ちょっと厳しい意見でスパルタ方式かもしれませんが、人様からお金をいただくということはそんなに甘くはないことなので、このくらいの覚悟があったほうがよいのです。逃げ道があると人間は甘えてしまう生き物ですが、切羽詰まると何でもできるものです。また「これでやっていく！」という真剣さはお客様にも伝わりますので、自然とよい相乗効果が生まれます。自分の未来は自分が思っている方向にしか行かないので、前向きな気持ちで取り組めば、必ずよい方向に向かいます。パソコンの前に座っているよりも、積極的に人と会いに行くと有益な情報が自然に入ってくるということも忘れないでください。そのためには有料のセミナーなどに参加して、同じような夢や目標を持つ仲間を作ることも大切です。

▲ セミナーなどに参加して、同じような夢や目標を持つ仲間を作りましょう。

Section 12

序章｜個人輸入&輸出販売の基本

人に任せられることは任せてしまおう

| 基本 | 準備 | 輸入仕入れ | 輸入販売 | 輸出仕入れ | 輸出販売 |

撮影やサイト製作はプロに任せて自分の業務に専念する

　ビジネス初心者の方は商品検索から入金確認、はたまた経理まで何でもすべて自分でやらなくてはいけないと思い込んでいる場合が多いですが、それはあまりよい考え方とはいえません。確かにすべてを自分でやってしまえば余計な人権費がかからないので、ついつい1人で頑張ってしまう方もいるかと思います。もちろん、初期の段階ではどのような作業工程なのか自分自身が理解してないとその道のプロや専門業者に依頼や発注さえできない場合もあるので、できる範囲でチャレンジし、自分で取り組んでみるのもよいかと思います。しかし、自分でやることが増えると雑務に追われて、あなたが本当にやるべき仕事がおろそかになります。何でもかんでも自分でやればよいというものではなく、できないことをできる人にやってもらったり、自分でできるけれど誰がやっても同じ結果になる仕事はお金を払ってでもやってもらい、**自分自身はやるべきことに集中する環境を作り出せば、売り上げも含めて事業を大きく伸ばせると考えることが重要**です。そのための人件費、経費などはケチってはいけません。それ以上の利益が生まれる体制にすればいいだけの話です。

● SOHO、フリーランス向けの業務委託、在宅ワーク、副業、起業の求人情報ポータルサイト「@SOHO」

参照URL
http://www.atsoho.com/

インターネットでの販売も同じです。いつまでも自分1人ですべてやっていたら、いつか限界がきてあなたのビジネスが頭打ちとなり伸びなくなる日が来ます。何人かで運営するようになれば、今後の可能性も大きく広がります。例えば「オークションくらいなら自分1人で運営できるからこのまま続けよう」と思う方もいるかと思いますが、そういった業務も人に任せてしまえば、自分の手が空いて、その他の仕事に集中することができます。

　SOHOさんに仕事の一部をお願いしたりするのも1つの手です。SOHOさんを探す場合、専門の求人サイトを利用すると便利です。このようなサイトから応募してくる方々は通勤しなくても自宅などで仕事ができるという大きなメリットがあるので、比較的安い労働賃金でも真面目に働いてくれる方が多いです。

　インターネットでの販売に欠かせない商品画像は、プロのカメラマンや商品画像の撮影を専門にしている業者を利用するとよいです。自分で撮影するよりはるかにクオリティが高い画像に仕上がりますし、綺麗な画像を販売サイトにアップすることにより結果的に売り上げが上がります。最近では激安価格で商品撮影してくれる業者がたくさんありますので、一度見積もりを取ってみるとよいでしょう。ホームページ製作やネットショップの構築も同じことがいえます。そのジャンルのプロや専門にしている業者に製作してもらうと、綺麗でクオリティが高いモノができるということはおわかりでしょう。その他、商品の発送なども外注化できますし、販促用のブログの更新などをお願いしてもよいかと思います。時間は有限ですから多少の人件費がかかったとしても任せられる仕事はどんどん自分以外の方にお任せし、時間を有効的に使うように心掛けるのが売り上げを大きく上げる秘訣です。

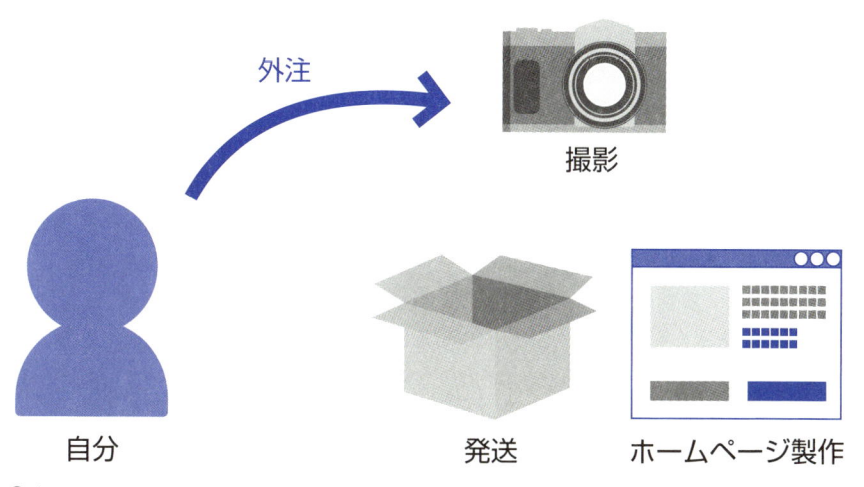

外注　撮影

自分　発送　ホームページ製作

● 任せられるものはすべてプロにお任せして、自分はやるべきことに集中しましょう。

Section 12　人に任せられることは任せてしまおう

Column

大切なのは「絶対成功する!」という信念を持ち続けること

　誰でも初めは未経験です。こうしてこの書籍を執筆している私でさえ、初めてのときはあったわけですから。まずは数をこなすことが大切です。1～2回しか経験していないのと100回以上、1,000回以上経験しているのとでは雲泥の差があります。1つずつやって経験値を上げていくしかないのです。これは誰もが通る道ですし、そうやって実力を上げていくしか道はありません。ときには上手くいかなくて挫折しそうなときもあるかもしれません。そういうとき、質問ができる先駆者、経験者がそばにいると心強いですし、解決も早いです。安心感も圧倒的に違います。

　これまでたくさんの方を指導してきましたが、皆さんが躓くポイント、悩むポイントはほとんど同じです。

- 英語でのやり取り
- 薬事法
- 食品衛生法
- PL法
- 商品の破損
- 返品及び返金

　この辺りは誰でも越えていかないといけないハードルといえるでしょう。あなただけではなく、先駆者の皆さんも同じように悩み、そして解決してきたからこそ、今があるのです。

　ショートカットしてすぐに結果を出したいという場合は、有料で教わるのが一番早く結果が出ます。輸入＆輸出ビジネスに特化した専門的なセミナーに参加すれば、同じようなレベルの仲間もできます。インターネットを使ったビジネスをやっていると、外へ出なくても仕事ができる場合が多いので、どうしても籠りがちになります。情報というのは人づてに流れてくるので、自ら捕まえにいくものです。黙っていたら何も始まらないので積極的に自ら動き、切り開いていくのが成功の鍵になります。成功する人の共通点はバイタリティが高いということです。最後の最後は自分の意志の強さが鍵となるので「何があっても絶対に成功するまで諦めない！」という気持ちは常に持ち続けてください。

第1章

個人輸入、個人輸出の準備をしよう

商品を輸入＆輸出する前に
事前に把握しておくこと ……………… 34

輸入＆輸出ビジネスで稼ぐには
クレジットカードは必須です ………… 38

最重要！ 海外から仕入れる前に
必ずやっておくこと …………………… 40

通関をスムーズに通すコツ …………… 42

輸入できる商品と
輸入できない商品について …………… 44

輸出できる商品と
輸出できない商品について …………… 46

商品にダメージがあった場合・商品に
間違いがあった場合の対応…………… 48

補償と保険について …………………… 50

輸入＆輸出ビジネスで
起こり得るトラブルについて ………… 52

Section 13

第 1 章｜個人輸入、個人輸出の準備をしよう

商品を輸入＆輸出する前に
事前に把握しておくこと

| 基本 | 準備 | 輸入仕入れ | 輸入販売 | 輸出仕入れ | 輸出販売 |

日本で売れる商品なのか見極めることが大事

　商品を仕入れる際にはまず、その商品が日本で売れる商品＝**ニーズがある商品なのかということをよく研究しないと利益を出すのは難しい**です。「何となくよさそうだし、売れそう」、「日本でよく見かけるから売れそう」……。こういった感覚ではまず利益は出ません。しかし、日本で売れる商品かどうかを見極めるのは難しいことではありません。

　輸出の場合、海外で売れる商品を見極めるには、Terapeak というサイトを利用することで、世界最大のオークションサイト eBay での落札履歴が検索できます。輸入の場合、日本で売れる商品なのかということを見極めるには、「オークファン」という Web サイトを使えば、過去 2 年分の国内主要オークションサイトでの落札履歴を見られるのでおおよその判断がつきます。また、Amazon の売り上げランキングも非常に参考になります。このランキングは 1 時間ごとの集計でかなり精度の高いランキングが表示されています。一方、日本のネットショッピングの双璧である楽天市場も、売り上げランキングを公開しています。しかし、楽天市場のランキング上位に表示されている商品は、広告の効果やショップのメルマガから売れているものが多く、ナチュラルなランキングではないと考え、参考程度に留め、同時に日付の新しいレビューをチェックするとよいでしょう。オークファンを使い、オークションの落札履歴データと Amazon ランキングの両方を照らし合わせてみれば、間違いありません。

　他にもランキングなどを見るサイトやツールがたくさんありますが、今回紹介したオークファンと Amazon ランキングは輸入ビジネス実践者にとって外せない検索方法といえます。これらのサイトを使った検索方法はのちほど詳しく説明しますが、仕入れる商品について事前にしっかり

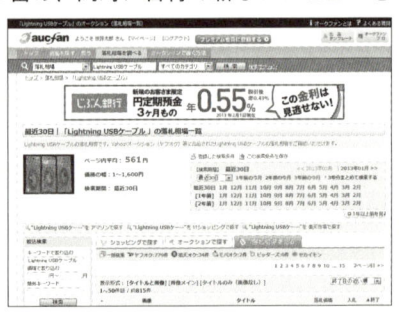

▲「オークファン」で過去 2 年間分の落札データを調べることができるので、しっかり分析しましょう。

参照 URL
http://aucfan.com/

と研究をすれば、売れないものを山ほど仕入れて、不良在庫になってしまうということはありません。それでは、輸入する前にしっかり確認しておくべき具体例を挙げて説明します。

● 食器など

　食品の輸入は基本的に食品衛生法に触れるということくらい皆さんもおわかりだと思いますが、食器はどうでしょうか？　これらは輸入できると思いますか？　答えは「YES」です。「YES」ですが、食器も食品衛生法をクリアしなくてはいけません。こちらは厚生労働省の管轄なのでしっかりと申請すれば、個人の方でも通せます。ただし、この手続きには時間と手間がかかるので、先に取得してから輸入するのが鉄則です。もし、このことを知らずに輸入すると、食品衛生法の許可が下りるまで港で商品を管理する費用が発生します。そうなると完全に予算オーバーですよね？

▲ 事前にしっかり届出書を申請して、スムーズに輸入できるようにしましょう。

● 薬事法に触れる商品

　口紅、石鹸、メイクの道具（ブラシなども含む）などは輸入する前に申請が必要です。これらは厚生労働省の管轄になります。もちろん法律で禁止されている薬などは輸入できません。

参照URL　厚生労働省
http://www.mhlw.go.jp/bunya/iyakuhin/ippanyou/

● 航空法に触れる商品

　液体、ジェルなどは航空便（EMSやDHL）での発送ができません（船便を使えば輸入可能）。これらは国土交通省の管轄になります。

参照URL　国土交通省
http://www.mlit.go.jp/appli/file000005.html

● 軽犯罪法・銃刀法に触れる恐れがある商品

　警棒、ヌンチャク、メリケンサックなど、武器として使える可能性があるものは輸

Section 13　商品を輸入&輸出する前に事前に把握しておくこと

入できません。ヌンチャクは武道の道具＝スポーツ用品だという見解で通関を通すこともできないことはないのですが、ヤフオク！などの出品ガイドラインに触れますので、販売面では厳しくなります。これらは警察庁の管轄になります。

参照URL 警察庁
http://www.npa.go.jp/index.html

● コピー商品

ブランドが有名かどうかは別にして、すべてのコピー商品は輸入できません。

参照URL ジェトロ（独立行政法人 日本貿易振興機構）
http://www.jetro.go.jp/world/japan/qa/import_14/04A-020115

以下、ジェトロ HP より抜粋です。

・財務省関税局税関 税関による知的財産侵害物品の取締
http://www.customs.go.jp/mizugiwa/chiteki/index.htm
・経済産業者政府模倣品・海賊版対策総合窓口
http://www.meti.go.jp/policy/ipr/infringe/custom/index.html
・不正商品対策協議会
http://www.aca.gr.jp/
・一般社団法人ユニオン・デ・ファブリカン
http://www.udf-jp.org/
・一般社団法人日本流通自主管理協会
http://www.aacd.gr.jp/pc/

● 商標登録商品

特許を取得している商品は、許可なく輸入することができません。美容関係、ダイエット関係、美容器具などに多いので注意が必要です。これらは特許庁の管轄になります。許可が下りれば輸入することができますが、手続きが多く、ハードルは高いといえるでしょう。

参照URL 特許庁
http://www.jpo.go.jp/indexj.htm

● 著作権法に触れる商品

キャラクターが印刷されていたり、俳優、役者の画像などが印刷されている商品は輸入することができません。これらは文化庁の管轄になります。法律により、偽物の輸入や販売はできません。

参照URL 文化庁
http://www.bunka.go.jp/chosakuken/index.html

● 製造物責任法（PL法）・電安法に触れる商品

　日本の電圧は100Vですが、アメリカは120V、ヨーロッパは220Vから230Vです。海外向けの製品でもそのまま使えるケースもありますが、PSEマークを取得せずに販売すると法律違反になります。

　ヤフオク！ストアなどでもPSEマークを取得せずにAC電源の家電などを販売している業者もかなり見かけますが、絶対にまねしないでください。変圧器なしで使うと製品が故障することも多く、出火する場合もあります。そうなると販売者が責任を負うケースもあります。AC電源の家電系で勝負する場合は、PSEマークを取得してから販売すれば問題ありません。これらは経済産業省の管轄になります。この法律により、偽物の輸入や販売はできません。

● PSEマーク

参照URL 経済産業省
http://www.meti.go.jp/

● 検針が必要な商品

　手袋などは日本で通関後、税関の指示で全検針をしなければ販売できません。そのためコストがかかるのが難点です。

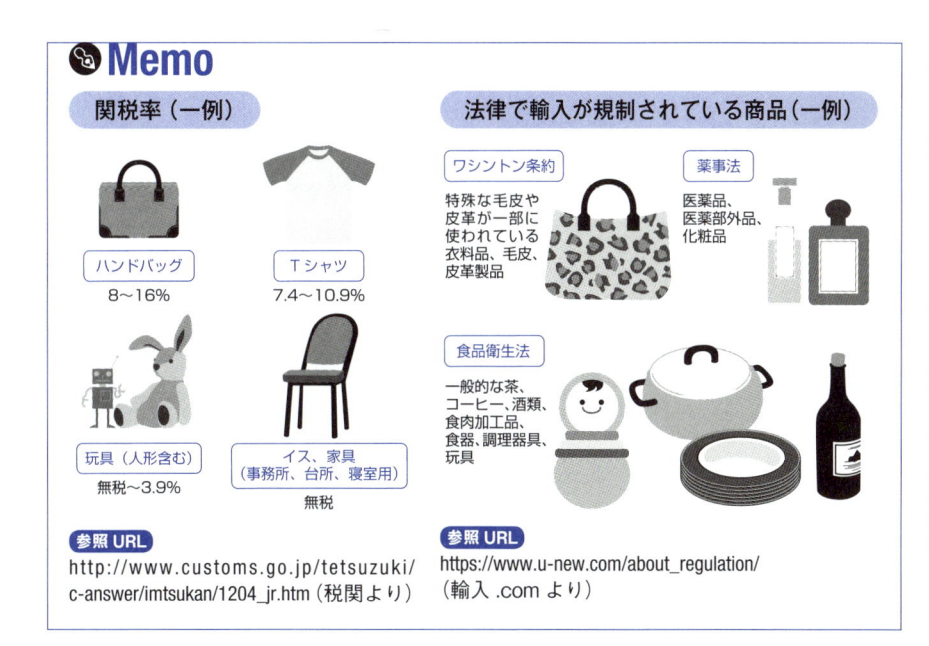

📎 Memo

関税率（一例）

- ハンドバッグ 8〜16%
- Tシャツ 7.4〜10.9%
- 玩具（人形含む） 無税〜3.9%
- イス、家具（事務所、台所、寝室用） 無税

参照URL
http://www.customs.go.jp/tetsuzuki/c-answer/imtsukan/1204_jr.htm（税関より）

法律で輸入が規制されている商品（一例）

- ワシントン条約：特殊な毛皮や皮革が一部に使われている衣料品、毛皮、皮革製品
- 薬事法：医薬品、医薬部外品、化粧品
- 食品衛生法：一般的な茶、コーヒー、酒類、食肉加工品、食器、調理器具、玩具

参照URL
https://www.u-new.com/about_regulation/（輸入.comより）

Section 13　商品を輸入＆輸出する前に事前に把握しておくこと

Section 14

第 1 章 | 個人輸入、個人輸出の準備をしよう

輸入＆輸出ビジネスで稼ぐには
クレジットカードは必須です

| 基本 | 準備 | 輸入仕入れ | 輸入販売 | 輸出仕入れ | 輸出販売 |

メールアドレスとクレジットカードがあれば海外仕入れができる

　海外から商品を仕入れる場合、eBay や Amazon を使う場合が多いかと思います。eBay とは、世界最大のオークションサイトで 2 億 2400 万人以上の訪問者数を誇ります。Amazon（世界各国）への訪問者数総計は 2 億 8200 万人にのぼり、小売、オークションサイト利用者の 5 人に 1 人が Amazon を訪問していることになります。正直、この 2 大サイトを使わずに輸入ビジネスをやっている方は少ないのではないでしょうか？　**この 2 つのサイトを利用するには受信可能であるメールアドレスとクレジットカードが必要**になります。ヤフオク！などと違い、特別なサービスを除けば月々のアカウント使用料などもなく無料で使え、商品を販売した場合に、販売手数料が請求される仕組みになっています。これらのサイトを使って商品を購入する場合、一番安全で速いのがクレジットカード決済です。注意する点として、AMERICAN EXPRESS はヨーロッパの一部で使えないケースがあります。VISA か MasterCard があれば問題ないでしょう。JCB は日本国内で使うカードのため（免税店などでは使える場合がありますが）、輸入ビジネスにはあまり向いていません。

　Amazon の場合、事前に登録したカード情報を元に決済するので、非常に簡単に決済できます（ちなみに Amazon の場合、複数のカードを登録することができます）。あなたが行うことといえば、数回クリックして、パスワードを入れるだけで支払いが

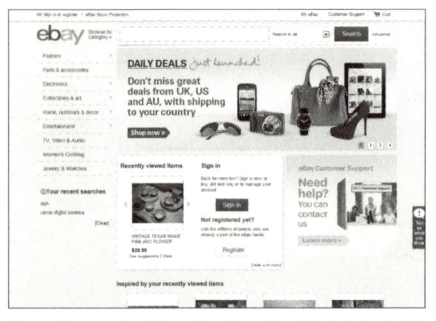

▲ アカウントを作成すれば、今すぐ海外仕入れを始めることができます。

完了してしまいます（システム的には日本のAmazonとほぼ一緒です）。eBayで日本人が決済する場合は、PayPal（クレジットカードとメールアドレスを利用した非常にセキュリティの高いシステム）を利用して支払うのが一番安全で早いです。稀にPayPalで支払えない設定の出品者がいますが、海外送金となると手続きも大変になり、手数料も最低でも数千円かかるので他の出品者を探すのが賢い選択です。

　また、PayPalのメリットとしてはクレジット番号や口座番号などを相手に伝えなくても決済できるので、会ったこともない販売者に個人情報を伝えるのは怖い……という方にお薦めです。仕入れといっても通常のクレジットカード決済なので、もちろん支払い後にマイルやポイントも貯まります。万が一、eBayで仕入れた商品と違う商品が到着したとき、未着、破損のときも、きちんと手続きをして認められれば、バイヤーズプロテクションというPayPalの補償も適応されます。eBayのバイヤーズプロテクションもあるので、どちらか1つの手続きを進めるかたちになります。仮に両方で補償手続きを進めても、同時に補償されることはありません（相手の残高がない場合、両方のバイヤーズプロテクション補償が適応されない場合があります）。ちなみにPayPalはeBayの子会社です。

　決済はクレジットカードで支払うケースが多いので、最低でも1枚は持っていないと輸入ビジネスはできないといっても過言ではありません。何らかの理由でクレジットカードが作れないという方は、デビットカードなら審査もなく誰でも持てるので、それを使って決済し、仕入れをしましょう。しかし、デビットカードは特別な場合を除き、口座に入っている金額までしか使えないという限度額が設定されているので、一般のクレジットカード決済と比べるといろいろな意味で不利な場合が多いです。ないよりはあるだけマシだといった感じでしょうか？

　また、現在、サラリーマンで将来的には独立したいという方は、会社員のときにできるだけクレジットカードをたくさん作っておくことをお薦めします。新たに個人事業主となった場合、実績が乏しいという理由でクレジット会社の審査が通らない場合がありますので、退職する前に作っておくことをお薦めします。

　輸出商品の仕入れは、日本国内がメインの仕入れ先になるので、多くの場合、代引や銀行振込での決済も可能です。ただ、代引や振込だと別途手数料がかかってしまうケースも多いので、やはりクレジットカードを1枚作っておくと便利です。

● クレジットカードはたくさん持っておくべきです。

Section 15 第1章 個人輸入、個人輸出の準備をしよう

最重要! 海外から仕入れる前に必ずやっておくこと

| 基本 | 準備 | 輸入仕入れ | 輸入販売 | 輸出仕入れ | 輸出販売 |

「取引相手の信頼性」と「日本へ発送が可能か」を確認する

　まずは仕入れる前に安心して取引できる相手かどうか、調べなくてはいけません。**仕入れる相手が本当に信頼できる人間かをチェック**します。eBayやAmazonの場合、仕入れる前に必ず相手の評価（Feedback）を確認します。よい評価が95％以上で評価数が最低でも100以上、できれば500以上ある出品者を選ぶとほぼ間違いありません。もし、どれか1つでも上記のラインに届いていない場合は、他のセラーを探しましょう。少しでも疑問点などがある場合は直接、販売者にメールなどで質問し、納得してから購入する癖をつけましょう。

　決済についてはeBayの場合、PayPalを利用すれば補償がありますし、Amazonの場合もAmazonマーケットプレイス保証がありますので、輸送中、万が一のことがあった場合でも安心です。信頼できそうな販売者だということがわかったら、次は**日本に発送してくれるかどうかを調べます**。eBayの場合、日本の住所を登録したアカウントでログインし、商品検索しているときにShipping not specifiedと表示されている出品商品は、日本には送ってくれない設定になっています。

　それに対してShippingという表示がある販売商品は日本に直送してくれる販売者ですので、まずはこの表示がある出品商品を探します。詳細情報ページにある「Item Location」という項目を見れば、販売者の所在地を調べることができます。「Advanced Search」をクリックし、「Location」から「Only Show items」を選択して、国名を「Japan」にし、「Search」をクリックすると日本に直接、発送してく

● Shipping not specifiedと表示されている商品は日本には送れない設定になっています。

● 日本に送れる商品は、shippingコストが表示されます（この場合、送料は25.92USドル）。

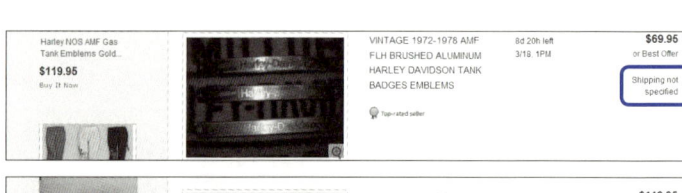

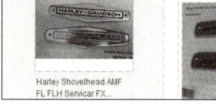

れる出品商品だけを表示させることができます。直送してくれると作業的にも経費的にも楽なのですが、すべての商品を直送してくれるわけではありません。しかし儲かるおいしい商品を日本に送ってくれないというだけで諦めてしまうのは、非常にもったいないことです。こうした商品は逆に他のライバルたちも参入しづらい商品といえます。そういった場合、転送業者を利用して日本に送ってもらうようにします（Sec.47参照）。海外のAmazonから仕入れる場合、日本に送ってもらえない（クリックして進んでも決済が最後までできない）ときは、そこで諦めずにマーケットプレイス内の出品者を見てみます。マーケットプレイスには日本に直送してくれる出品者がいるかもしれません。ここからは図解で解説していきます。

1 日本では21,700円で売られている商品が海外のAmazonでいくらで販売されてるか調べます。

2 海外のAmazonマーケットプレイス内では195ドルで販売されています。

3 「Add to Cart」（買い物カゴ）をクリックし、商品購入手続きをします。

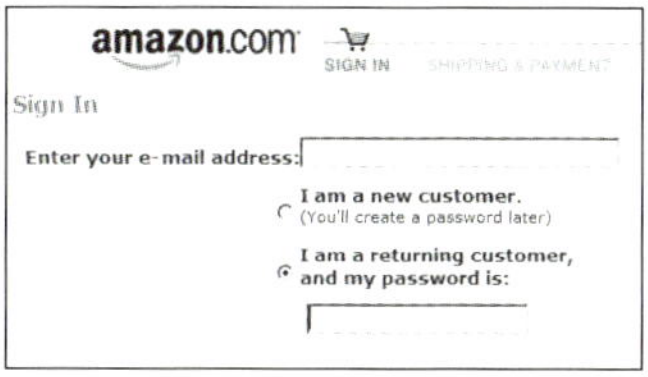

4 メールアドレスとパスワードを入力します。

5 画面右に商品代金と送料が表示されます。日本での販売価格よりここで表示される金額が安ければ利益が出ると判断して、このまま決済します。

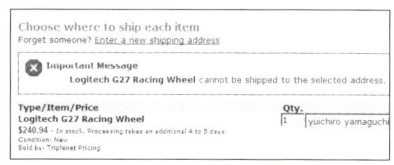

6 このような表示になるときは、日本に送ってくれない設定になっているということです。日本へ送ってくれる場合は、最後まで決済が進みます。

このような流れで日本に送ってくれる出品者かどうか、日本までの送料込みで利益が出るかどうかを調べます。利幅が大きい商品でなおかつ日本まで直送してくれる場合、決済画面で表示される金額が送料込みの仕入れ価格となるので、このまま仕入れることになります（画像**5**）。商品によっては日本国内での関税などの納付が必要な場合がありますので、その辺りも考えて仕入れます。利幅が小さい商品に関しては、仕入れはしないという決断をすることも重要です。

Section 15 最重要！ 海外から仕入れる前に必ずやっておくこと

Section 16　　　　　　　　　　　　　　　第1章｜個人輸入、個人輸出の準備をしよう

通関をスムーズに通すコツ

| 基本 | 準備 | 輸入仕入れ | 輸入販売 | 輸出仕入れ | 輸出販売 |

通関はプロの業者に任せて、自分はやるべき仕事に集中する

輸入通関手続きというのは、このようなことです。

> 外国から我が国に到着した貨物（外国貨物）を国内に引き取る際には、貨物が保管されている保税地域（注1）を管轄する税関官署へ、輸入（納税）申告を行い、税関の検査が必要とされる貨物については必要な検査を受けた後、関税、内国消費税及び地方消費税を納付する必要がある場合には、これらを納付して、輸入の許可を受けなければなりません。この輸入の許可を受けた貨物は内国貨物となり、いつでも国内に引き取ることが可能となります。この一連の手続が輸入通関手続です。
>
> （注1）「保税地域」とは、外国から到着した貨物（外国貨物等）を輸入手続きが終了するまで一時保管する場所です。

参照URL
http://www.customs.go.jp/tetsuzuki/c-answer/imtsukan/1101_jr.htm （税関より）

　外国から日本へ送られてきた荷物は一度、保税地域（保税倉庫）に入り、管轄する税関事務所で輸入手続きを行います。国際宅急便程度の大きさの荷物の場合、輸入者が特別な手続きをしなくても、自動的に通関手続きが行われます。コンテナで大量の荷物を輸入する場合は、輸入者が通関手続きをする必要があります。どちらの場合でも税関の判断で検査が必要な場合は個別検査し、問題がなければ輸入が許可されます。関税、消費税などがかかる場合、輸入者が税関の指示に従い支払うことになります。ですので、何を仕入れたかを把握しておく必要があります。このように書くと「そんなの当たり前だよ！」と思われるかもしれませんがアイテム数、輸入回数が増えると何を仕入れたかわからなくなるときがあります。輸入する商品にはインヴォイス（物品を送るときに税関への申告、検査などで必要となる書類）という明細書を荷物につけることが義務づけられています。インヴォイスは発送者（商品を販売した業者）が発行してくれますので、輸入者側は特に何もしないで構いません。稀に税関や日本国内の通関業者から商品の詳細を聞かれる場合もあります。毎回、聞かれることはないですが、主に用途、素材、仕入れ価格などを聞かれるだけですので、あまり心配され

なくても正直にありのままを話せば、ほとんどの場合は大丈夫です。発送者側の手違いでインヴォイスに記載ミスや不備があった場合に確認のため、インヴォイスの再送を求められる場合もありますが、指示に従いFAX、郵便、メールなどで正確なインヴォイスを送れば問題ありません。

小口輸入した商品を一般の方が受け取る方法としては、主に「国際郵便小包」と「国際宅急便」の2つがあります。「国際郵便小包」とは海外の郵便局などから発送された荷物を日本郵便を経て受け取る方法です。「国際宅急便」とは文字通り海外のヤマト運輸、DHL、UPSなどの国際宅急便業者が配達する方法です。共に保険料を含めた総額が20万円までの荷物は輸入者が自分で申告する必要がなく、通関に問題がなければ郵便局や運送会社がすべての手続きを代行してくれるので、関税や消費税が課せられた場合、配達に来た配送員に払えばよいだけです。総額20万円を超えた場合、配達される前に納付書が郵送されてきますので、関税や手数料を払えば、入金確認し次第、荷物が配達されます。文章にすると難しく感じますが、実際はそんなに煩わしい手続きではありません。ちなみに輸入した商品の数が1つでも販売目的での輸入であれば、商用での輸入ということになり、納税の義務が発生します。万が一、日本に輸入できない商品だった場合、滅却（焼却）処分、返送となります。滅却処分にするか返送にするかは輸入した本人が決めることになり、その際に発生する費用は輸入者本人の負担になります。日本から海外に返送する費用はかなりかかりますので、そういったコストを考慮すると滅却となる場合が多いようです。どちらにしてもそうなると利益を出すとかいっている場合じゃなくなりますので、十分に気を付けてください。**通関手続きは自分でもできますが、税関に出向き、いくつかの書類に記入したりしなくてはいけないので、通関手続きの代理を専門的に請け負う業者に頼んだ方が何かと便利**です。素人が四苦八苦するよりもお金を払ってやってもらったほうが確実で早く、費用対効果も高いです。TIME IS MONEYですね。自分で通関手続きすれば安いのでは？　と考える方もいるかもしれませんが私はそういった面倒なことはプロにお任せして、自分がやるべき仕事に集中するという考え方です。それがビジネスです。

なお、輸出の通関も基本的には輸入と同じ考え方になります。ただ、通関時の問い合わせは基本的に、お客様や現地の荷受人にいくことになるので、発送した商品や追跡番号などの情報を、あらかじめ伝えておいてあげるとよいでしょう。

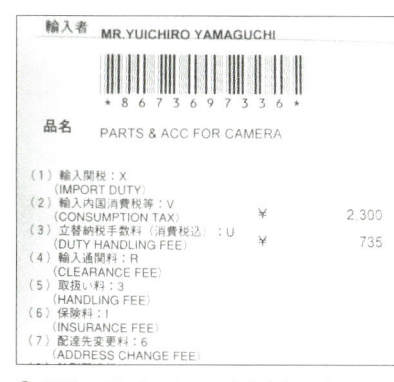

▲ 関税の明細書です。国際宅急便程度の大きさの荷物は通関手続き、関税、消費税の計算などを運送会社、日本郵便がすべて代行してくれます。

Section 17 | 第1章 個人輸入、個人輸出の準備をしよう

輸入できる商品と輸入できない商品について

| 基本 | **準備** | 輸入仕入れ | 輸入販売 | 輸出仕入れ | 輸出販売 |

輸入できるかどうかわからなければ税関に電話相談を

　普段、普通に生活しているとあまり意識しないかもしれませんが、日本は自由貿易を原則としている国です。しかし、法律で使用が禁止されている商品はもちろんのこと、日本に輸入可能な商品かどうかを輸入する前に調べなくてはいけません。国民の安全を考えて、国が法律で輸入を禁止している商品もたくさんあります。わかりやすい例を上げると……。

- オランダ・アムステルダムではマリファナが吸えます。
- アメリカでは成人用写真集が無修正のまま普通に販売されています。
- 中国では武道の道具としてヌンチャクが販売されています。

　もちろん、すべて輸入することはできません。この辺りは非常にわかりやすい例かと思いますが、法律的に輸入できる商品かどうか自分ではわからない商品も多数ありますので、きちんと調べてから

自由輸入品	誰でも輸入できる品
輸入制限品	外為法によって輸入制限がある品 ・輸入該当承認確認が必要なもの
輸入禁止品	公安、風俗を害する品 ・麻薬、ピストル、コピー商品、わいせつ品など
輸入規制品	国内法により輸入規制がある品 ・薬事法、食品衛生法、酒税法、植物防疫法など

すべての輸入品に対し、通関時に検査して法に触れていないかを確認し、規格、基準適合、表示が義務づけられてる場合は、所定の手続きを行ってから市場へ、という流れになります（JIS（工業標準化法）、消費生活製品安全法、家庭用品品質表示法などの義務あり）。

輸入しないと大問題に発展する場合があります。返送、焼却処分ならまだよい方で、下手すると警察のお世話になる可能性もあります。**輸入する前にきちんと調べて、法律的に輸入するのは問題ない商品でもどこかの会社が独占販売権を持っている場合もありますので、販売する前にしっかり調べておきましょう。**

下記のサイトを見ると、輸入に関して正確な情報を得ることができますし、どうしてもわからない場合は、相談することも可能です。

- ミプロ（財団法人 対日貿易投資交流促進協会）
http://www.mipro.or.jp/
- ジェトロ（独立行政法人 日本貿易振興機構）
http://www.jetro.go.jp/indexj.html

● 法律で輸入を禁止している商品はたくさんあります。税関や関係団体の Web サイトなどで確認しましょう。

参照 URL
http://www.customs.go.jp/mizugiwa/kinshi.htm （税関より）

Section 17 輸入できる商品と輸入できない商品について　45

Section 18 第1章 個人輸入、個人輸出の準備をしよう

輸出できる商品と輸出できない商品について

| 基本 | **準備** | 輸入仕入れ | 輸入販売 | 輸出仕入れ | 輸出販売 |

輸出できるかわからないものは相手先の税関に確認しておく

　外国から仕入れることができない商品があるのと同様、日本からの輸出が禁止されている商品や販売先の国で輸入が禁止されている商品があります。それらを取り扱わないように十分注意しましょう。輸出できない商品には、輸出入自体が禁止されている禁制品と、申請や認可をとれば取り扱いが可能な規制品があります。さらに、禁制品、規制品ともに、輸出元の国、輸出先の国でそれぞれの国の法令に従う必要があります。大きく分類すると、

1. 日本からの「輸出禁制品」
2. 日本からの「輸出規制品」
3. 販売先の国での「輸入禁止品」
4. 販売先の国での「輸入規制品」

の4つに分類されます。1と2に関しては、どのような商品が該当するのかを日本国内である程度確認できます。一方、3と4に関しては、すべての商品について各国の輸入規制を細かく調べていくのはなかなか難しいのが現実です。**「相手先の国で輸入できるか怪しい」と感じたら、その時点で取り扱いをやめるか、または販売先の国の税関に事前に確認を取る**ようにしましょう。ここでは、輸出の規制対象になる可能性のある商品を列挙しますので、参考にしてください。

● 税関のWebページには、外国の税関へのリンクが紹介されています。

参照 URL
http://www.customs.go.jp/link/index.htm

● 食品関連

　食品関連の商品を輸出する際は、厚生労働省医薬食品局の許可を取得する必要があります。また、輸出先の国でも定められた輸入規制をクリアする必要があるケースが多いです。特に食品そのものの輸入は各国で厳しく規制されていますので、販売にあたっては外務省や各国の食品医薬局のホームページで事前にしっかり確認するようにしてください。

● 動植物関連

　海外で人気のある盆栽など、動植物も輸出に際しては許可が必要になります。

● 高性能な電子機器類

　高性能な赤外線カメラやGPSは軍用技術への転用を防止するために、該非判定をしなくては輸出できない場合があります。また、カーボンシャフトのゴルフクラブなど国内では普通に利用されている商品が、輸出規制の対象であるケースも多いのでうっかり販売してしまわないように注意してください。

● 特許権、意匠権、商標権などを侵害する物品

　中国製品を欧米へ輸出する際には特に注意しましょう。偽物やコピー品の販売は「知らなかった」では済まされないケースもあるので、事前にしっかりと確認するようにしてください。

● その他

　酒類、タバコ、医薬品、避妊具、刃物、可燃性の物質、幼児用の製品なども各国で輸入規制の対象となっている場合がありますので、事前に確認をしましょう。

　それぞれの国での禁制品や規制品の条件をクリアしている場合でも、実際に販売をするサイトの規約や、そのサイトのある国（Amazon.comはアメリカ、Amazon.frはフランスというように）の法律に従う必要がありますので注意をしましょう。

> **Point**
> 少し変わった例で、アメリカでは「旧ソヴィエト連邦又は中国大陸産の毛皮及び皮革」も輸入禁制品になっています。

Section 19　　　　　　　　　　　　　　　第 1 章｜個人輸入、個人輸出の準備をしよう

商品にダメージがあった場合・商品に間違いがあった場合の対応

| 基本 | 準備 | 輸入仕入れ | 輸入販売 | 輸出仕入れ | 輸出販売 |

早めに販売者へ連絡して対応してもらうこと

海外から仕入れた商品にダメージがあった場合は、なるべく早く販売者に連絡します。文章だけではなく、商品の画像を添付するとお互いにわかりやすいでしょう。

Amazonで仕入れた商品の場合、指定されたフォーマットに記入して申請すればマーケットプレイス保証が適用される場合があります。

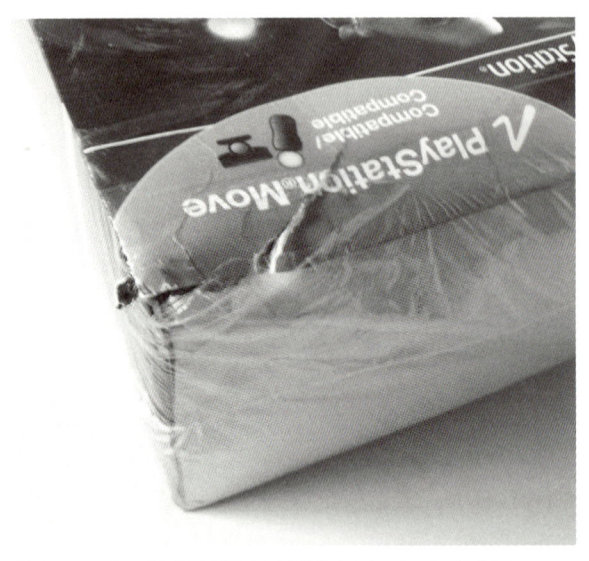

● ケースにダメージがあるだけでも売り物にならないケースがあります。

Amazon マーケットプレイス保証の必要条件

申請期間

- Amazon マーケットプレイス保証は、Amazon.co.jp での Amazon マーケットプレイスの注文の場合、お届け予定日の最終日から3営業日または注文確定日から30日のいずれか短い期間が経過後、申請してください。なお、Amazon マーケットプレイス保証は注文確定日から90日以内に申請してください。
- 注文した商品に不具合または損傷がある、もしくはその商品が出品者による商品説明と著しく異なる商品が届いた場合には、まず、お早目に（商品が届いてから14日間を目処に）出品者に連絡して、返品情報について確認してください。

参照 URL
http://www.amazon.co.jp/gp/help/customer/display.html?nodeId=1085332#requirements

また eBay で購入した商品を PayPal で支払った場合は、PayPal 保証が適用されます。

PayPal 買い手保護制度

7.1 対象となる問題の種類。

PayPal 買い手保護制度は、以下の問題のいずれかが発生した場合にお客様を保護します。
- 「商品未受領」(INR): PayPal を利用して代金を支払った商品が届かなかった場合、または
- 「説明と著しく異なる」(SNAD): PayPal で代金を支払い、商品を受け取ったが、「説明と著しく異なる (SNAD)」場合。

お客様が承認していない取引に関する問題については、下記の第 8 項を参照してください。売り手のウェブサイトまたは商品リストで説明しているものと大幅に異なる商品は、「説明と著しく異なる」(SNAD) に該当します。 次にその例を示します。
- まったく異なる商品を受け取った場合。例：書籍を購入したのに、DVD または空のボックスを受け取った。
- 商品の状態が、説明と異なる場合。例：商品購入時の説明では「新品」と表記されていたのに中古商品を受け取った。
- 商品は本物であると広告にはあったが、受け取った商品は本物ではない場合。
- 商品には、主要パーツまたは機能が欠落しており、そのことについての説明が購入時にはなかった。
- 売り手から商品を 3 つ購入したのに、2 つしか受け取らなかった。
- 配送中に商品にかなりの損傷があった。

参照 URL
https://cms.paypal.com/jp/cgi-bin/?cmd=_render-content&content_ID=ua/UserAgreement_full

---

共に 100％保証されるというわけではないですが、申請だけは必ずしましょう。PayPal 保証の場合、「意義の申し立て」は支払いから 45 日以内、話が折り合わない場合に「エスカレーション」といってクレームに発展させる場合は、「意義の申し立て」から 20 日以内に行うという期限があります。届いた商品が明らかに違う場合や間違いがあった場合も、なるべく早く販売者に連絡します。相手のミスだった場合は再送してくれることもありますが、ミスを認めない場合もあります。この場合はあまりやりたくない方法ですが、運営サイトに被害を報告したり、悪い評価をつける旨を伝えると事態が好転することもあります。日本では考えられないことなのですが、発送を間違えたことを認めて商品が再送されても、届いた商品の返送料はなぜか購入者持ちの場合があります。その場合も「ミスをしたのは販売者の責任だから、返送料はこちらでは払わない、払う義務はない」ということをきちんと伝えましょう。

輸出した商品にダメージがあった場合は、まずお客さまに謝罪をして再送か返金で対応し、補償がある場合は補償の手続きを行いましょう（Sec.117 参照）。

Section 20

第 1 章 ｜ 個人輸入、個人輸出の準備をしよう

補償と保険について

| 基本 | **準備** | 輸入仕入れ | 輸入販売 | 輸出仕入れ | 輸出販売 |

発送する商品によっては追加保険に加入しておこう

　海外から日本に発送する場合、運送中のダメージによる破損を心配される場合があるかと思います。実際、はるばる外国から海を越えて日本に送られてくるのですから、途中で商品が破損してしまうケースもあります。FedEx の場合、日本円にして数百円程度からオプションの保険に入ることができます。DHL の場合も同様に、オプションで保険に入ることができます。高額な商品やガラス製品など壊れやすい商品を発送する場合は、オプションで保険に入るとよいでしょう。

　輸送中の破損に関しては eBay で購入した商品、PayPal で支払った商品に関しては eBay バイヤーズプロテクション、もしくは PayPal バイヤーズプロテクションが適応されます。こちらに関しては Sec.44 に詳しく書いておりますのでここでは割愛します。Amazon で購入した商品に関しては、Amazon マーケットプレイス保証があり、配送料を含めた購入総額のうち、最高 30 万円まで補償されます。

　国内発送の場合、ヤマト運輸、佐川急便などの損害賠償限度額は荷物 1 個につき 30 万円となっていますが、これは荷物に保険がかかっているのではありません。損害賠償を請求した場合に、上限が 30 万円までということです。皆さんがよく使われる運送会社では、オプションサービスとして保険をかけることができます。

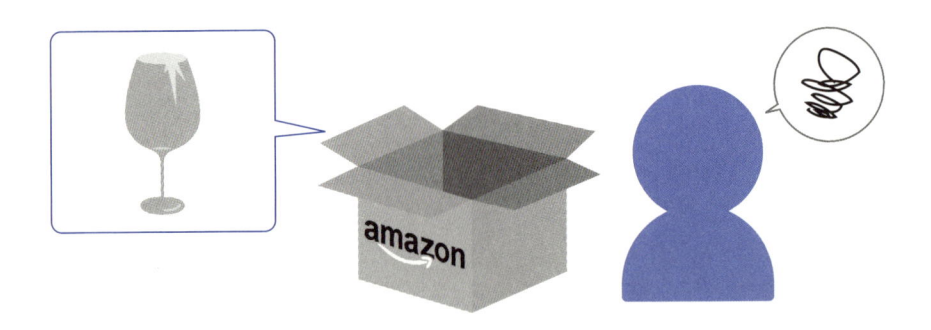

▲ eBay や Amazon では、万が一のことがあっても補償されます。

佐川急便を利用する場合、別料金を加算して保険をかけることができます。

ヤマト運輸のクロネコヤマトの宅急便は保険がありませんが、宅急便ではなくてヤマト便という別のサービスを利用すれば、保険をかけて荷物を送ることができます。

ゆうパックの場合、オプションで最大50万円まで補償されるセキュリティサービスという保険があります。

国内輸送の場合、非常に高額な商品を送る場合やお客様から依頼があった場合は、少しのかけ金で加入可能な、安心できる保険に入ればよいかと思います（右の写真3点参照）。海外、国内の発送について共にいえることですが、もし荷物に破損があった場合、申請して実際に保険が適応されるまでには、結構な手間と時間がかかります。何も問題なく届くというのが理想です。

なお輸出の際に海外へEMSなどの国際郵便で商品を発送した場合も、補償が受けられるケースがあります。EMSでは、輸送中の商品破損などに対して2万円の補償を受けることができます。また、別途料金を追加すれば、最高で200万円までの保険をかけることも可能です（http://www.post.japanpost.jp/int/ems/service/damage.html）。

参照 URL
http://www.sagawa-exp.co.jp/service/hoken/
（佐川急便より）

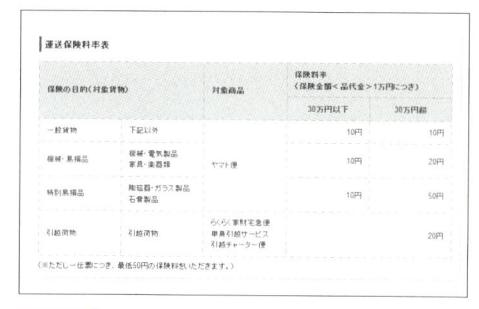

参照 URL
http://www.kuronekoyamato.co.jp/yamatobin/yamatobin.html （ヤマト運輸より）

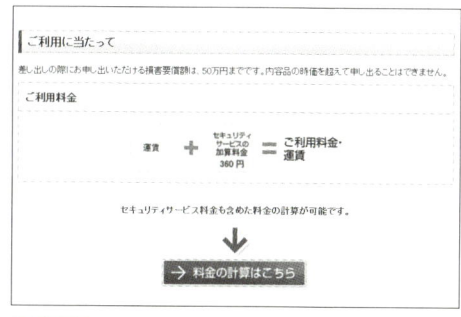

参照 URL
http://www.post.japanpost.jp/service/fuka_service/security/index.html （ゆうびんより）

Section 20　補償と保険について

Section 21

第1章｜個人輸入、個人輸出の準備をしよう

輸入＆輸出ビジネスで起こり得るトラブルについて

| 基本 | **準備** | 輸入仕入れ | 輸入販売 | 輸出仕入れ | 輸出販売 |

よくある6つの事例

　国を越えて商品をやり取りする輸入＆輸出ビジネスでは、言語や習慣の違う国のセラーと取引をするので多少なりともトラブルがあります。

- お金を払ったのに送ってこない
- 数が足りない
- 注文した色が違う
- パッケージ、素材、デザインなどが変わっていた
- 不良品だった
- 電圧が合わなくて日本で使えない

　稀にこういうこともありえるということを踏まえた上で輸入や輸出を決断するしかないというのが本音です。残念ながら何度も事前に確認したのにも関わらず、トラブルが起きることもあります。輸入の場合、日本人のお客様は完璧な商品が届くことを期待していますし、それが当たり前だと思っています。日本人は小さい頃から無意識のうちにレベルの高い商品を手にしているので、当然といえば当然でしょう。品質に関しては日本人が世界一うるさいといわれています。そのため海外のセラーが「日本人には売らない！」と言って販売拒否される場合もあります。とはいっても粗悪な商品を日本国内で販売するのは難しく、特にAmazon、ヤフオク！、楽天市場など日本国内に存在するプラットフォームを使って販売する場合、取引が終了した後、手厳しい評価をつけられることもあります。商品あっての商売ですので、根気よく、こちらの要望通りに取引してくれそうな販売者を探すしかないのです。**トラブルが起きたときは、時間と手間はかかりますが、根気よく販売者と交渉するしかない**でしょう。

　自分が輸出販売した商品に購入者からクレームがつく場合もあります。その場合はなるべく早く、適切な対応（返金や代替え品の発送など）を心がけましょう。のんびり対応していると事態が大きくなることが多く、迅速に、丁寧に対応すれば早く鎮火

できるケースが多いです。以下に、よくあるトラブルについて紹介します。

● お金を払ったのに送られてこない

　国際普通郵便などの場合、発送したのにも関わらず、郵便事故などで商品が途中でなくなるケースがあります。日本では考えられませんが、海外では残念ながらしばしばあることです。トラッキングナンバー（お問い合わせ番号）がないと、送った、送っていないという押し問答になり泥試合になるケースもあります。

● 数が足りない

　単純に数が足りないということもありますが、100個中2個色が違ったということや、数は合っているが、大きさが違ったりする場合があります。

● 注文した色が違う

　商品にたくさんのバリエーションがあり、色味が似ている色違いの商品が届いてしまうこともあります。

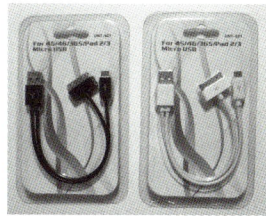

　例）○ピンク　×パープル
　　　○スカイブルー　×ブルー

● カラーバリエーションが多い商品は発送間違いも考えられます。

● パッケージ、素材、デザインなどが変わっていた

　パッケージ、デザインが以前と変わっていて、画像を全部、変更する羽目になることもあります。インターネットで売る場合、画像と実際の商品が違うとトラブルになりやすいので注意が必要です。中には素材自体が変わってしまった、というケースもあります。

● 不良品だった

　新品なのに欠陥があって使えなかったり、輸送中に破損があったりする場合があります。相手に否がある場合は、注文した商品を再送してもらうように交渉します。もちろん、ミスしたのは相手でこちらに責任はない場合でも、商品の再送だけをゴリ押し交渉していると、なかなか承諾してくれない場合があるので「もう一度、注文するから、前回の不足分を一緒に送ってください」と交渉するとあっさり「YES」といってくれる場合が多いです。相手のミスなのに、また注文するというのはちょっと悔しい気もしますが、スマートに話を進めるお薦めの方法です。

● 電圧が合わなくて日本で使えない

　日本では東日本では 50Hz、西日本では 60Hz の交流 100V が使われており、電圧が違う電気製品をそのまま使うことはできない場合が多いです。プラグの形状が同じでも、変圧器を使わずに使用すると破損する恐れや火災の危険性もあります。

● 国別のプラグの形状について、日本は北米と同じ Type A&B を使用しています。また、国別の電圧と周波数は日本以外、日本と異なる電圧と周波数が多いので要注意です。
※画像は Wikitravel より

参照 URL
http://wikitravel.org/ja/世界のプラグと電圧

第2章

ネットで個人輸入をする

項目	頁
輸入販売のメリットとデメリット	56
輸入に向いている商品・向いていない商品	58
安くて、軽くて、小さいものを選ぶのが個人輸入の基本	60
まずは売れているものを探す	62
お薦めの情報収集方法はコレだ!	64
トレンドを掴んで、一気に勝負する戦略	66
2匹目のドジョウをたくさん掴むのが成功するコツ	68
商品の仕入れ相場と販売相場を知る	70
個人輸入の儲かるジャンル・儲からないジャンル	72
あなたの趣味をお金に変える方法	74
お薦めの仕入れ方法はコレだ!	76
安定した仕入れをする方法	78
試しに海外の商品をサンプルとして仕入れてみる	80
日本では高額で販売されている商品を海外のサイトで安く仕入れる方法	82
オークファンの基本的な使い方	84
Amazonの基礎知識	86
Amazonを使って輸入をしよう	88
FBA料金シミュレーター(ベータ)の具体的な使い方	90
Amazonランキングとオークションでの月間落札数を考慮する	92
売れ筋商品を探し出す方法	94
Amazonマーケットプレイスでライバルセラーの在庫数・販売商品を調べる方法	96
TAKEWARIで世界のAmazonを一気に検索する方法	98
eBay及びPayPalの基礎知識	100
世界最大のオークションeBayを仕入れで使うマル秘テクニック	102
よくある詐欺的手法と陥りやすい罠について	104
転送業者を使って輸入をする	106
海外から日本への発送について	108
輸入ビジネスにおいてPDCAサイクルを繰り返すことが重要	110

輸入販売のメリットとデメリット

| 基本 | 準備 | **輸入仕入れ** | 輸入販売 | 輸出仕入れ | 輸出販売 |

メリットの方がデメリットよりも圧倒的に多い

輸入販売もビジネスですから、よいことばかりではありません。ここで輸入販売のメリットとデメリットをそれぞれ挙げていきましょう。

輸入販売のメリット

- 仕入単価が安い
- 利益率がよい
- 交渉次第で仕入単価が安くなる
- 日本で手に入らない商品が手に入る
- 大量仕入れが可能
- ライバルが少ない
- 仕入れの仕事だと経費で海外に行ける
- 世界には儲かる商品はいくらでもある
- インターネットを上手く使えば好きなときに仕事ができる
- 日本人は輸入品が大好き
- 楽しいビジネスである
- 貿易をやっているというとちょっとかっこいい（笑）

輸入販売のデメリット

- 日本語が通じない
- 基本的に在庫を抱えるビジネスである
- 法律の違いで日本では販売できない商品が海外で売られている
- 現金振り込みだけでの取引の場合、送金手数料がかかる
- 商品違い、不良品などの場合、交渉や返送が大変
- 確定申告や決算が面倒
- すべての責任を自分で取る必要がある
- 法律、関税の知識、勉強が必要

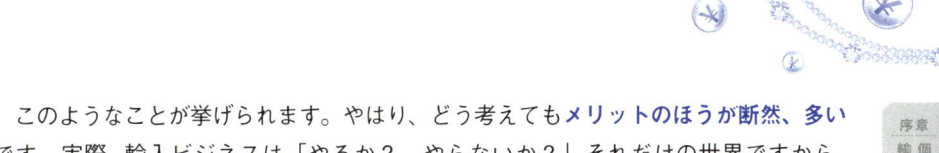

このようなことが挙げられます。やはり、どう考えても**メリットのほうが断然、多い**です。実際、輸入ビジネスは「やるか？　やらないか？」それだけの世界ですから、この書籍を手にしたからには絶対にやる側の人間になってください。世界は広いのですから、儲かる商品なんて星の数ほどあります。国がある限り、必ず商品の価格差があります。さらに、もっとやる気になる言葉をあなたにプレゼントします。**大きく稼いでいる企業のほとんどが海外から何らかの商品を仕入れて販売しています**。輸入ビジネスを実践する上での成功事例を挙げだしたらきりがありません。実際、私をはじめ、たくさんの人がすでに結果を出している方法だということを信じてみてください。そう考えると一気に気持ちが楽になるのではないでしょうか？

　誰も結果を出していない棘の道だったら躊躇する気持ちもわかりますが、すでに結果を出している人がたくさんいて、後はそのノウハウに従い、コツコツと実践を積み重ねるだけだと思うとガンガン前に進めるはずです。この書籍がそのきっかけになれれば嬉しく思います。勢いだけで我武者羅にガンガン突き進んでいると、そのうち法律的な問題などにブチ当たることも出てくると思いますので、その辺りは本書を片手に実践すれば問題ありません。不安はあると思いますが、起こってもいないことを心配する必要はまったくありません。ほとんどの問題は私を含め、この道の先輩たちが経験済みで必ず解決策がありますので安心してください。成功を信じて進めば、必ず結果は出ます。

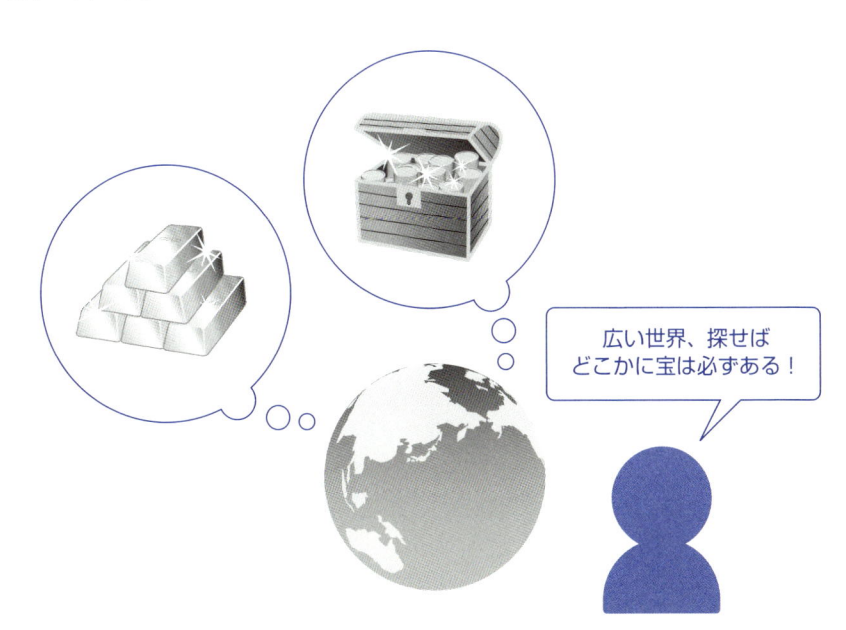

広い世界、探せばどこかに宝は必ずある！

● 世界には儲かる商品が山ほどあります。

Section 22　輸入販売のメリットとデメリット

Section 23

輸入に向いている商品・向いていない商品

| 基本 | 準備 | **輸入仕入れ** | 輸入販売 | 輸出仕入れ | 輸出販売 |

VLCを満たした壊れにくい商品こそパーフェクト

　世の中には星の数ほど商品があります。特に世界に目を向ければさらにたくさんの商品があり、同様にして儲かる商品も星の数ほどあるというわけです。そう考えるとワクワクすることでしょう。しかし、これだけ商品がたくさんあると輸入に向いている商品、向いていない商品があるというのもやはり事実です。我々はビジネスとして輸入販売に取り組むのですから、利益を出し続けるためにはしっかりと商品の選択をしなくてはいけません。輸入商品を選ぶ際の重要な基準は、

- V（Value ＝バリュー）　安い
- L（Light ＝ライト）　軽い
- C（Compact ＝コンパクト）　小さい

という点を満たしていることです。絶対に壊れないものはこの世にありませんが、この条件を満たしていて、かつ壊れにくいものならパーフェクトです。

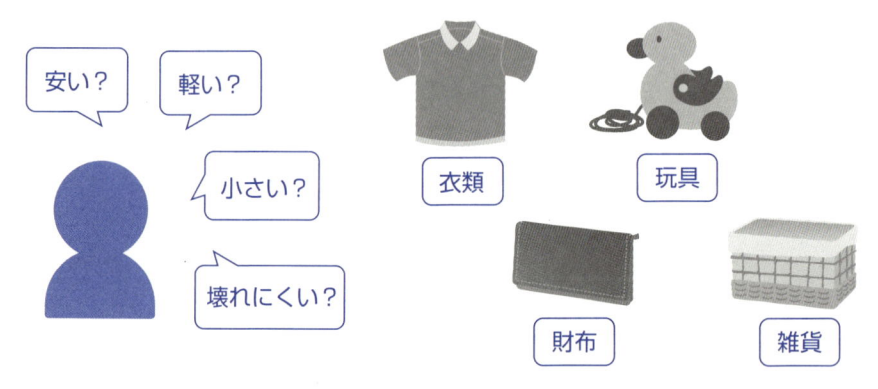

安い？　軽い？　小さい？　壊れにくい？

衣類　玩具　財布　雑貨

▲ VLCを満たし、壊れにくいものが理想的です。

輸入する商品を選ぶ際は、荒い運搬や長距離輸送に耐えられる商品を選ぶのが鉄則です。壊れやすい商品であり売れそうな商品の場合は、非常に悩みます。そういう場合は耐久テストを兼ねて、少量をテスト的に仕入れてみて販売し、様子を見るとよいでしょう。大型商品で売れ筋のものがあった場合、そのような商品はコンテナを使い大量に仕入れないと輸送コストが嵩みます。個人セラーや小さな企業がコンテナを使って輸入することも可能といえば可能ですが、コスト面ではどう考えても大手には敵わないので、なるべく送料コストがかからない小型の商品で勝負するのがコツです。

　VLCに当てはまらないものの中には儲かる商品も多数存在しますし、実際、そういう商品であればライバルも少なく、差別化も容易になります。ですので、頭ごなしに「VLCに当てはまらないからダメだ！」というわけではありません。むしろ、ライバルが手をつけないジャンルであれば挑戦すべきですが、資金が少ないうちはあまり手を出せないというのが現状です。日本へ商品を発送するエリアも重要になってきます。日本から近い国、例えば香港などのアジア圏の販売者から仕入れれば、アメリカ、ヨーロッパからの仕入れに比べると同じ重量の商品でも送料が比較的安くつきます。

　また資本や作業するスタッフが少ない場合は、画像などが使い回しできる新品商品を選ぶのがコツです。例えば中古品の場合、同じ商品でもコンディションがまちまちですので、1つ売れたらまた新たに撮影し、画像加工し、アップロードする……といった作業を毎回しなくてはなりません。当然、時間もかかりますし、人件費もかかります。その反面、新品商品であれば、大幅な商品変更がなければ同じ画像を末長く使うことができます。その辺りも考えると**少人数で運営している場合、新品商品のほうが輸入に向いている**といえます。そういったことも考慮して、仕入れる商品を選択してください。

▲ 金属のアクセサリーなどはVLCの条件を満たしている商品といえます。

Section 24

第 2 章｜ネットで個人輸入をする

安くて、軽くて、小さいものを選ぶのが個人輸入の基本

| 基本 | 準備 | **輸入仕入れ** | 輸入販売 | 輸出仕入れ | 輸出販売 |

VLCを満たした商材の具体例を紹介

　海外から仕入れることが可能で、日本での販売価格と差が大きい商品、すなわち大きな利ざやが狙えそうだからという理由だけで、なんでもかんでも仕入れて販売すれば儲かるというわけではありません。輸送中に壊れてしまったら、元も子もありませんし、送料が高くなると当初、見込んだ利益が取れない場合があります。その辺りを考慮すると輸送コストが安く、輸送中に壊れづらい商品で、かつ、価値がある商品、VLC＝V（バリュー）でL（ライト）でC（コンパクト）な商品が選ぶのが鉄則です（Sec.23参照）。ここでは、海外からの輸入に適した商品＝VLCの条件を満たしている商品の具体的な例を紹介していきます。

● アクセサリーなどのファッション関係

　ネックレス、指輪、バングル、キーホルダー、パスケースなどのジュエリーやアクセサリーは、小さくて軽い商品の代名詞です。またこういった商品は単価が比較的高い商品が多いので、利益を生みやすい商品です。日本未発売の商品やLA店限定、NY店限定などの希少性が高ければ、さらに稼ぎやすいです。梱包さえしっかりしていれば、時計やサングラスなどもお薦めです。同じファッション関係でもコートなどのアウターは結構、送料が高くなるケースが多く、革靴、革製品、毛皮関係は関税率が高いので難しいジャンルといえるでしょう。

● 洋書、写真集

　日本ではなかなか手に入らない洋書や写真集もVLCの条件を満たしており、輸入に向いている商品です。音楽、映画、美術などマニアックで深い内容というのがこういった商品の共通項です。基本的に自分の好きなものにはお金を出し惜しみしないユーザー層なので、高単価での販売が狙えます。

● **ホビー関係**

海外でしか手に入らないおもちゃやフィギュアも輸入販売に向いています。こちらもマニアックな方に向けた商品です。

● **CD&ゲームソフト、PCソフト**

日本未発売の商品や、日本ではなかなか手に入らない商品は、VLCを満たしていて扱いやすい商品です。DVDやBlu-ray Discも同様にして儲かる商品ですが、日本で再生可能なリージョンコードかどうかの確認が必要です。

他にもいろいろと儲かる商品はありますが、日本ではなかなか手に入らない商品や日本で買えるには買えるが高額な商品という条件が加われば、さらによいといえます。最後に小資本の個人セラーや小さな会社が輸入して販売するにはあまり向いてないという商品の例も挙げてみましょう。

- 大きく重たい商品＝送料が割高で途中で壊れやすい
- 革靴、革製品、毛皮等＝関税率が高い
- 食品関係＝検疫が必要だったり腐ったりする場合がある

もちろん、上記に該当しなくて、大きくて重たい商品で非常に儲かる商品はたくさんあり、そういった商品を扱えば参入者が少ないという利点もありますが、在庫管理の場所の問題なども考えると、小さくて軽い商品の方が扱いやすいといえます。

Section 24　安くて、軽くて、小さいものを選ぶのが個人輸入の基本

Section 25　第 2 章｜ネットで個人輸入をする

まずは売れているものを探す

| 基本 | 準備 | **輸入仕入れ** | 輸入販売 | 輸出仕入れ | 輸出販売 |

情報収集し、売れそうな商品は即購入してテスト販売する

　「売れる商品を仕入れて売る！」というと、「そんな当たり前のことをいうな！」といわれそうですが、それが永続的に稼いでいく秘訣なのです。インターネットを使って販売するのですから、インターネットで売れている商品を徹底的に探し、常にデータを収集するのが商品検索の基本です。インターネット上では便利な検索ツールなどが販売されており、それを使えばショートカットにはなりますが、最終的には自分自身が儲かる商品かどうかをジャッジするしかないので、魔法のような飛び道具はありません。ツールはあくまでも面倒な作業をサポートするに過ぎませんので、やはり、自分でコツコツとデータの収集をする他ないのです。

　毎日ボーッと生きていたら、稼げる情報なんて絶対に入ってきません。小口輸入といってもビジネスですから、何でもかんでも日本より安いからといって、適当によさそうな商品を仕入れて販売すれば儲かる程、甘い世界ではありません。継続して稼ぎ続けるというのはきちんとした裏づけがあるからこそ、できることなのです。在庫を食べ物だと思ってください。貯め込んでいると腐り始めますので、回転の速い商品を仕入れるのが品定めの基本です。

▲ 仕入れた商品はすぐに売り尽くせるよう、在庫を貯めこまないのが鉄則です。

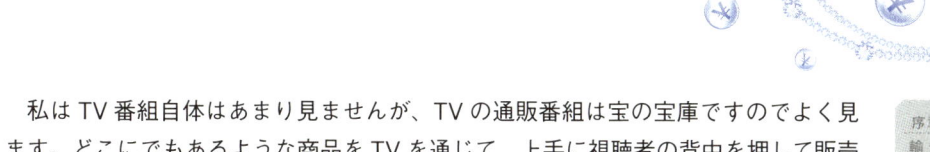

私はTV番組自体はあまり見ませんが、TVの通販番組は宝の宝庫ですのでよく見ます。どこにでもあるような商品をTVを通じて、上手に視聴者の背中を押して販売するテクニックは非常に勉強になります。また、私の事務所では毎日、ラジオをつけっ放しにして仕事をしています。ラジオだと映像を見なくてもよいので、通常の作業をしながら情報収集でき、非常に便利です。

　もちろん、雑誌も情報の宝庫です。現在、業界誌も入れて数十誌程、定期購読しています。普通に書店で売っているような全国に流通している雑誌はAmazonマーケットプレイスやオークションで売れますので、読み終わったらすぐに出品します。最新刊であれば、すぐ売れます。ですから、例えば1冊1,000円の雑誌でも、すぐに売れば定価の80～90%位で売れる場合もあり、実際は100円、200円くらいで購読できているケースも多いです。例えばジャニーズ系のアイドルが特集されている女性の情報誌などは定価以上で売れることがかなりあります。ラッキーパンチ的な要素はありますが、情報収集が目的だったのに結果的に儲かったりします。オークションサイトやAmazonマーケットプレイスなど、バリバリ使える方はこんな感じで雑誌から情報収集して、読み終わったら売ってしまいましょう。

　すべてのことにいえることですが、**本当に稼ぎたいならこういった情報収集にかかる経費は惜しまない方がよい**です。今の時代、よい情報を出して販売数を伸ばさないと雑誌はすぐに廃刊になってしまいますから、紙の媒体には厳選されたよい情報がたくさん入っています。もうバブル時代とは違いますので、雑誌を製作している出版社、編集者も生き残りをかけて必死で頑張っています。情報収集していて、何か気になる商品があったらその場でGoogle検索して、売れそうだなと判断した場合はヤフオク！、楽天市場、Amazon、DeNA BtoB marketなどのネット系卸問屋で安く購入して、テスト販売することもよくあります。このようにテスト販売でデータを収集し、アクセス、ウォッチなどが多ければ、ロット数を増やして仕入れる感じです。この辺りは重要ですので、何度も書きます。よく頭に叩き込んでくださいね。

▲ TV、ラジオ、雑誌で情報収集し、読み終えた雑誌は即オークションへ出品して売ってしまいましょう。

Section 25　まずは売れているものを探す

Section 26　第2章｜ネットで個人輸入をする

お薦めの情報収集方法はコレだ！

| 基本 | 準備 | 輸入仕入れ | 輸入販売 | 輸出仕入れ | 輸出販売 |

1. TV、雑誌で紹介された商品を探す

　私自身、TV、雑誌で紹介された直後に商品を仕入れて、とてもとても熱い市場に参入した経験はたくさんあります。EMSやDHLといった海外からの航空便を使えば、最短3～4日ほどで手元に届くのでタイムラグが短く参入可能です（発送先のエリアにより、到着日数は異なります）。こういう後追い手法ですと、出だしのスタートこそは遅れますが、リスクが少ないのが特色です。いずれにせよロングランは狙えないので、撤退のタイミングが重要になります。ズルズルと販売期間を延ばさずにもう潮時だというときはスパっと手を引きましょう。そこまでブレイクしていない商品に関しては「TV　紹介」「雑誌　紹介」といったキーワードでインターネット検索して、売れそうな商品をインターネット上からチョイスし、仕入れていく方法もあります。

2. リアル店舗に行ってトレンドをキャッチする

　店頭に並んでいるということは、その店の仕入れ担当者が「これは必ず売れる！」と思ったからこそ仕入れた商品なのですから、そのような商品陳列を見るだけでもおのずと参考になります。ディスカウントショップ、海外のファッションブランドなどは最先端の商品がたくさん並んでいるので、今売れている商品のトレンドが掴めます。もう峠を越えた商品などは安売り、叩き売りしているので、そういった情報も収集できます。

●「Amebaブログ」にはたくさんの芸能人ブログがあります。

参照 URL
http://official.ameba.jp/

3. 芸能人ブログをチェックしてこれから流行りそうな商品を探す

　ファッションリーダーと呼ばれるお洒落な芸能人のブログなどをチェックしていると、これから流行る商品が見えてきます。日本にまだ上陸していないブランドや日本未発売のアイテムなどは eBay などで探すことができ、日本で手に入らないので高値で売れる可能性が高いです。アパレル、アクセサリーなどを中心に扱っていこうという方にはもってこいのリサーチ方法です。

4. 通販番組で情報収集する

　TV 通販は情報の宝庫です。アメリカの TV 通販番組に日本語のナレーションを入れて放送している TV 通販番組の商品は、eBay などで出品されている場合があります。売れ筋の商品を探すだけではなく、あまり人気がなさそうな商品を上手く販売する方法なども非常に参考になります。

5. ショップにメールで問い合わせてトレンドを掴む

　あなたが今後、扱いたいと考えている商品について、すでに販売している楽天市場、Yahoo! ショッピングなどに出店しているショップにメールで問い合わせてみましょう。「プレゼントにしたいんですが、今、人気がある商品（色、大きさなどでも可）はどれになりますか？」などと問い合わせてみましょう。専門店ならではの回答はかなり参考になるはずです。

6. センスがよく詳しく知っている友人に聞いて情報収集する

　これからきそうなものなどは、そういったジャンルに精通していて、センスのある友人に直接、聞いてみるとよいでしょう。マニアックになればなるほど、そういった知識を誰かに話すのが大好きだという方が多い傾向があるので、話し出したらもう止まらないでしょう。やはり「好きこそ、物の上手なれ」といえますね。一般の人には絶対にわからないような深い知識は、ビジネスにも十分に役立ちます。

これからくるカラーは…

このアウターはリバイバルとして流行しはじめている

こういったサイズがこれからは…

この新ブランドがかなり人気出そう

友人

▲ 友人だからこそ気軽に、いろいろな情報を引き出すことができます。

Section 27

第 2 章｜ネットで個人輸入をする

トレンドを掴んで、一気に勝負する戦略

| 基本 | 準備 | **輸入仕入れ** | 輸入販売 | 輸出仕入れ | 輸出販売 |

スピード勝負！　短期集中で稼ぐ

　輸入ビジネスの基本的な考え方としては、ロングセラー販売が狙えて、かつ大きな利益を生み出せる商品を扱うと、仕事量も少なく押さえられます。仕事量が減った分、その余力を他の利益を生む仕事に充てることができます。しかし、**ロングセラーにはならないことがわかっていても、稼げるうちに集中的に稼いで、すぐに撤退するやり方もあり**です。それで利益が生まれるのであれば、やるべきです。いつかはオークションや Amazon の出品最低価格が最安値の 1 円になることが目に見えている商品をスピード勝負で販売して稼ぐ方法です。いわば Hit&Away です。こういった商品は販売価格が大きく崩れると、輸入すべき商品から輸入すると滑る商品に 180 度変わることになるので撤退のタイミングがかなり難しいですが、この方法でまだまだ稼げる商品だと判断した場合、思い切って参入します。

　例えば、iPad が発売された後、社外品のケースや周辺機器などが一気に売り出され、その波にうまく乗った方は一瞬で大きく稼げましたが、出遅れて参戦した方はあまりよい思いをしていないはずです。このようなデジモノ系商品の場合、中国からの出品

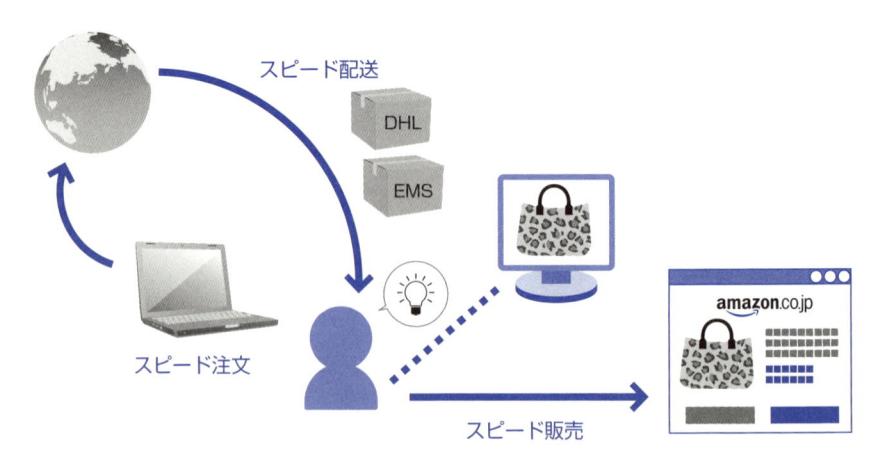

● Hit&Away のスピード勝負も、時と場合によっては仕掛けます！

者が増えて大幅な価格競争が始まり、昨日までの価格が一気に暴落してしまったというケースも多々あります。例えば、iPadという商品はそれまで世の中に存在しなかったのですから、当然社外品もなかったのですが、そのような商品が市場に出ることで、急激に周辺機器の需要が上がったということがあります。今後もこのような商品はたくさん市場に投入されるので、常にアンテナを張って、チャンスがきたら一気に攻め込みましょう。この方法で稼ぐ場合には冷静な判断力が不可欠です。

　また、TVや海外の雑誌などの情報からいち早くトレンドを掴み、その市場に参戦することも可能です。いくらインターネット時代を迎えたとはいえ、やはりTVや雑誌で紹介された直後の商品の売れ方は想像を絶する時があります。文字通り、爆発的に売れます。当然、重要と供給のバランスが崩れ、他の販売者、業者も品切れし始めますので、その時点で参入すれば、短期的ですが稼ぐことができます。紹介された情報を掴んだ瞬間に動き出し、すぐに発注して、なるべく早く日本に届く方法（EMS＝国際スピード郵便、DHL＝国際宅配便など）で送ってもらい、届き次第、販売を開始してその市場に参入します。海外からの発送となるため、EMSやDHLなどで送ってもらっても、やはりタイムロスがあります。あまり大量に仕入れると、供給が安定したときには相場が下落して、赤字販売になってしまう可能性もあります。EMS、DHLなどの送料、日本に到着する時間、ライバルの販売者の状況などをしっかり頭に入れて仕入れましょう。世の中、重要と供給で成り立っているのでそこを狙っていくためにも日頃から感性を磨いていきましょう。

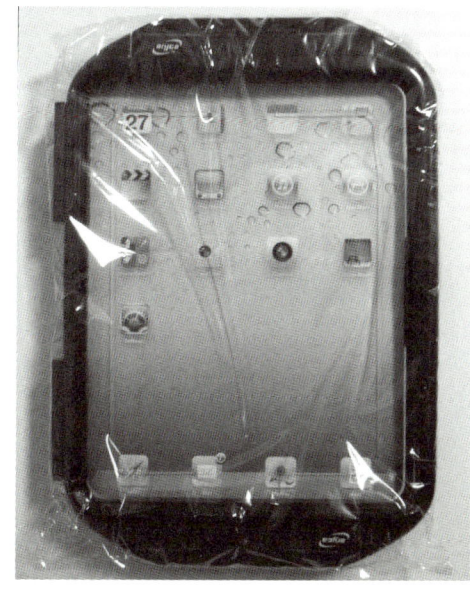

● iPadのように、今まで世の中に存在しなかった商品の関連商品は狙い目です。

Section 27　トレンドを掴んで、一気に勝負する戦略

Section 28　　　　　　　　　　　　　　第2章｜ネットで個人輸入をする

2匹目のドジョウをたくさん掴むのが成功するコツ

| 基本 | 準備 | **輸入仕入れ** | 輸入販売 | 輸出仕入れ | 輸出販売 |

安定した利益を得るには、まねることも必要

　誰も手をつけていないブルーオーシャン的な商品を見つければ、それは非常においしい商品です。そんなおいしい商品をたくさん見つければ、億万長者も夢ではありません。しかし、残念ながらそのような商品を見つけ出すことは、年間を通してほとんどありません。それは、いくら世界は広いといっても歴戦の猛者たちが、常に儲かる商品を血まなこになって探しているからです。まだ誰も販売していない商品でありながら、放っておいても日本でバカ売れしてしまうという商品は残念ながらほとんどないといってもいいでしょう。もしあったとしても、おそらく一般消費者にはまだ馴染みのない商品なので、広告やプロモーションに、かなりの時間と経費がかかります。実際、「これは！」と思った商品も、誰かがすでに販売している可能性が高いですし、そのような先見の明がある方はほとんどいないというのが現状です。

　だからといって諦めるのは早過ぎます。バカ売れする商品がどこかに眠っている可能性はゼロではありません。現に私自身、他のライバルと同じ状況の中、そのような商品を発掘するためにできるだけたくさんの情報を収集し、自らの目で確認するため

▲ 年に何度も儲かる商品を探しに海外へ渡航しています（海外の卸問屋にて）。

に年に何度も海外へ渡航しているわけです。このインターネット時代に、なぜわざわざ現地まで商品を探しに行くのか？　その答えはただ1つしかありません。インターネット検索で見つけられなかった儲かる商品が見つかるからです。

　仕入れるときの考え方としては、利益率がズバ抜けて高く、参入者がほとんどいないブルーオーシャン的商品を探しながら、2匹目のドジョウ的な商品をたくさん捕まえればいいのです。特に「2匹目のドジョウ戦略」としては、たくさん売れている商品、売っているセラーを探して同じような商品を後追いで販売するだけでよいのです。このような商品の情報はインターネット上にすべてあります。データ量は膨大ですが、知りたい情報はすべてありますし、それが筒抜けなのです。しかも、それは偽りのないデータなので、このデータをじっくりと時間をかけて分析をしていき、売れそうな商品だけ選んで仕入れて販売します。言葉は悪く感じますが、まねてしまってもいいのです。2匹目のドジョウという言葉もあまり聞こえはよくないですが、すでにネットで売れていて、結果が出ている商品なので滑る可能性が極めて低いのです。ビジネスはギャンブルではないので、投資した仕入れ資金より多くの利益を生まなくてはいけません。すでに売れている商品をまねして、たくさん販売することで利益を得ることも重要です。ナンバー1にはなれないかもしれませんが、滑らずに安定して稼ぐことができます。ブルーオーシャン的商品を狙うフロンティアスピリッツ満載の視点を持ちつつも、データ分析から見つけ出した売れ筋商品を後追いで販売していくのが、末長く安定して稼ぐコツです。このように2Wayでの販売を心がければ、必然的に売り上げ、利益も安定してきます。

● ビジネスはギャンブルではないので、成功者のまねでもいいんです。

Section 28　2匹目のドジョウをたくさん掴むのが成功するコツ

Section 29　　　　　　　　　　　　　　第 2 章｜ネットで個人輸入をする

商品の仕入れ相場と販売相場を知る

| 基本 | 準備 | **輸入仕入れ** | 輸入販売 | 輸出仕入れ | 輸出販売 |

まとめたデータをもとに仕入れ、販売価格を予想する

　仕入れ相場と販売相場を常にしっかり把握し、確認しておかないと、輸入ビジネスで利益を出すのは難しいです。仕入れ相場に関しては、よく使うサイト、販売者など複数の仕入先の価格をデータ化しておきます。とはいえ、使い慣れたサイトだから、前回もこの販売者から仕入れたからといって、毎回同じ方法で仕入れるのではなく、安く仕入れられるサイト、販売者などをマメに探すのがコツです。結局、問屋やセラーも商売ですから、必ず販売価格を安くしてくるライバルが現れてきます。そういう安く仕入れられるところを探していくのが稼ぐポイントです。直接交渉できる場合は、駄目もとで大胆に交渉してみましょう。聞いてみないと何も始まりませんが、勇気を出して聞けば安くなる可能性が広がります。振られても、振られても1度や2度じゃ、諦めない心が必要です。例えば100個仕入れようとした場合、50個、100個、300個、500個という数量で見積もりをもらうのは常套手段です。100個仕入れようとして、50個と100個の価格が変わらない場合、50個で仕入れた方がリスクは低いです。500個はちょっと多いと思っても、500個から極端に価格が安くなる場合もあるかもしれません。

　また、見積書があれば次回の交渉のとき、有利に進めることができる場合があります。あまりにも強烈に値引きを迫ったりすると、セラーに嫌われて交渉自体が決裂する可能性もあります。その辺の駆け引きもありますので、丁度よいさじ加減で進めましょう。

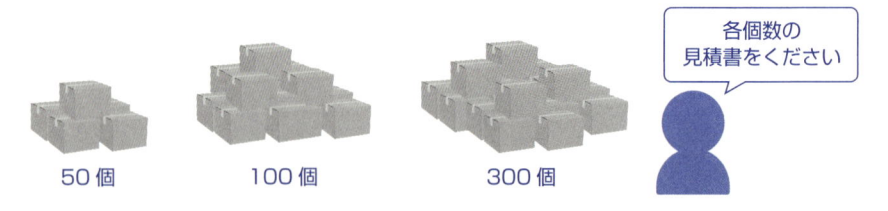

50個　　　100個　　　300個　　　各個数の見積書をください

🔻 見積書があれば、いろいろと有利に交渉を進めることができます。

仕入れ相場と販売相場を把握したら、Amazonの場合はFBA料金シミュレーター（ベータ）というAmazonが提供しているサイトが利用できます（https://sellercentral.amazon.co.jp/gp/fbacalc/fba-calculator.html?ld=SCFBACalcAnnounce）。これに仕入単価、販売予想価格を入力するだけで、面倒な手数料（販売手数料やカテゴリー成約料などAmazonが定めた各種手数料）の計算を全部やってくれるという優れものです（Sec.39参照）。現在、Amazonマーケットプレイスに出品されている価格を調べて、その価格で出品するといくら利益が出るかを見ながら、商品を仕入れるべきかどうか調べます。

　オークションで販売する価格を調べる場合は、オークファンでその商品の平均落札価格、月間落札数を調べます。そのデータをまとめておくと、おおよその販売価格、失敗しない仕入れ価格が予想できます。海外からの輸入品を販売するわけですから、日本への発送途中でダメージを受ける場合もありますし、場合によっては販売できない程、破損する場合も考えられます。

　ちなみにパッケージだけがダメージを受けている場合や、ダメージがあるけれど使用には問題ないという場合は、オークションで「訳あり」「難有」「傷有」「ジャンク品」などと明記して、ダメージの個所の説明、クローズアップ画像をアップして出品すれば、買う人が現れます。このように販売すれば、ダメージがある商品でも仕入れ代金の回収が見込めて、もし仕入れ代金を割った価格で販売したとしても最小限の赤字で済みます。

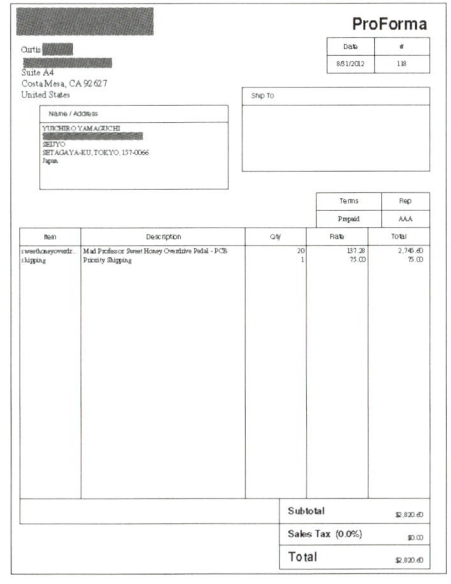

● 海外の販売者に作らせた実際の見積書です。

Section 30

第 2 章｜ネットで個人輸入をする

個人輸入の儲かるジャンル・儲からないジャンル

| 基本 | 準備 | **輸入仕入れ** | 輸入販売 | 輸出仕入れ | 輸出販売 |

儲かるジャンルを見極めて仕入れる

　どこでも手に入るような商品をインターネットで販売する場合、価格はかなり安くないと売れません。例えば、どこにでも売っている100円のボールペン1本をインターネットで購入する人はあまりいないですし、通常、インターネット通販の場合、送料は購入者負担になるケースが多いので、結果的に送料込みの金額が高くなり、あまり売れないのです。

　インターネット販売の場合、基本的に購入者が送料を負担しなくてはいけないということを考え、多少、販売方法を工夫する必要があります。どこでも手に入る商品は、大企業は大量に仕入れて安く売るケースが多いので、弱小企業、個人の販売者で同じ商品を売って利益を出すのは難しいです。ですので、**資本があまりない弱小企業、個人の販売者はネットで売りやすい商品ジャンルを選ぶのが稼ぐ秘訣**です。

　次のような商品は、ネットで売りやすいジャンルといえるでしょう。

- リアル店舗の店頭で買いづらい商品
- 普通の店で扱っていない商品
- そこでしか手に入らないマニアックな商品

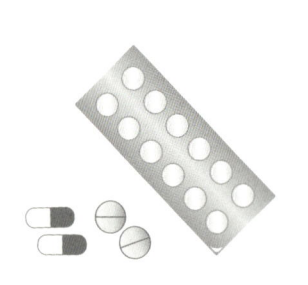

▲ インターネットで売りやすいジャンルの商品を選ぶのがコツです。

「リアル店舗の店頭で買いづらい商品」といえば、ダイエット食品やアダルト商品などの悩み系商品が一番に挙げられるでしょう。また、「普通の店で扱っていない商品」といえば、地方限定品（NY、LA限定品など）などが挙げられ、「そこでしか手に入らないマニアックな商品」といえばフィギュアなどが挙げられます。特に専門店が少なく、ネットで買う方が多い商品としては、サプリメントが挙げられます。サプリメントなどの健康食品は、リアル店舗でも購入することは可能ですが、幅広いバリエーションを扱うリアル店舗は少ないのが現状です。こういうことも視野に入れながら、ネットではどのようなものが売れるかを考えながら仕入れる癖をつけてください。よく検索されているキーワードは、ヤフオク！や楽天市場のトップページに表示されているので、参考にしましょう。このようなデータを参考に調べる癖をつけると、あなたの輸入ビジネスのプラスに必ずつながります。

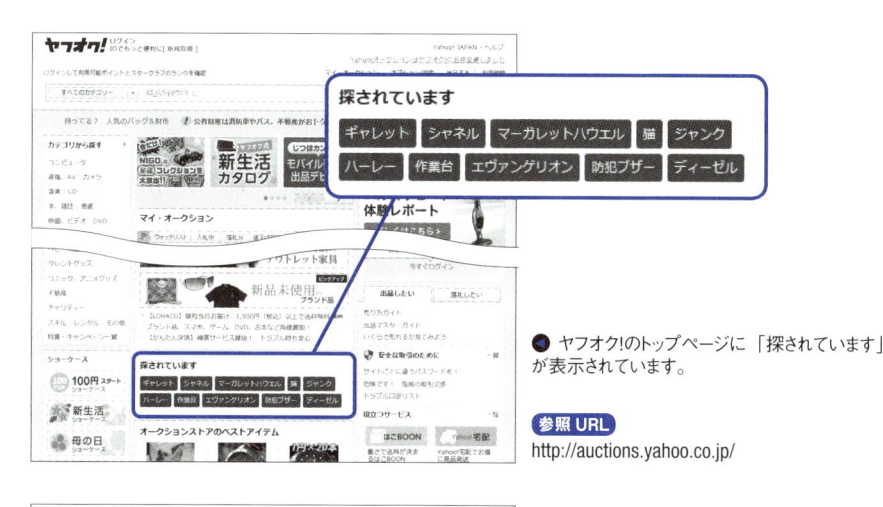

● ヤフオク！のトップページに「探されています」が表示されています。

参照 URL
http://auctions.yahoo.co.jp/

● 楽天市場のトップページにも人気ランキングが表示されていますが、「ランキング市場」ではさらに詳細に男女別、商品ジャンル別で見ることができます。

参照 URL
http://ranking.rakuten.co.jp/?l2-id=ranking_a_top_head_rc_left01

Section 30　個人輸入の儲かるジャンル・儲からないジャンル　73

Section 31　第2章｜ネットで個人輸入をする

あなたの趣味をお金に変える方法

| 基本 | 準備 | **輸入仕入れ** | 輸入販売 | 輸出仕入れ | 輸出販売 |

好きなことを強みにして儲ける

　何度も書いていますが、世の中には星の数ほど商品があり、儲かる商品はいくらでもあります。これは本当です。結局、それを見つける、いえ、見つけ出すかどうかです。例えば、あなたが**興味あるものや趣味から仕入れる商品を広げていくと稼ぎやすい**です。全然わからないジャンルを研究して攻略するのも一つの手であり、壮大なロマンがありますが、結果が出るまで時間がかかるものです。その

▲ 著者のミュージシャン時代。

点、好きなジャンルだと吸収や成長も早いですし、商品の知識を増やすのも苦にならないので、もの凄い力を発揮することができます。子供の頃まで遡り、自分がどんなことをしてきて、どんなことが好きだったのかを紙に書き出してみてください。野球、サッカー、ラジコン、ミニカー、お人形、映画など、少々恥ずかしいことも含めて（笑）、自分でも忘れていたことをすべて思い出してみましょう。私の場合、若かりし頃は本気でミュージシャンを目指していたので、インターネット物販をスタートした時点では音楽関連の商品ばかり扱っていました。CD、レコード、DVD、ビデオテープ、Tシャツ、楽器、楽譜、書籍、コンサートチケット、ミュージシャンが着用している服や靴など、音楽関連の商品だけでもこれだけの広がりがあるのです。また、好きなものであれば商品として扱うことも楽しいので、仕事として末長く続けられるというのもポイントです。子供の頃は釣りが好きだったので、今でも釣り道具を販売しています。魚釣り自体は、今ではまったくやる機会がなくなってしまいましたが、基本的には好きですし、どういう場面にどのような用途で釣り道具を使うかということは研究しなくても経験でわかるのが強みです。

　例えばオークションに出品するときなど、釣りの知識がない販売者よりも詳しい説明文が書けるので、その結果、他の販売者より高値で販売することも可能です。関連

商品を見ても、売れ筋商品かどうかということが感覚でわかります。この感覚は一朝一夕では身につかないものなので、得意なジャンルを扱って勝負するだけでも、大きなアドバンテージがあるといえます。「こんなのどうやって見つけたんだ！」と、ライバルからいわれるくらい徹底的に深く掘りさげてみてください。そのくらい深く商品を探していき、１つ１つテスト販売していけば、利益率や販売単価が高く、独占的に稼げる商品を発掘できるかもしれません。そのような商品がなかなか見つからずに悩んでいても何も始まらないので、「とにかく１つでも販売してみる」ということが一番重要です。もし、その商品が滑ってしまったとしても、１つであれば大した負債にはならないはずですし、手数を出さないと何も掴めないので、やるだけやるという気持ちは常に持ち続けてください。ただしライバルがいないからといって、ニッチ過ぎる商品だとあまり売れない場合もあるので、買い手がいるかどうかだけはAmazonランキングやオークファンを見るなりして必ず調べてから仕入れるようにしましょう。

　私事になりますが、会社を経営するようになって、以前より身体を動かさなくなり、そして長年吸っていた煙草を辞めたら恥かしながら72.5kgまで太ってしまいました。そして、奮起してダイエットするようになって、いろいろと実践しているうちに知識もつきはじめ、今ではダイエット商品をかなり販売しています。そして毎日、売り上げを上げることを考えているので、ビジネス関係の商品も得意だったりします。今後も自分が興味があることが出てくれば、その商品の知識がつくので自然と取り扱う方向になるはずです。自分の成長と合わせて、どんどん商品の幅を増やしていくのも自然な流れです。このような感じで自分が選択すべきジャンルを決めると、稼ぎに直結するスピードが早くなります。

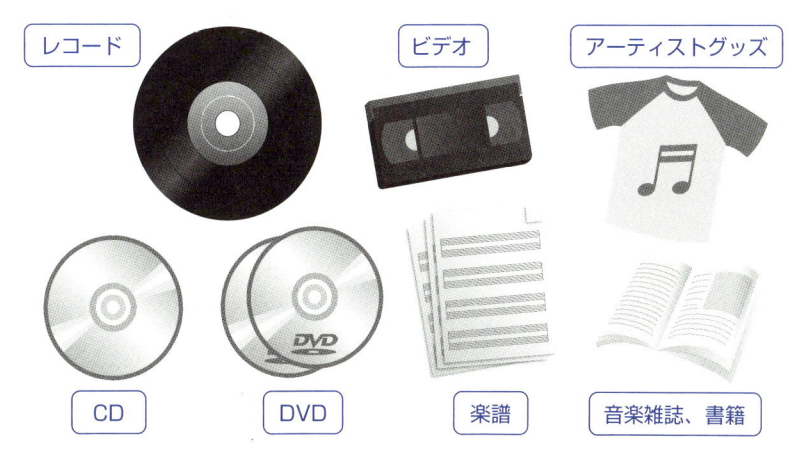

▶ 音楽関連の商品だけでもこれだけたくさんあります。

Section 31　あなたの趣味をお金に変える方法

Section 32　第2章｜ネットで個人輸入をする

お薦めの仕入れ方法はコレだ!

| 基本 | 準備 | **輸入仕入れ** | 輸入販売 | 輸出仕入れ | 輸出販売 |

1. 海外のAmazonから仕入れる

　一番手軽な仕入れ方法といえば海外のAmazonから商品を仕入れる方法です。日本のAmazonで購入する手順とほぼ同じですので、外国語があまりわからなくても大丈夫です。もしわからなければ、日本のAmazonの購入ページと見比べることで、どんなことをサイトから求められているか理解することができます。

登録情報
発送重量: 1 Kg
ASIN: B003YQLFGA
Amazon.co.jp での取り扱い開始日: 2010/8/8
おすすめ度: ★★★★☆ (2件のカスタマーレビュー)
Amazon ベストセラー商品ランキング: 楽器 - 219位
1位 ― 楽器 > ギター > ギターエフェクター >

● ASINコードなどで検索できます。

　また、商品名での検索だけではなく、ASINコード、EANコード、JANコードなどをAmazonの検索窓に入力する方法でも商品を探すことができます。

　もしわからない英語の文言が出てきた場合、翻訳サイトを使って翻訳すれば、だいたい理解できるかと思います。

- Yahoo! 翻訳
  http://honyaku.yahoo.co.jp/
- Google 翻訳
  http://translate.google.co.jp/
- excite 翻訳
  http://www.excite.co.jp/world/
- infoseek マルチ翻訳
  http://translation.infoseek.ne.jp/web.html

　長文を翻訳すると文章がおかしくなることが多いので、文章を短く区切り、複数のサイトで翻訳し、その中で一番伝わりやすい文章を選ぶようにするのがコツです。

　しかし、海外のAmazonから仕入れて国内のAmazonマーケットプレイスで販売する方法はあまりにも簡単なので、ライバル、同業者が非常に多いという側面もあります。ですので、ライバルがまだ目をつけていない商品を発掘したとしてもすぐにまねされ、価格が崩壊する危惧もあります。価格が崩壊したら、未練を残さずに次へ次へと進んでいくという軽いフットワークが必要になります。このように書くとネガティブに感じるかもしれませんが、実際、海外のAmazonを使ってみると悪いこと

ばかりではありません。マーケットプレイスではなく、海外のAmazon本体から購入した場合、梱包の状態、クオリティもかなり高いので途中で破損するケースが少ないのが嬉しいところです。もちろん破損、不着のときの補償もありますし、利便性は非常に高いといえるでしょう。

2. eBayから仕入れる

　eBayから仕入れる方法も非常にポピュラーです。日本のヤフオク！で仕入れるような感覚です。即決価格で手に入る商品もありますし、販売者側の在庫があれば一度の取引で多数、仕入れることも可能です。決済するときもPayPalが主流なので保証、セキュリティ面でも安心です。注意する点としてはアジア、特に中国のセラーが偽物を販売しているケースが多く、誰でも一度はそういう商品を掴まされて泣かされます。泣かされるくらいならまだいいのですがそういった商品を販売してしまい、アカウントをはく奪されたり、ときには賠償問題に発展するケースもあります。あまりにも相場より安くて、販売者の所在地が中国だった場合は99％偽物です！　焦って購入しないようにしましょう。また、日本まで海を渡ってくるので途中で破損したり、紛失したりするケースもあります。その辺のリスクは必ず何％かの割合であるということを覚悟して使いましょう。PayPalで支払えば破損、不着のときの補償もありますし、Amazon同様、利便性は非常に高いといえるでしょう。

3. 海外ネットショップから仕入れる

　「Googleプロダクトサーチ」（http://www.google.com/shopping）というサイトを使って、あなたが探している商品を扱うショップを探して、買いつけをします。上手くいけば、卸元、工場などの連絡先を掴むこともできるので、交渉次第で一般小売価格より安く仕入れることも可能ですし、安定した取引を長く続けることも可能です。日本に送ってくれないショップなどもヒットしますが、駄目もとで交渉してみましょう。一度は日本へは送れないといったショップでも、早く決済の確認ができるPayPal決済での支払いを約束し、補償があるEMSやDHLでの発送なら取引をするというケースもありますので、諦めずに交渉しましょう。交渉は基本的に、世界の共通語である英語になります。販売店、ショップなどは星の数ほどヒットする場合があるので、**Amazonやebayからの仕入れに比べて、ライバルに検索されづらく、こっそりと仕入れることが可能**です。

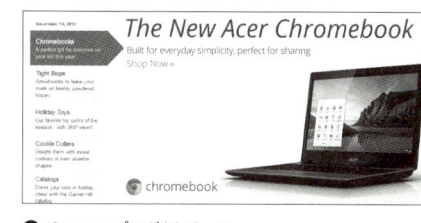

● Googleプロダクトサーチ

参照 URL
http://www.google.com/shopping

Section 32　お薦めの仕入れ方法はコレだ！

Section 33

安定した仕入れをする方法

| 基本 | 準備 | **輸入仕入れ** | 輸入販売 | 輸出仕入れ | 輸出販売 |

販売者に積極的にコンタクトを取る

　Sec.32の3のように、まずは購入したい商品を販売しているネットショップに連絡を取りましょう。会ったことはもちろん、顔も見たことがない海外の販売者と取引をするわけですので、信用できる相手かどうかを常に注意することはとても重要です。しかし、必要以上に警戒していると、なかなか大きく攻めることができません。リスクを取れ！　というわけではないですが、やるときはやる、という心構えで常にいることが重要です。誰でも初めはゼロからのスタートなのですから、やりながら人脈を広げていけばよいのです。たくさんの販売者と取引をしていても、何度も取引している販売者は自然と覚えるものです。そういった**販売者には自ら積極的にコンタクトを取るようにしましょう**。注文した商品が届いたら、メールで「いつもありがとうございます。助かっています」といった感謝の気持ちを書いて送るくらいのことをするだけでも構いません。メールをするネタがなければ、「こういう商品を扱っていますか？」と参考のURLをいくつか張って聞いてみるのもいいでしょう。これならネタ切れの

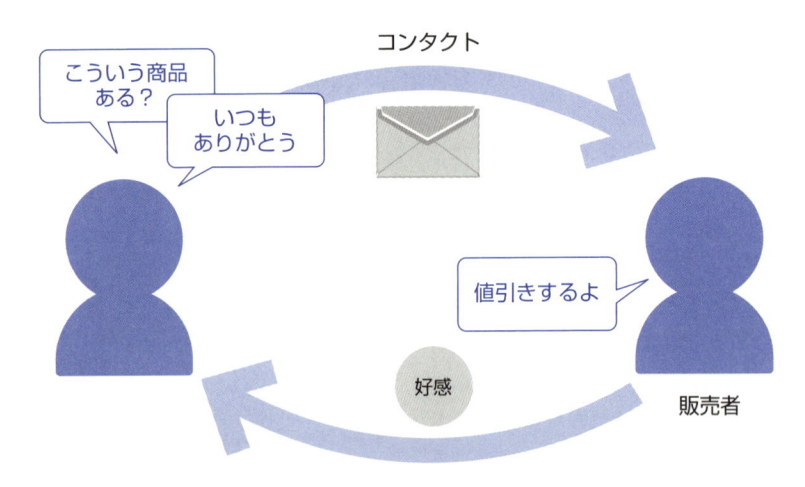

コンタクト

こういう商品ある？
いつもありがとう
値引きするよ
好感
販売者

● 距離を縮めるために「単純接触頻度」を上げましょう。

心配もありません。これは心理学用語でいわれる「単純接触頻度」を上げるためです。専門的にはこれを単純接触効果といい、日本では俗に「ザイオンス効果」とも呼ばれます。接触回数が増えるにつれて、初めは何も感じていなかったのに段々、好きになると書けば伝わりやすいでしょうか。

　こうして、接触頻度を上げて自らWHOLESALE（卸売り）＝定価ではなく、もっと値引きした価格で販売をして欲しいとアプローチしてみてください。相手も商売ですから、真面目に考慮してくれるはずですし、いきなり最初から激しく値引きを迫るバイヤーよりも、圧倒的に印象がよいはずです。また、以前からの取引実績もあるという理由から、今よりも商品を安くしてくれる可能性があります。実際、値引きして欲しいといえば、値引きしてくれるケースもありますが、何もいわずに相手から値引きしてくれるケースはほぼありません。やはり行動していかないといけません。そうして、安定した取引ができる販売者をたくさん増やして、徐々に距離を縮めていきます。インターネットの取引でも人対人のお付き合いだということを忘れなければ、自然と上手くいくことでしょう。またインターネットで「WHOLESALE」で検索すると、海外には星の数ほどネット上で卸売りをしている販売者がいます。登録すれば、簡単に仕入れることができるサイトもあります。

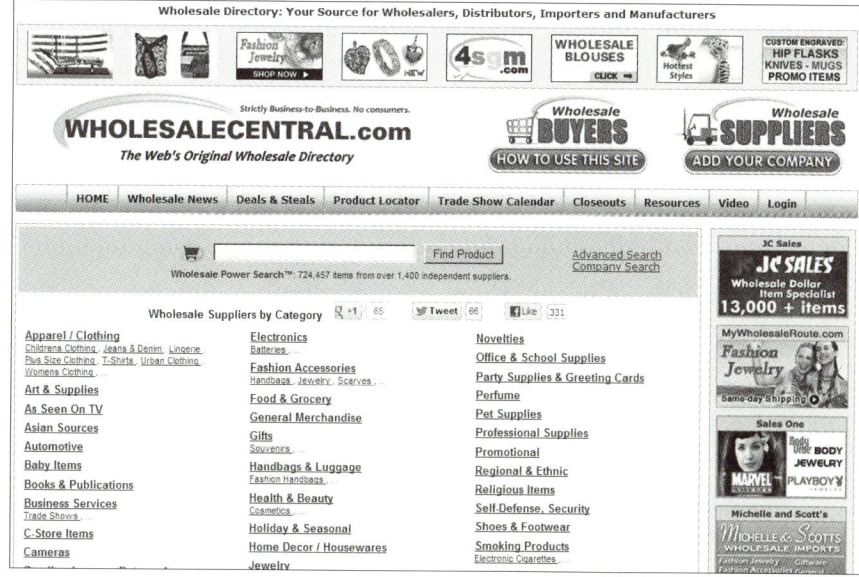

●「Wholesale Central」
接触頻度を上げながらステップ式で交渉していく方法と、卸売りで買う方法を二重で使うと効果的です。

参照URL
http://www.wholesalecentral.com/

Section 33　安定した仕入れをする方法　79

Section 34

試しに海外の商品を
サンプルとして仕入れてみる

| 基本 | 準備 | **輸入仕入れ** | 輸入販売 | 輸出仕入れ | 輸出販売 |

気になる商品は自分でテストマーケティングを行う

　Amazonランキングを重視しつつ、各種オークションでの平均価格、月間落札数などから売れる商品かどうかを見極める話は別Sectionで説明していますが（Sec.40参照）、これは売れそうだ！　と思う商品の販売データがほとんどない商品はどうすればよいのでしょうか？　答えは簡単です。とりあえず、1つでもいいからその商品を手に入れて、自分で販売してみましょう。仕入先はどこでも構いません。極端な話、一般小売店などで買ってもよいのです。とにかく、サンプルとして1つでもよいので手に入れ、実際に商品を手にして、ネットオークションに出品してみましょう。ネットオークションに出品すれば、アクセス数やウォッチリスト数などがすべてわかるので、その商品が市場で求められている商品なのかを分析することができます。もし、出品価格ですぐに売れなかったとしても、商品に関しての質問がくれば、その商品は一般的にニーズがあるのでは？　売れそうな価格なのでは？　という予想ができます。実際に、自分でオークションの出品者に質問してみるとわかりますが、オークショ

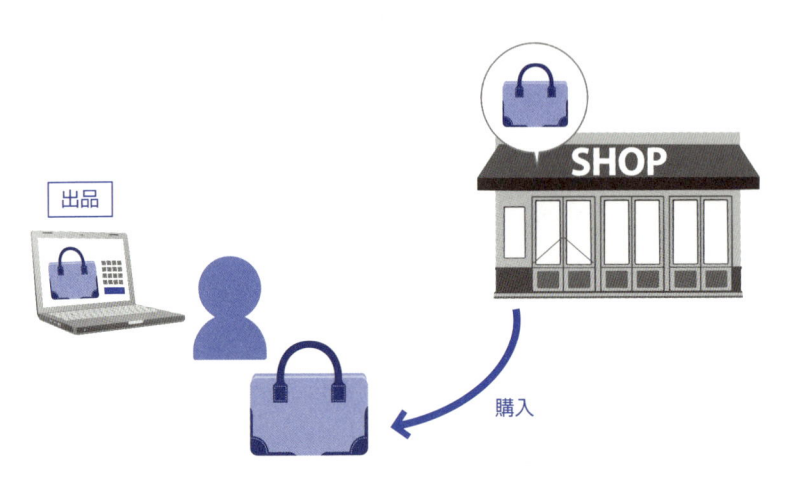

● 買ってきた商品がオークションで売れるかを分析します。

ンサイトにログインして質問文を書いて送る、という一連の作業は結構手間がかかる作業です。その手間を惜しまずに質問してくるということは、その商品にニーズがあるということです。このようにしてオークションサイトをマーケティングツールとして使い、売れると予想できる商品だけを仕入れるようにすれば、滑ることはほとんどありません。

　販売データがない場合は、まずは売ってみないと何も始まりません。もしかしたらたくさんの人たちが求めているのに、出品者が極端に少ないという非常に儲かる商品かもしれません。悩んでいても何も始まらないので、行動と挑戦あるのみです。**テスト販売をしながら反応がよい商品だけを再度、仕入れればよい**のです。これを数多く繰り返せば、いつかヒット商品を掴むことができます。もし予想が外れたとしても1つしか仕入れていないわけですし、仕入れ価格以上にならないとしてもオークションであれば必ずいくらかで売ることはできますので赤字は最小限で済みます。

　私はたくさんの方を指導していますが、失敗して不良在庫をたくさん抱える方の共通点としては、市場調査不足とテストマーケティングを全然していない方が大半なのです。何となく「売れそうだから」「儲かりそうだから」という感覚で仕入れていたら稼げるわけがありません。「売れそうだ」という直感が働いたときは、スルーしたほうが賢明です。かなりの確率で滑ります。自分の直感で仕入れてガンガン儲かるのであれば今頃、自社ビルが六本木に建っています。仕入れは自分の資金を使って行いますし、ビジネスなので、しっかりと利益を出していかないといけません。この手法で、どんどんアイテム数を増やして仕入れを増やし、雪だるま式に展開していけば、気が付けば利益も増えていくことになるでしょう。

▲ どんな商品でも実際に商品を販売してみないとわからないという場合が多いです。

Section 35

日本では高額で販売されている商品を海外のサイトで安く仕入れる方法

| 基本 | 準備 | 輸入仕入れ | 輸入販売 | 輸出仕入れ | 輸出販売 |

AmazonやeBayにASINコードなどをコピペして価格差を調べる

　日本でプレミア価格がついている商品や、日本でも手に入るけれど高額な商品が、海外では安く売られていたりします。これは結構、普通なことです。要は探し方だけですし、その方法を知っているか知らないかということだけです。実際には海外で安く売っているのは知っているのに、手間暇はかけたくないという人は世の中にたくさんいます。そういった人の代わりに輸入をして、ちょっと手間がかかった分の手数料をいただくことで、お客様に非常に感謝されたりします。これは輸入ビジネス冥利に尽きます。インターネット上ではいろいろな検索ツールが販売されていますので、それを使って効率化して探し出すのも1つの手ですが、ここでは基本的な方法を教えます。まずは日本で売れている商品（コレ、重要！）の世界共通の呼び名を調べ出します。具体的には型番、正式名称、ASINコード、ISBNコードなどを調べていきます。

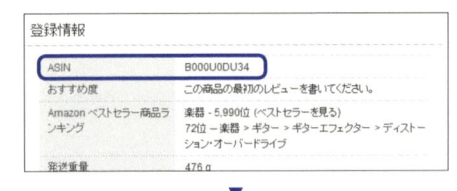

1 この商品が仕入れる対象にあたると判断し、ASINコードをチェックします。

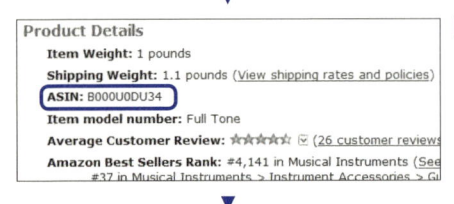

2 B000U0DU34 が世界共通で検索できるASINコードです。

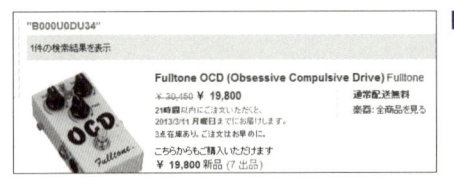

3 正式名称は Fulltone OCD です。

調べたコードや正式名称をコピーして、海外のサイト、Amazon や eBay の検索窓に貼ります。

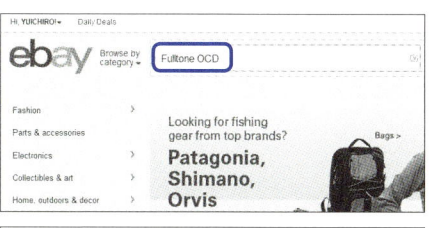

● eBay で探す場合、検索窓に商品名をコピペして検索します。

● Amazon で探す場合、検索窓に ASIN コード（商品名でも可能）をコピペして検索します。

その結果、**日本での平均販売価格と送料込みの仕入れ価格の差が大きいものだけを厳選して仕入れます**。やっていることといえば、日本の Amazon、海外の Amazon、eBay、為替サイトなど Web ブラウザを複数開いて、ひたすらコピペしているだけです。ただコピペしているだけで儲かる！　というと一昔前の怪しい情報商材のようですが、本当にコピペしているだけで儲かる商品が見つかります。逆に手入力するとスペルミスがあるので、コピペして検索するのが確実な方法です。英語がわからない場合、翻訳サイトを使ってもよいですが、Google Chrome という Web ブラウザを使えば、Web ページを直接、日本語に翻訳してくれる機能があるので便利です。

注意する点としては、評価の安定しているセラーからまずは小ロットで仕入れることです。稀に商品を送らないセラーや、間違えて商品を送ってくるおっちょこちょいなセラーもいたりしますし、梱包が雑なセラーもいるので、実はそのチェックも兼ねています。手元に届き次第、商品を販売します。その商品がコンスタントに売れるようだったら、仕入れの量を増やしていきます。何回か取引して本当に安心できるセラーであれば、大量仕入れのオファーをして、商品単価を下げるように交渉します。仕入単価が下がれば利益率も上がります。Amazon や eBay を使って直接取引するのはガイドライン違反になりますが、セラーも商売なので自社サイトを運営していたり、別の販路を持っているケースが極めて高いです。他の販路を持っていない方がおかしいくらいです。まずはメールアドレスなどの連絡先を調べるなり聞いたりして、直接、連絡してみましょう。Amazon や eBay 販売サイトを使わないと、万が一の場合に、運営サイト側の補償が効かないので、決済は補償がある PayPal を使うと安心です。

Section 36　　　　　　　　　　　　　　　　　　　　　第2章｜ネットで個人輸入をする

オークファンの基本的な使い方

| 基本 | 準備 | **輸入仕入れ** | 輸入販売 | 輸出仕入れ | 輸出販売 |

過去の高値の落札相場順に表示する

　このSectionでは、オークファンの基本的な使い方をご紹介します。過去に落札された商品情報を調べる場合、何も設定しないとランダムに並ぶので、並べ替えをして検索した方が効率的です。例として「ガーミン」という検索キーワードで人気順に並べ替える方法を説明します。

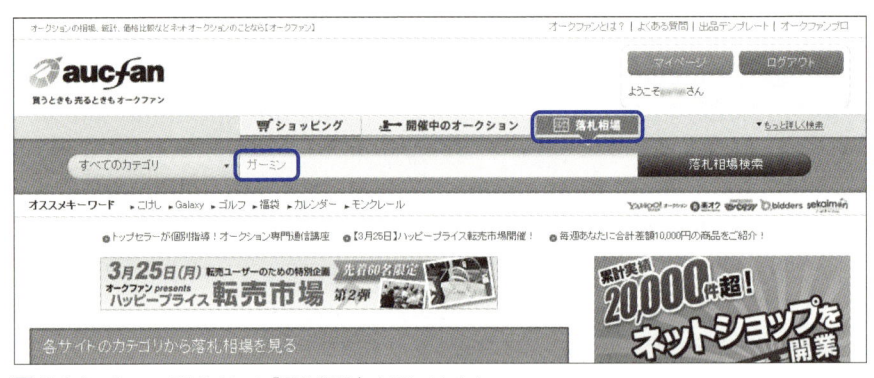

1 検索窓にキーワードを入力して「落札相場」をクリックします。

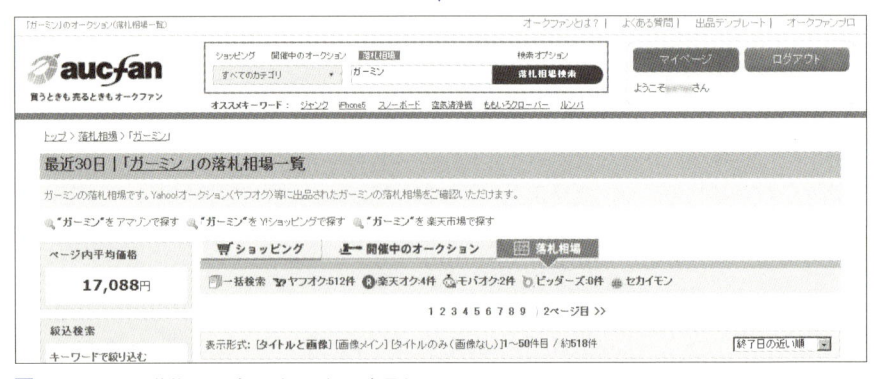

▼

2 ここ30日間に落札された商品がランダムに表示されました。

3 落札価格のタブをクリックします。

▼

4 値段が高い順に並べ替えができました。

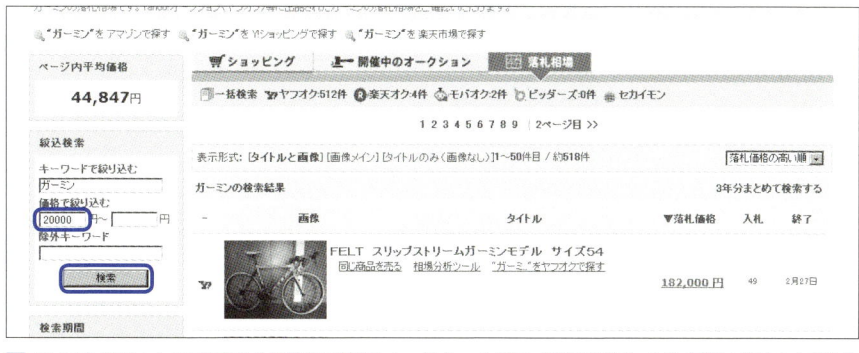

▼

5 20,000円以上など同じ商品を価格帯で検索したい場合、左側の「絞込検索」の検索窓に希望の金額を入力して＜検索＞をクリックすると、入力した金額以上の商品のみを検索することができます（オークファンプレミアム会員登録（毎月498円）に登録していないと、画像が表示されない場合があります）。

Section 36 オークファンの基本的な使い方

Section 37　第2章｜ネットで個人輸入をする

Amazonの基礎知識

| 基本 | 準備 | **輸入仕入れ** | 輸入販売 | 輸出仕入れ | 輸出販売 |

Amazon.comのアカウントは7ヶ国のAmazonで利用可能

　Amazon.com, Inc.（アマゾン・ドット・コム）は、アメリカ合衆国・ワシントン州シアトルに本拠を構える通販サイトです。現在、アメリカ（Amazon.com）、イギリス（Amazon.co.uk）、フランス（Amazon.fr）、ドイツ（Amazon.de）、カナダ（Amazon.ca）、日本（Amazon.co.jp）、中国（Amazon.cn）、イタリア（Amazon.it）、スペイン（Amazon.es）の9ヶ国で運営されています。利用するにはまずAmazon.comを開いてアカウント登録します。日本のAmazon.co.jpのアカウント登録と同じで住所、名前などを入力します。日本人が海外のAmazonで購入する場合、基本的にクレジットカード払いになります。一度自分のクレジットカードを登録すれば、日本のAmazon同様、数回クリックするだけで商品を購入することができ、登録した住所に発送されます。中には日本に発送できない商品もありますが、現在では徐々に発送できる商品が増えてきていますので、ますます楽しみです。**Amazon.comのアカウントで、アメリカ、イギリス、フランス、ドイツ、カナダ、イタリア、スペインのAmazonで購入することができます。**

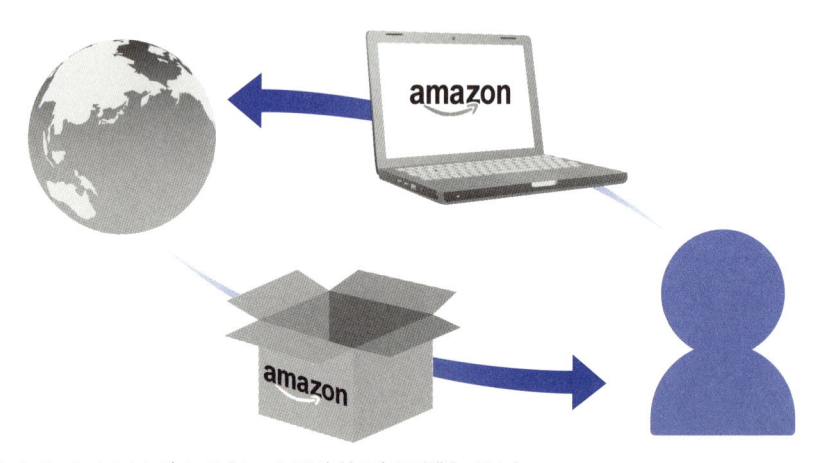

▲ インターネットのおかげで、日本にいながら海外の商品が購入できます。

「International Direct」という表示がある商品は、日本に直送してくれる商品です。現在、日本までの発送方法は3種類あり、配送スピードにより料金が異なります。注文画面で配送方法を選ぶことになります。

・通常配送（Standard International Shipping）　18〜32日で到着
・優先配送（Expedited International Shipping）　8〜16日で到着
・特急配送（Priority International Courier）　2〜4日で到着

特急配送（Priority International Courier）を選ぶと料金が一番高いですが、もっとも早く日本に届きます。利幅を大きくしたいのであれば、「Standard」を選択することになります。もし、「International Direct」の表示がない場合、利幅が大きく、利益が取れる商品であれば転送業者を使って仕入れることになります（Sec.47参照）。アメリカのAmazon以外のAmazonでは表示される通貨がドルではない場合があるので、間違えないように注意してください。日本円で仕入単価がいくらになるのかしっかりと確認してから仕入れましょう。日本にいながら海外のAmazonで仕入れができ、最短2〜4日で届くというのは非常に嬉しいことです。

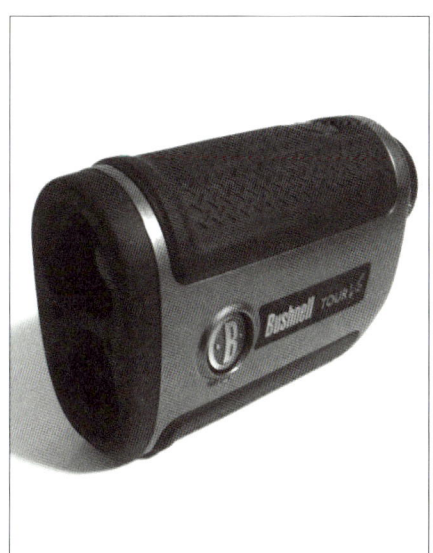

🔺 海外のAmazonをまめに探せば、かなり面白い商品が見つかります。

Section 37　Amazonの基礎知識

Section **38**　　　　　　　　　　　　　　　第 2 章｜ネットで個人輸入をする

Amazonを使って輸入をしよう

| 基本 | 準備 | **輸入仕入れ** | 輸入販売 | 輸出仕入れ | 輸出販売 |

FBA料金シミュレーター（ベータ）で利益の見込みを確認する

　世界で一番利用されているショッピングサイトはどこでしょうか？　簡単ですね、そうAmazonです。Amazonの訪問者数は2億8200万人で、全インターネットユーザー（13億8300万人）の20.4％です。インターネットユーザーの5人に1人が同サイトを訪問していることになります。ちなみに2位はアメリカのeBayで2億2400万人（16.2％）と、意外なくらい大きな差があります。アメリカやヨーロッパなどから商品を仕入れる場合、Amazonを使うと非常に楽です。輸入ビジネスをやっていて、Amazonを使っていない方は少ないのではないでしょうか？

　ここまで読んで「？」と疑問がある方もいらっしゃるかもしれません。海外のAmazonで仕入れて、日本のAmazon.co.jpで販売して儲かるのだろうか？　はい。儲かります。日本で販売されている価格より、安く販売されている商品を探せばいいだけの話です。世の中にはこういった商品が非常にたくさんありますので、それを**海外のAmazonから輸入して、日本のAmazon.co.jpで販売するだけで利益になる**のです。日本での販売相場から送料、転送費用、通関税込みの価格を引いて差額が大きい商品を探して仕入れるだけで儲かるのです。

　セラーの設定で日本に送ってくれない商品の場合、転送費用がかかりますが、転送業者（Sec.47参照）を利用して送ってもらうことになります。転送業者経由で商品

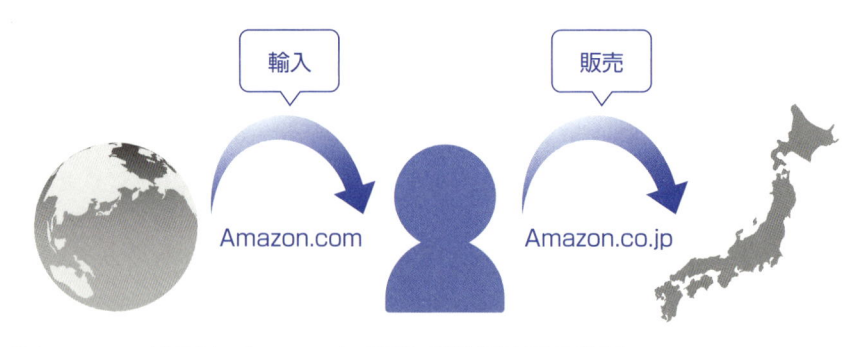

● Amazon.comから輸入し、Amazon.co.jpで販売して利益を出すことができます。

を日本に送ってもらう場合、転送業者がある国や州が定めた消費税を支払う必要がある場合があります（海外から日本国内への直送の場合は消費税はありません）。この消費税はアメリカやヨーロッパなど、国、州、商品よって違いますので、初めて利用する場合は事前に確認が必要です。ヨーロッパから輸入する場合、こういった転送経費が非常に高いので、日本国内の指定した場所まで直送してくれる販売者を選ぶのがコツです。実際、どのくらいの利益が見込めるかということはAmazonFBA料金シミュレーター（ベータ）で見ることができるので、うっかり儲からない商品を仕入れてしまうということもないでしょう。

数万円以上の価格差がある商品がザクザク見つかるということは正直あまりありませんが、数百円〜数千円くらいの価格差の商品であれば、本当にたくさん見つかりますし、安定した利益が見込める商品も必ず見つかります。コツコツと根気よく探してみてください。1つ辺りの利益が小さくても、AmazonのFBAサービスを使えば自分で行う作業が大幅に減りますので、ガンガン商品を回すことができます（Sec.52参照）。実はこういった自動化こそが稼ぐ肝なのです。1つ数百円の利益の商品を販売して、梱包から発送まで1つ1つやっていたら、儲かるには儲かりますが、途中で嫌になり、力尽きてしまうかもしれません。しかし、今はこのような便利なサービスがあるので、あなたは面倒な仕事をすべてこういったサービスに任せて、商品検索と仕入れに専念できます。それにより、儲けのスパイラルが生まれるのです。

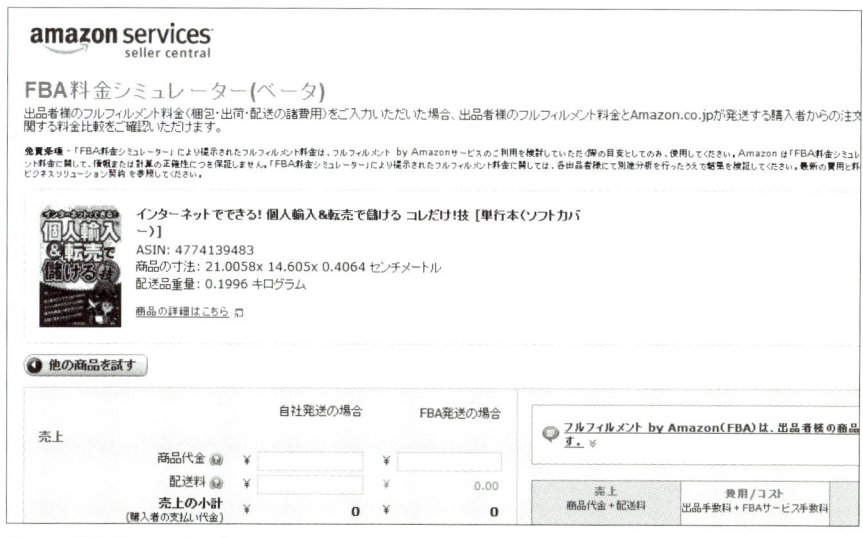

● FBA 料金シミュレーター（ベータ）

参照 URL
https://sellercentral.amazon.co.jp/gp/fbacalc/fba-calculator.html?ld=SCFBACalcAnnounce

Section 38 Amazonを使って輸入をしよう

Section 39

FBA料金シミュレーター(ベータ)の具体的な使い方

| 基本 | 準備 | 輸入仕入れ | 輸入販売 | 輸出仕入れ | 輸出販売 |

自動で各種計算をしてくれるので仕入れ時に利益の確認ができる

　Amazonが公式に公開している**「FBA料金シミュレーター(ベータ)」**を使えば、Amazonマーケットプレイスで販売する際の販売手数料などや費用の小計を簡単に出すことができます。自社発送の場合とFBA発送の場合の費用が、横並びで見られるのが嬉しいところです。

● こちらのエフェクター「Fulltone OCD (Obsessive Compulsive Drive)」(ASIN:B000U0DU34) を例に説明します。

1 FBA料金シミュレーター(ベータ)を開きます。

参照 URL
https://sellercentral.amazon.co.jp/gp/fbacalc/fba-calculator.html?ld=ASFBACalc

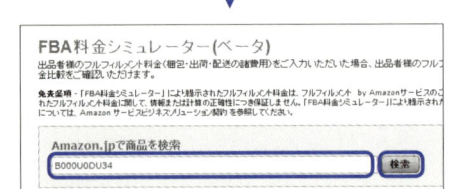

2 検索フィードにASINコード「B000U0DU34」を正確に入力し、<検索>をクリックします。なお、商品名の入力でもできます。

3 「Fulltone OCD（Obsessive Compulsive Drive）」を出品した場合の各種費用を計算するページに変わります。

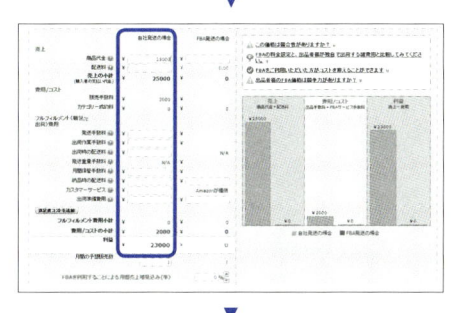

4 ここでは自社発送の場合、販売価格25,000円という前提で金額を入力してみます。自社発送の場合の販売手数料は2,000円なので25,000円-2,000円＝23,000円が実際に入金される金額となります。続いてFBA発送の場合も同様にして25,000円という金額を入力してみましょう。

※現在の最低価格で販売する場合のすべての手数料などを見たい場合は、19,800円と入力します（P.90上の画像参照）。

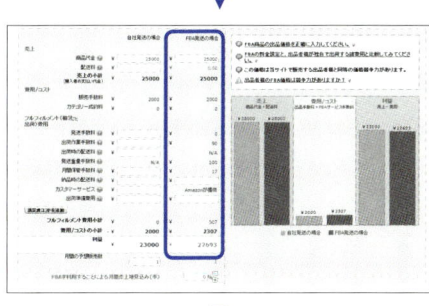

5 FBAサービス手数料は2,307円ですので25,000円-2,307円＝22,693円となります。従ってこの商品を25,000円でFBA発送を利用して販売したい場合、仕入れ価格は22,693円を大幅に下回っていることが前提となります。

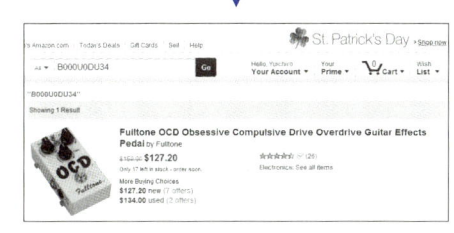

6 販売価格を決めて、各種手数料計算をした後、実際にいくらで仕入れることができるか確認します。アメリカのAmazon.comでは「Fulltone OCD（Obsessive Compulsive Drive）」が127.2ドル＋送料で購入できるようなので、利益が見込めるのでは？　という予想を立てることができます。

　このようにしてFBA料金シミュレーター（ベータ）を使えば、間違えて利益が出ない商品を仕入れてしまったということがなくなるでしょう。なお、かなり精度の高い情報を見ることができるのですが、FBA料金シミュレーター（ベータ）の注意書きに「情報または計算の正確性につき保証しません。」と明記してありますので、ここで計算される金額は100％正確ではないということは頭に入れておきましょう。

Section 39　FBA料金シミュレーター（ベータ）の具体的な使い方

Section 40

第 2 章｜ネットで個人輸入をする

Amazonランキングと オークションでの月間落札数を考慮する

| 基本 | 準備 | **輸入仕入れ** | 輸入販売 | 輸出仕入れ | 輸出販売 |

ダブルチェックをしてしっかりデータを検証する

　Amazonのランキングは1時間ごとに更新されるので、非常に精度が高く信頼できる情報です。特に価格の高い商品や1つの商品を大量に仕入れる場合、少なくとも数週間分、このランキングデータを集計し、どのような動きがあるかを分析すると間違いありません。メディアで紹介されて一時的にランキングが急上昇している商品も稀にあるので、必ずある程度の期間、ランキングのデータを分析してから仕入れる癖をつけましょう。

　また、DVDの10,000位とブルーレイの10,000位では、プレーヤーの普及率の違いから、売れていくスピードが全然違います。カー・バイク用品とヘルス＆ビューティーの同じランキング10,000位の商品を比べた場合、世の中的にはヘルス＆ビューティに興味があるという方のほうが多いので、早く売れる傾向があります。ランキングは1時間ごとに変わりますし、ランキングが数十万位といった商品でも売れるときは売れますので、何位以内の商品なら買う！　というのは自分で経験を積みながら掴んでいくしかないですし、販売スタイルにもよります。利益が小さくてもランキングが高く、競合相手が多くても、とにかくたくさんの商品を回転させていく販売方法が好きな方もいますし、ランキングはさほど高くなくても高い利益の商品をじっくり売っていくのが好きという方もいます。このように、販売スタイルによって仕入れる基準も変わってくるのです。

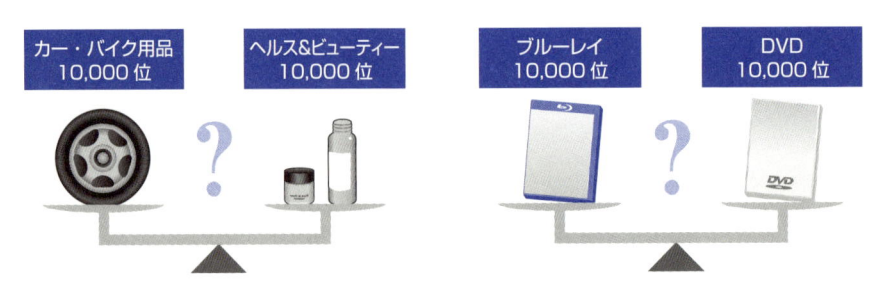

●自分の販売スタイルに合わせて、何を仕入れたらよいかを判断しよう。

稀にランキングが表示されていない商品もありますが、そういう商品は現時点では動きがないと認識して構いません。Amazonとあわせてオークファンを使い、その商品の月間落札数も確認します。例えば月間落札数が30個の場合、1日にたったの1件ほどしか落札されていないことになります。いくら利益が大きい商品だとしても月間30個しかない小さなパイをライバルと争い、全体のシェア10％を奪っても月間3個しか販売できないということになりますので、あまり賢い方法とはいえません。安定して稼ぐには月間落札数が多く、平均落札価格も高い商品を選ぶのがコツです。

　このように**Amazonランキングとオークファンでの落札履歴データをダブルでチェックすれば、滑る商品を仕入れてしまうことはありません**。よく滑ってしまうという方はチェックが甘いといえます。少し手間がかかりますが、しっかりデータを検証すれば、危険な橋を渡らずに済みますので、面倒だからといって怠らないようにしましょう。

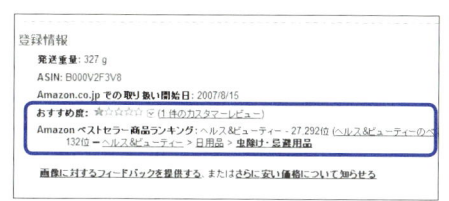

1 同じランキングでも、売れるカテゴリーとなかなか売れないカテゴリーがあります。

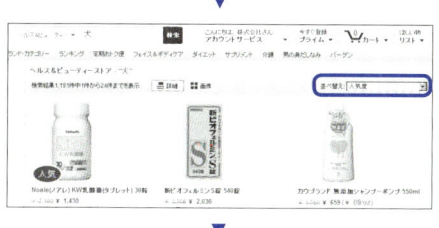

2 カテゴリーを決めて人気度で並べ替え、海外で仕入れられそうな商品を探します。

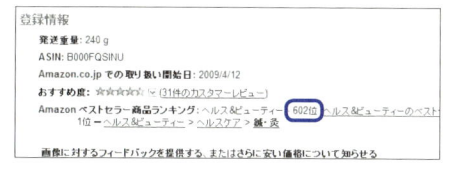

3 商品の個別ページを開き、やや下の方にあるランキング順位を確認します。

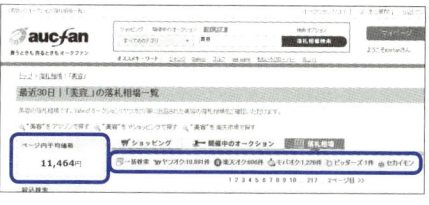

4 仕入れる前に平均落札相場、月間落札数はオークファンで必ずチェックしましょう。

Section 41　　　　　　　　　　　　　　第 2 章｜ネットで個人輸入をする

売れ筋商品を探し出す方法

| 基本 | 準備 | **輸入仕入れ** | 輸入販売 | 輸出仕入れ | 輸出販売 |

Amazon とオークファンで情報収集する

　Amazon.co.jp のランキングを元に売れ筋商品を探す場合、闇雲に探すのではなくランキングが高い順（人気順）に並べ替えると探しやすいです。カテゴリを決めてからキーワードを入力し、右にある並べ替えボタンから人気度を選択すれば、ほぼ人気が高い順に表示させることができます。

1 TOP ページの検索窓左側の＜すべて＞をクリックすると、ジャンル一覧が表示されます。

2 「DVD」「ミュージック」「パソコン・周辺機器」など、たくさんのジャンルが表示されますので、どれか1つを決めます。もし指定したいキーワードがある場合は、検索窓にキーワードを入力して＜検索＞をクリックします。キーワードが何も思い浮かばない場合は、何も入力しなくても大丈夫ですので、＜検索＞をクリックします。

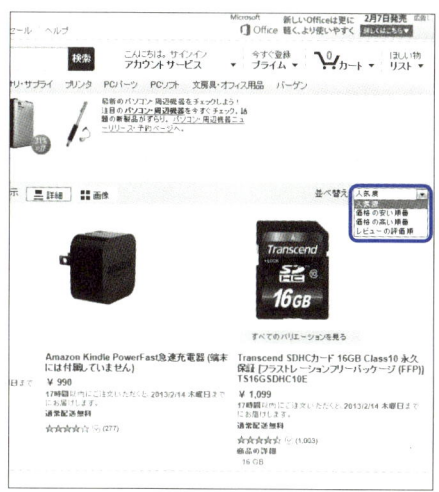

3 画面が変わると、右側に並べ替えボタンが表示されます。「人気度」「価格の安い順番」「価格の高い順番」「レビューの評価順」から選ぶことができます。

4 「人気度」を選択して人気が高い順に見ていくと、商品検索がしやすいです。例えば、「パソコン・周辺機器」で人気があって3,000円以上の商品だけを検索したい場合は、左側の「価格」の入力窓に「3000」と入力して、右の＜GO＞をクリックします。そうすると販売価格3,000円以上で人気がある商品が順番に表示されます。

　このようにしてAmazonで出品されている星の数ほどある商品を自分が見たいように並べ替えてやると検索もしやすく、時間短縮にも繋がります。今回は「パソコン・周辺機器」で説明しましたが、他のジャンルの商品でもやり方は同じですので、実践してみてください。オークファンの基本的な使い方については、Sec.36を参照してください。

　このように使うサイトはAmazonとオークファン2つあればOKですが、現在の為替もリアルタイムで掴んでおくと間違いないです。為替を調べるときは「Yahoo!ファイナンス」（http://info.finance.yahoo.co.jp/exchange/）を使っています。

Section 41 売れ筋商品を探し出す方法 | 95

Section 42

第2章｜ネットで個人輸入をする

Amazonマーケットプレイスでライバルセラーの在庫数・販売商品を調べる方法

| 基本 | 準備 | **輸入仕入れ** | 輸入販売 | 輸出仕入れ | 輸出販売 |

相手の手の内を見てから価格や仕入れ量を考える

もしライバル出品者の在庫数が少なければ、売れるのを待てばライバル出品者は消えます。そうなれば自分の出品商品価格を下げなくても売れるという予想ができます。ここでは、Amazon マーケットプレイスを使ってライバル出品者の在庫を調べる方法を解説します。

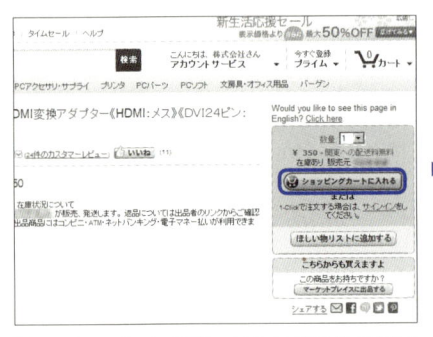

1 マーケットプレイスを開き、ライバル出品者の商品をショッピングカートに入れます。

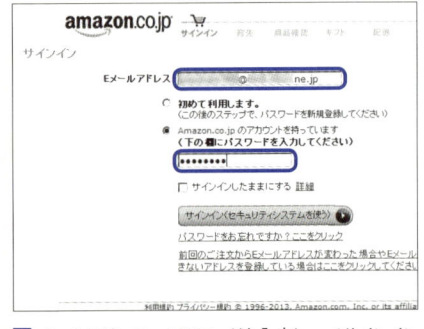

2 メールアドレス、パスワードを入力し、＜サインイン＞をクリックします。

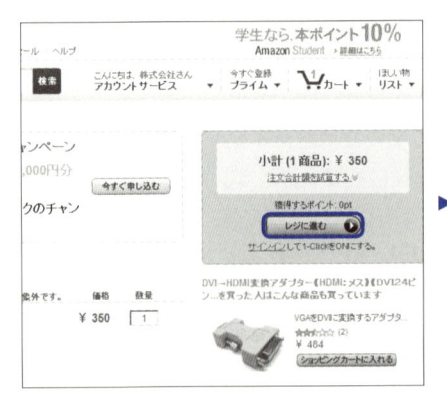

3 ＜レジに進む＞をクリックします。

4 ＜このお届け先に送る＞をクリックします。

5 ＜レジに進む＞をクリックします。

6 数量の＜変更＞をクリックします。

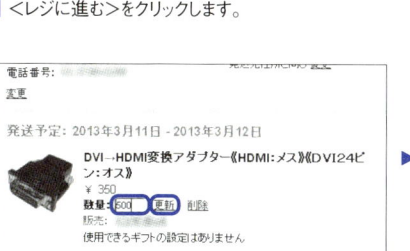

7 数量を 500 以上など、大きな数に変更し、＜更新＞をクリックします。

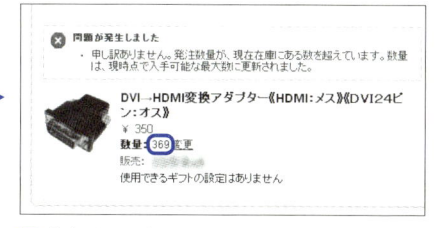

8 在庫が 369 個あることがわかりました。

このようにすれば、Amazon マーケットプレイスに出品しているライバル出品者の在庫を調べることができるので、**在庫状況に応じて、価格、仕入れ量などを決めることができます**（在庫を確認したら必ず「今は買わない」か「削除」のボタンを押して、カートから戻しておきましょう）。これは刈り取りといわれる手法ですが、自分が出品している商品より極端に安く販売されている商品がある場合、在庫数を調べて、その在庫数が少ない場合は自分で購入してしまい、自分の商品を売れやすくするといった手法もあります。その出品者がどんな商品を販売しているか調べる場合は、出品者の名前（画像の場合もあります）をクリックするとすべての出品商品が表示されます。

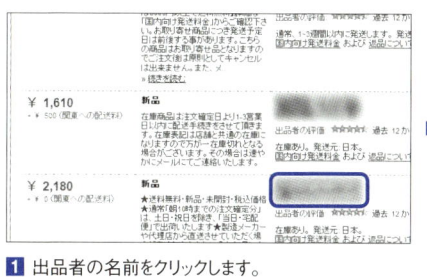

1 出品者の名前をクリックします。

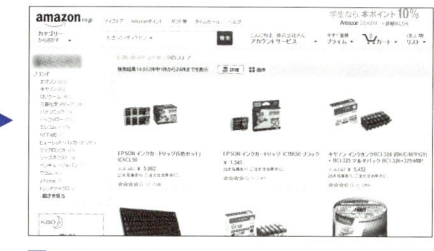

2 現在の販売商品一覧が表示されます。

これでライバル出品者が何を販売しているか丸裸にすることができますし、これから仕入れる商品のリサーチも可能です。

Section 42　Amazon マーケットプレイスでライバルセラーの在庫数・販売商品を調べる方法

Section 43

第2章｜ネットで個人輸入をする

TAKEWARIで世界のAmazonを一気に検索する方法

| 基本 | 準備 | 輸入仕入れ | 輸入販売 | 輸出仕入れ | 輸出販売 |

同じ商品を海外8ヶ国のAmazonでまとめて料金比較する

　世界中のAmazonを1つ1つ検索してもよいのですが、**一気に検索、比較ができる「TAKEWARI」というサイトがあります**。このサイトの基本的な使い方を解説します。

● TAKEWARI

参照 URL
http://www.takewari.com/index.php.ja

1 まずは日本のAmazonなどで儲かりそうな商品を探し出します。

▶

2 TAKEWARIへアクセスし、検索する商品名（ASINコードでも可）を入力します。

3 日本の Amazon では¥21,700、アメリカの Amazon では¥13,444、つまり差額が¥8,256 であることがわかります。これは利益が狙えそうですね。

4 商品名をクリックします。

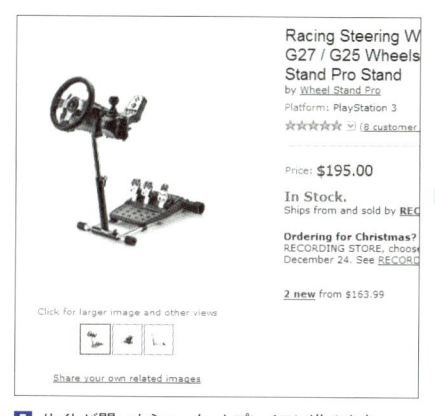

5 サイトが開いたらマーケットプレイスに進みます。

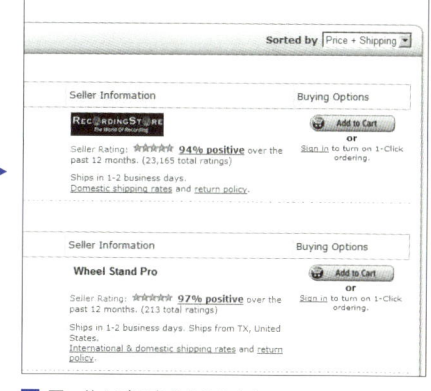

6 買い物かごに商品を入れます。

7 メールアドレス、パスワードを入力して、＜Sign in using our secure server＞をクリックします。

8 商品代金と送料が表示されます。日本の Amazon では¥21,700、アメリカの Amazon で仕入れれば送料込み¥18,935 ということがわかります。このようにして日本と世界の Amazon の価格差が大きい商品を探して仕入れます。

Section 43 TAKEWARI で世界の Amazon を一気に検索する方法 | 99

Section 44

eBay及びPayPalの基礎知識

| 基本 | 準備 | **輸入仕入れ** | 輸入販売 | 輸出仕入れ | 輸出販売 |

カード決済、自宅発送だから気軽に手間いらず

　eBayは世界最大のオークションサイトです。海外のオークションといえばeBayを指すといっても過言ではないでしょう。2011年の取引金額は686億ドル＝約5兆5000億円で、常時1億アイテム以上が出品されています。やり取りのシステムは日本のヤフオク！とほぼ同じで、通常のオークション形式での出品と、ストア形式での出品の両方があり、ショッピングモールとして機能しているECサイトとなっています。国内オークションと違う点といえば、日本以外に住んでいる方と英語でコミュニケーションを取り、外貨で取引することです。今は日本語、英語を翻訳してくるサイトもありますし、為替を計算してくれるサイトもありますので、英単語が読めれば特に問題ないでしょう。本書を執筆している私自身、英会話はできないですが、語学力に関係なくビジネス展開しておりますので安心してください。

　日本人がeBayで購入した商品の支払いをするときは、補償面などを考えるとほぼPayPalを使うことになりますので、銀行や郵便局に海外送金の手続きをしに行く必要もなく、インターネット上で支払いができます。PayPal決済は指定した銀行の口座からの引き落としという非常に簡単な決済方法のため、世界中で人気があります。

　ヤフオク！のYahoo!かんたん決済、モバオクのモバペイとほぼ同じ決済システムだと考えるとわかりやすいかと思います。

　eBayを始める際に準備するものといえば、送受信可能なメールアドレスとクレジットカードの2点だけです。eBayとPayPalの登録方法は、検索すればたくさんヒットしますのでここでは割愛しますが、PayPalに関してはPayPalの日本公式ページがありますので、何か不明な点があれば、日本語によるカスタ

▲ PayPal日本公式ページ。日本語によるカスタマーサービスもあり便利です。

参照 URL
https://www.paypal.jp/jp/home/

マーサポートへ日本語で問い合わせて聞いてみるとよいでしょう。公式ページにもたくさんの説明がありますので、参考になるはずです。

　まずは eBay と PayPal のアカウントを作り、練習を兼ねて、興味がある商品を eBay で思う存分買ってみることをお薦めします。基本的には入札金額がオークション終了まで一番高い方が購入権利を得るオークション形式と、BUY IT NOW（BIN）といって販売者が決めた即決価格を入札した方が購入権利を得る方法の2通りがあります。日本に送ってくれるセラーと送ってくれないセラーがありますので、入札前にしっかり確認しましょう。

　もし商品が破損していたという問題が発生した場合、PayPal 問題解決センターから異議を訴えます。その後、PayPal が仲介に入り、直接、協議して PayPal が補償を認めると商品代金と送料が全額補償されます。今では eBay のバイヤーズプロテクションという補償もあり、ダブルで安心です。基本的にはどちらも補償内容はほぼ同じで、同時に異議を申し立てても、補償が適応されるのはどちらか1つということになります。

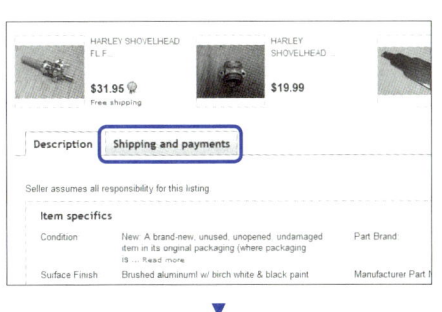

1 ＜ Shipping and payments ＞をクリックします。

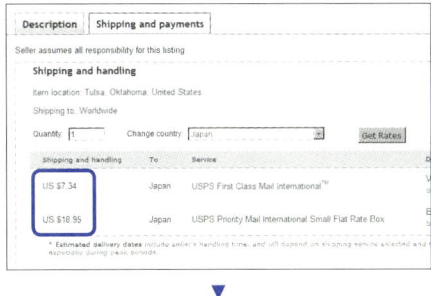

2 日本までの送料が表示されます。

3 日本に発送してくれない設定の場合、アラート表示となります。

Section 44　eBay 及び PayPal の基礎知識　101

Section 45
世界最大のオークションeBayを仕入れで使うマル秘テクニック

| 基本 | 準備 | **輸入仕入れ** | 輸入販売 | 輸出仕入れ | 輸出販売 |

セラーとの交渉で eBay 以外の販路から安く仕入れる

　本書では何度も書いていますが、eBay から仕入れる場合は、評価の安定しているセラーから、まずは小ロットで仕入れるのが基本です。発送、連絡、梱包など、トータル面で問題なく商品を仕入れられるかを確認します。その上で商品を日本国内で販売し、コンスタントに売れるようであれば仕入れの量を増やしていきます。そうなれば当然、その後は eBay のプラットフォームの外のルートで大量仕入れのオファーをして商品単価を下げるように交渉します。私の経験上、ほとんどの販売者がある程度のロットを超えれば値引きに応じてくれます。仕入単価が下がれば、必然的に利益率も上がります。eBay で販売している販売者は他のサイトでも世界を相手にして販売しているケースが多く、その販路の1つとして eBay を利用しているだけです。販売

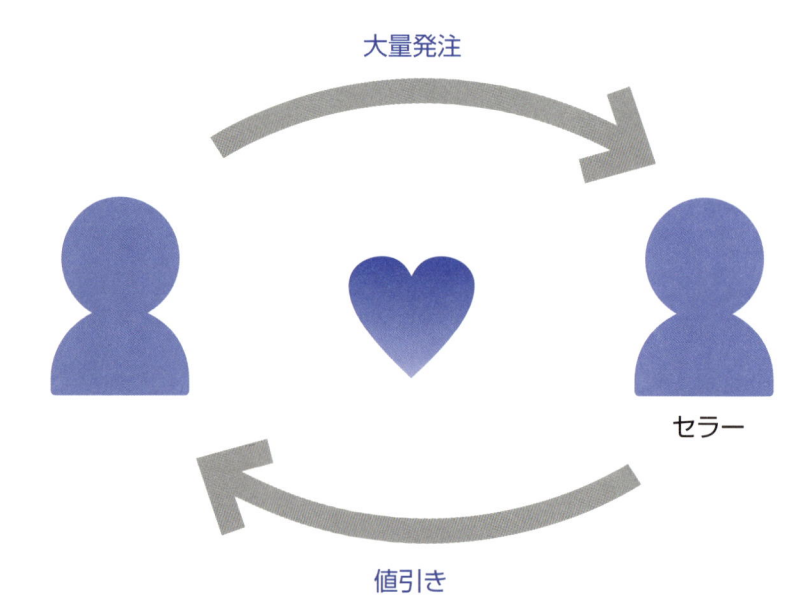

▲ たくさん仕入れて単価が安くなれば販売者、購入者共にハッピーです。

者にとって、実は eBay の販売手数料は悩みの種です。ですので、eBay 以外で直接取引できればお互いに WIN-WIN の関係になれるというわけです。仲介業者、すなわち **eBay を使わない分の手数料くらいは値引き可能になるケースが多く、かなり安く仕入れができます**。塵も積もれば山となるという感じですが、こういった小さな努力の積み重ねが大切です。ここで注意していただきたいのは、eBay のシステムを使ってセラーに直接取引のオファーをするのはガイドライン違反になるということです。eBay 以外の販路を探して、交渉するようにしてください。

セラーも商売なので自社サイトを運営していたり、別の販路を持っているケースが極めて高いため、まずはメールアドレスなどの連絡先を調べるなり、聞いたりして直接「あなたはネットショップで販売をしていますか？」と聞いてみましょう。販売者も、こちらが煩わしいことを聞く理由を心中察しているはずなので、別の販路があればいろいろと教えてくれます。アカウントや会社名、及び店名と思われる名称があれば、インターネットで検索するとすぐに見つかることもあります。また交渉の際、あなたが探している商品を扱っているか、扱う予定はないかを聞いてみるとよいでしょう。意外な掘り出し物があるかもしれません。聞かないと何も始まりませんし、トライ数を増やして行くことが重要です。

他の Section にも詳しく書いていますが、eBay を使わない取引では万が一、破損や不着があった場合に補償が効きません。そのため、あらかじめ eBay を介した仕入れで問題のない業者かどうかを確認しておく必要があります。決済は PayPal を使うとバイヤーズプロテクションという補償があるので安心です。また、外国人との取引となりますので、日本人の常識が通じないということは頭に入れておきましょう。

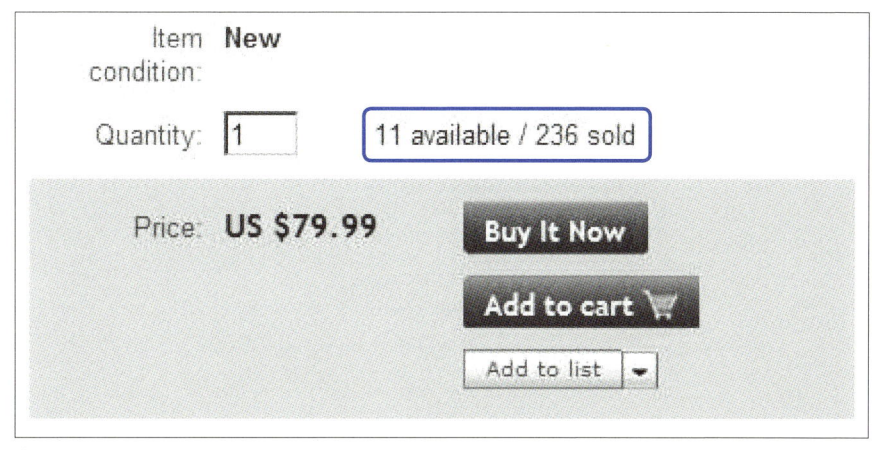

▲ 表示されている数量を見れば、現在 11 個あり、今まで 236 個販売済みということがわかります。大量に在庫を持っているので、この出品者は業者であるということがわかります。

Section 46 第2章 | ネットで個人輸入をする

よくある詐欺的手法と陥りやすい罠について

| 基本 | 準備 | **輸入仕入れ** | 輸入販売 | 輸出仕入れ | 輸出販売 |

中国の偽ブランド品販売業者やナイジェリア詐欺に注意

　eBayで販売している販売者の発送元が中国、香港辺りでアメリカ、ヨーロッパ系のブランド品を販売しているセラーは、ほとんど偽物だと考えていいでしょう。**あまりにも相場より販売価格が安くて、セラーの所在地が中国だった場合は、ほぼ偽物**です。世界中のセラーが見ているeBayに出品されている商品で、そこまでおいしい商品が誰の手もつかずに売れ残っているということはほぼありません。よく考えればそんな上手い話はないということがわかるはずですが、判断力が麻痺してしまうのか、飢えたハイエナのように飛びついてしまうことがあるようです。常に慎重な心を失わないように日頃から注意して、こういった商品を間違って購入しないようにしましょう。サイト運営サイドが取り締まっても、取り締まってもこのような販売者は雨後の竹の子のように現れてくるので注意が必要です。

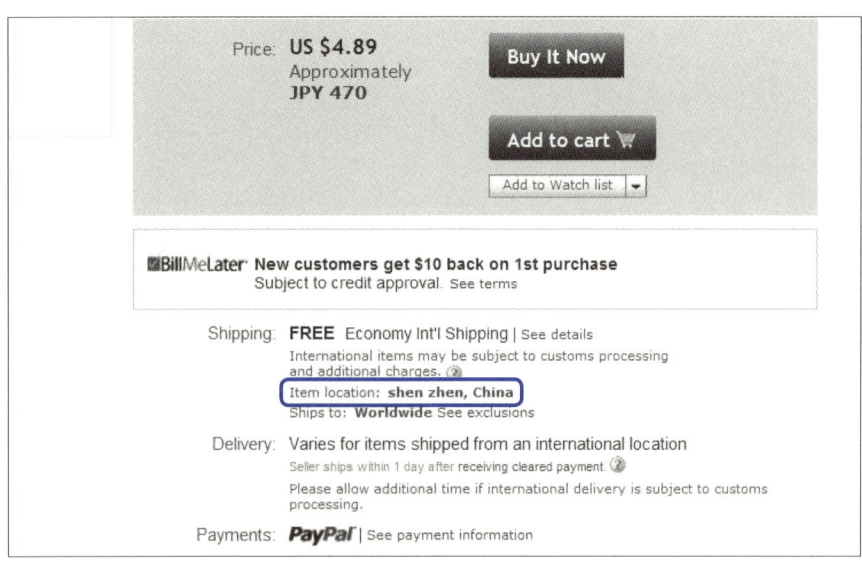

▲ アメリカ、ヨーロッパ系の商品なのに中国から出品の場合、注意が必要です。

ナイジェリア詐欺も未だに後を絶ちません。「それ、何ですか？」という方もいるかと思いますので念のため、補足しておきます。ナイジェリア詐欺とは、ヤフオク！にパソコン、家電系の商品を出品していると、英文で「数倍のお金を払うから商品を譲ってくれ！」という内容の質問がきます。次のような英文です。

> Dear Seller, My Name is Mrs Garcia Barbara from United Kingdom,I will like to buy your item for my uncle in Nigeria and I will offer you $2,000.00USD for the item, Kindly reply me through Email for further conversation (garcia.babra02th@gmail.com). Thanks

$2,000.00USD 払うから商品をナイジェリアに送ってくれ、といっています。「これは儲かるから直接取引しよう！」などと絶対に思わないように気を付けてください。何回か連絡を取り合うと、のちにニセの入金通知メールなどが届きます。これらは古典的な詐欺なので、引っかからないようにしましょう。どこでも買える商品にたくさんお金を払うから是非、私に譲ってくれ！ という大馬鹿者がどこの世界にいるのでしょうか？ よく考えれば、あるわけないとわかることなのに、インターネットだとコロっと引っかかって商品を送ってしまうという人が多いようです。甘い話はすべて疑う姿勢を貫き通してください。そんな話があれば世の中、お金持ちだらけです。

● あまりにも相場より安い商品、香港などから出品されている商品は偽物が多いので気を付けましょう。

Section 46 よくある詐欺的手法と陥りやすい罠について

Section 47

転送業者を使って輸入をする

| 基本 | 準備 | **輸入仕入れ** | 輸入販売 | 輸出仕入れ | 輸出販売 |

値段や補償を考慮して転送業者を選ぶ

　海外のサイトを検索して儲かる商品を探していると、日本には送ってくれない販売者や出品者に出会うことは未だに多いです。そういう商品に限って、メチャ儲かる商品だったりします（涙）。せっかく見つけた大きな利益が出る商品を、ここで仕入れるのを諦めてしまうのは非常にもったいないことです。そんなときは多少の手間と手数料はかかりますが、転送業者を利用して商品を仕入れます。**日本には発送してくれない販売者の商品は一度、転送業者が指定する海外の住所に送ってもらい、その転送業者経由で日本に送ってもらうという流れ**になります。一旦、発送可能な住所（海外）に送ってもらい、そこから日本に送ってもらうというのがミソです。

　他にもインターネット検索で「転送」「米国」「日本」など複合キーワードで探せば、たくさんの転送業者が見つかりますので、試しに値段が手ごろで使いやすい業者を使ってみるとよいかと思います。どの業者がよいかというのは個人の好みと相性になりますので、まずは使ってみることをお薦めします。

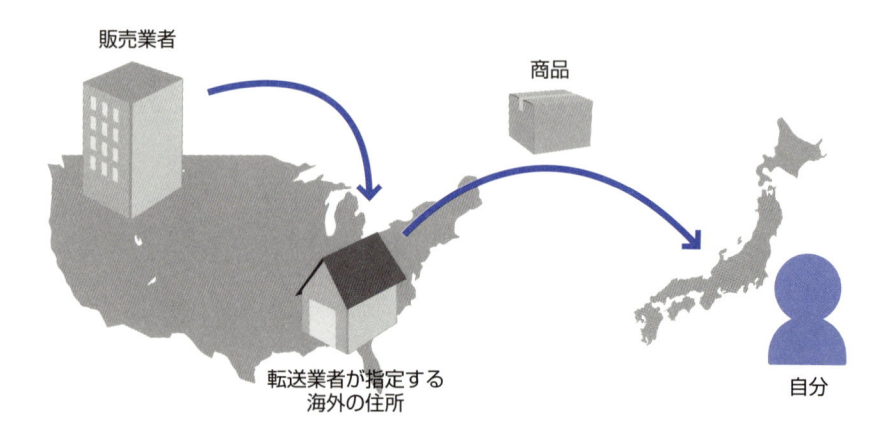

多少の手数料を払って転送業者を利用すれば、日本に直送してくれない設定の商品でも日本まで転送してくれます。

米国からの発送の場合、日本に送ってくれる転送業者も多く、1つからでも転送してくれますので、いくつか業者を実際にご自分で利用してみるのが一番手っ取り早い方法です。現在、私自身もいくつかの転送会社を使っています。

「Spear net」（カリフォルニア、オレゴン）
日本語に対応している転送業者です。ただし他の転送業者では日本に転送してくれる商品でも、Spear netからは転送ができない商品もあるので、依頼前に必ず確認しましょう。

参照 URL
http://www.spearnet-us.com/move/index.html

「MyUS.com」（フロリダ）
英語のみの対応となっていますが、日本人ユーザーも多いため、困ったときは検索すると何かしらの解決策が出てきます。

参照 URL
http://www.myus.com/

その他、転送業者など

・グッピング
http://www.goopping.jp/

・US ドリーム
http://www.usdream.co.jp/

・お買物 USA
http://www.okaimonousa.com/

・米国日本運通
http://www.nittsu.com/tensoepelican/

　残念なことに今のところヨーロッパ方面から日本まで転送してくれる業者は少なく、あったとしても転送料金も高めという業者が多いのが実情です。現時点ではセラーに直接交渉したり、直送してくれる販売者をまめに見つける方が賢明です。定期的にまとまった量の商品を注文するという前提で交渉すると、話が上手く進みます。この辺りの交渉術については Sec.33 で詳しく書いておりますのでご参照ください。

Section 47　転送業者を使って輸入をする　107

海外から日本への発送について

| 基本 | 準備 | **輸入仕入れ** | 輸入販売 | 輸出仕入れ | 輸出販売 |

一般的な発送と日本の宅配便現地支社による発送

　海外から日本への一般的な発送は通常、**比較的小さな荷物を米国から日本に発送してもらう場合、USPS（アメリカの郵便局）を使うと料金が他の運送会社を使うよりも若干、安くできるようです**（荷物の大きさなどにもよります）。また、EMS（国際スピード郵便）や DHL（国際宅配便）、FedEx（国際宅配便）、UPS（国際輸送サービス）などは、通常の国際郵便での発送に比べて到着までの日数が短いという点がこれらのサービスの売りです。

- EMS（国際スピード郵便）を扱う USPS　https://www.usps.com/welcome.htm
- DHL（国際宅配便）　http://www.dhl.co.jp/ja.html
- FedEx（国際宅配便）　http://www.fedex.com/jp/

　各社、いろいろな発送サービスを展開していますが、補償がある発送方法を使う場合は、多少の差はあるものの、極端に配送料金が安いという会社や発送方法はありません。もちろん、この Section で紹介した発送方法を選択すれば、すべてにトラッキングナンバー／お問い合わせ番号があるので、荷物が到着しないときはインターネットでの配達状況の確認も可能です。また、万が一に商品の破損、紛失などがあった際には荷物保証が適応されます。その際、保証の申請などはすべて英語で行わなくてはいけませんので、英語が苦手な方には少々、骨が折れる作業になります。

　ちなみに、日本の宅配便の現地支社（佐川急便、日本運通、ヤマト運輸など）から発送してもらう場合、それらは日本の海外支社なので、万が一のときに日本語で問い合わせができるという大きなメリットがあります。例えば海外の販売業者と直接取引する場合、日本の会社が運営する配送サービスを使って発送できないか聞いてみるのも 1 つの手です。

日本の運送会社の取り扱い国一覧

- 佐川急便
  http://www.sagawa-exp.co.jp/service/sgx/pdf/sgx_area.pdf
- 日本運輸
  http://www.nittsu.co.jp/sky/express/express_document/pex_country.html
- ヤマト運輸
  http://www.y-logi.com/service/international_delivery/index.html

　もちろん、荷物の量が増えたり、大きくなるとコンテナを使うケースも出てきますが、年商1億円くらいの事業規模であれば、コンテナを使わないで、上記のような発送方法で商品を輸入して販売するだけで十分に利益が狙えます。

　発送方法に関しては、基本的に販売者（出品者）が定めた発送方法で海外から日本へ送られてくることが多いです。eBayなどでは販売者が複数の発送方法を設定し、購入者が希望する方法を選べるようにしているケースもあります。利益を最大限に上げるためには送料コストはなるべくかからないようにする必要がありますが、万が一のことも考えてトラッキングナンバーや保証がある方法を選択するようにするのが、輸入ビジネスの基本的な考え方です。その辺りも考慮して原価計算し、仕入れをする癖を体に染みつけましょう。

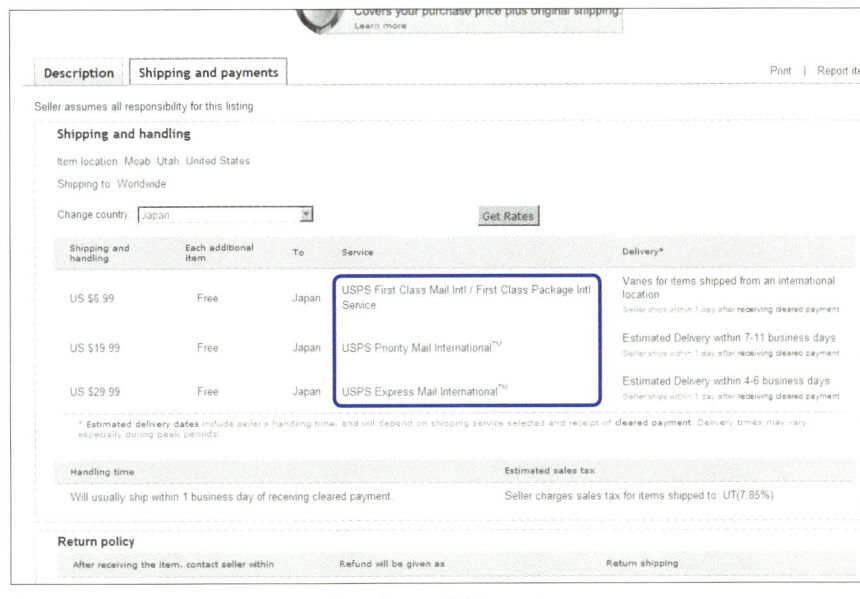

● eBayでは、購入者が希望する発送方法を選択できる場合もあります。

Section 48　海外から日本への発送について

Section 49

第 2 章 | ネットで個人輸入をする

輸入ビジネスにおいて
PDCAサイクルを繰り返すことが重要

| 基本 | 準備 | 輸入仕入れ | 輸入販売 | 輸出仕入れ | 輸出販売 |

PDCA サイクルと USP

PDCA サイクルとは、下記のことを指します。

P=Plan
D=Do
C=Check
A=Action

Plan= プラン、仮説
「これは売れそうだ！」「どう考えても儲かる！」という商品をできるだけたくさん探し、販売方法の戦略を立てたり、販売プラットフォームを決めたりします。

Do= 実行
実際に小ロットで仕入れて、品質などをチェックします。

Check= 検証
スプリットランテスト（Sec.69 参照）を繰り返して、本当に儲かる商品かどうかを検証します。

Action= 次の行動
儲かる商品と判断したら少しロットを増やして再注文し、再度、スプリットランテストを繰り返しながら販売します。

　PDCA サイクルで売れる確信が得られたなら、大ロットで再注文し、販路を広げて継続販売します。あまり利益が取れない商品なら、この時点で撤退を決めます。特に、個人や小さな会社はこの作業を繰り返しながら、成果に繋げていきます。USP（下記参照）ができたらそこをどんどん伸ばして、同業者が現れたら、差別化のポイントを強く打ち出します。
　USP(Unique Selling Proposition) とは、「独自のセールスポイント」といった意

味で、競合する他社との差別化、販売の優位性に繋がるセールスポイントのことです。その差別化するポイントが突出していればしているほどよいのです。輸入品などは独自で製作した日本語取り扱い説明書をつけたり、関連商品や消耗品をセットにしたりするだけでも大きな差別化になります。私の会社のある商品は、「価格で勝負するのではなく、徹底的にこだわった色合い、形状、材質などマニアの視点で金型から制作し、欲しい人、わかる人なら必ず納得いくという、他では買えない商品である」という差別化ポイントを強烈にアピールして販売しています。これはランチェスターではミート戦略と呼ばれています。リーダーであり続けるためには絶対に負けは許されません。もし、ライバルがまねをしてきたら、徹底的に闘うしかないのです。

　わかりやすい一例をご紹介しましょう。バーガーキングが日本に上陸した際、ワッパーというBIGサイズのアメリカンスタイルハンバーガーが目玉商品でした。業界ナンバー1のマクドナルドはこれに対してメガマックという同じくBIGサイズのハンバーガーをぶつけて投入し、徹底的に対抗しました。その結果、日本国内のシェア70％を守り抜き、「やっぱり、ハンバーガーはマクドナルド」というブランドが揺るぎないものとなっています。リーダーだからこそできる闘い方です。市場調査を徹底的に行い、差別化のポイントを封じることが必要なのです。個人、小さな会社だからこそ業界第1位を目指し、狙うべきです。もちろん、弊社もあるジャンルで業界ナンバー1を目指して躍進中です。ただ既製品を輸入して販売するだけではなく、PDCAを繰り返してUSPを強く打ち出せないかを考えながら販売すると大きな収入に繋がります。

▲ 自分の商品の強みを前面に押し出して、他者と差別化しよう。

Section 49　輸入ビジネスにおいてPDCAサイクルを繰り返すことが重要

私の成功体験談

派遣会社勤務と並行して輸入販売を開始して、ついに独立！

紙田嘉宏さん

　私は、現在45歳です。約1年半前にインターネット物販専業を始める前は、他のネットビジネスでまったく成果を出すことができず、金銭的にも精神的にも人生で一番辛く、逃げ出せるものなら本当に逃げ出したかった状態でした。

　6～7年ほど前から、ネットオークションへの出品を副業として始めました。そのときは思いつきで、まずは読み終えた本や家の不用品などから始まり、コンビニやネットショップ、ヤフオク！で買った国内商品などを転売し、徐々に月に給料の3分の1から2分の1ほどを稼げるようになりました。しかし、調子に乗った私はギャンブルにはまってしまい、結局そのときは何も残りませんでした……。

　2年ほど前からは輸入のことを考えるようになり、その後、前述の非常に辛い時期を乗り越え、本やインターネットで情報を集めて半年間はまさに全身全霊を込めて全力で取り組みました。今振り返ると「できるまでやる！」と決意して取り組んだことで、小さな成功体験を手に入れることができました。

　今は主に欧米から輸入しています。eBayやAmazon.com、ネットショップなどで購入し、最近は販売者との直接交渉も行っています。販売先はヤフオク！やAmazonが主体です。両サイトは自社に集客能力がなくても販売できることが最大のメリットです。但し、売れている商品を見つけるリサーチ能力がないと生き残れません。また、販売能力があればネットショップや楽天への出店で、売り上げを数倍にさせることができるので、そちらも今年中には軌道に乗せようと思っています。

　こんな私でもできたのであなたも真剣に取り組めばできますよ、とこれから始める人へ応援メッセージを送りたいです。今は平均月収80万円前後、よいときで月収100万円を超える感じですが、今後は月収100万円超えを維持できるようにと目標を設定しています！

第3章

輸入した商品を国内向けに販売する

可能な販路はすべて活用するべし ……… 114	スプリットランでテスト販売し、確実に売れる商品だけを仕入れる方法 …… 154
Amazonマーケットプレイスで販売するメリットとデメリット ……… 118	悪い評価を消してもらう方法〜Amazonマーケットプレイス編 …… 156
インターネットを自動販売機化する方法 …… 120	悪い評価を消してもらう方法〜ネットオークション編 …………… 158
AmazonFBAサービスの具体的な使い方 …………………… 122	販売するシーズンについて ………… 160
ネットオークションで販売するメリットとデメリット …… 124	商品の梱包方法 ……………………… 162
ヤフオク!で販売して儲ける ………… 126	アイテム別の賢い発送方法 ………… 164
楽天オークションで販売して儲ける … 128	ただ発送するだけで儲かる方法とは? … 166
モバオクで販売して儲ける ………… 130	特定商取引法に従い、女性が安全に物販をするときの注意点 …… 168
自分で運営するネットショップを持とう! … 132	クレーマーの対処方法 ……………… 170
出品する商品に合わせて出品する方法を変えていくのが鉄則 …… 134	個人情報の取り扱いは厳重に管理しよう … 172
便利なツールをフル活用する ……… 136	あらかじめ知っておきたい!よくある失敗事例 ………………… 174
値付けのテクニックについて〜Amazonマーケットプレイス編 …… 138	ロングラン販売している商品の撤退時期について … 176
値付けのテクニックについて〜ネットオークション編 …………… 140	さらに稼ぐための次のSTEP ……… 178
値付けのテクニックについて〜ネットショップ編 ………………… 142	ショッピングモールへの出店 ……… 180
ライバルに大きく差をつけるタイトルとその重要性 ……………… 144	ネットショップの販促に効果絶大!無料オファー戦略について ………… 182
商品を売る魔法のフレーズ ………… 146	送料無料戦略でさらに稼ぐ! ……… 184
バリュー感をダイレクトにアピールする方法 … 148	親近感、信頼感を高める方法 ……… 186
商品をさらに魅力的に見せる方法 … 150	フロント商品とバックエンド商品を戦略的に扱う理由 …………………… 188
思わず買ってしまう魔法の説明ライティングテクニック …… 152	顧客リストは財産です ……………… 190
	輸入販売するときの便利なサイト、ツール一覧 … 192

Section 50

第3章 | 輸入した商品を国内向けに販売する

可能な販路はすべて活用するべし

| 基本 | 準備 | 輸入仕入れ | **輸入販売** | 輸出仕入れ | 輸出販売 |

販売可能なプラットフォームを確認する

　商品を販売する場合、販路が多いに越したことはありません。リアル店舗の場合、販路を増やして販売していくには店舗を増やしていくことになります。1店舗出店するとなれば費用がかなりかかるので、資金面で断念するケースも多いかと思います。しかし、インターネット販売の販路を広げる場合は、僅かな月額使用料などを支払いさえすれば、様々なオークションサイトやショッピングモールなどで販売することができます。また、管理面もリアル店舗に比べてシステム化しやすく、少人数での運営も可能なので、出店可能な大手販売サイト、プラットフォームはすべて活用するのが鉄則です。このSectionでは私が実際に販売してみて、販路として使うべきだと実感したサイトをご紹介します。このSectionで紹介したすべてに出品していれば、国内の販路はほぼ網羅しているといえるでしょう。

● Amazonマーケットプレイス（Sec.51参照）

　いわずと知れた世界最大のインターネット通販サイトであるAmazonに、個人でも出品できるのがAmazonマーケットプレイスです。基本使用料は基本的にない代わりに（大口出品者、出店型出品者は月額4,900円）、販売手数料は8%〜45%（ジャンルにより異なる）と他のサイトより高めで、その他に成約料も徴収されます。ですが、集客力がもの凄く、とにかく商品がよく売れます。販売価格は1円でも10万円でも、自分が思うままに決めることができます。出品作業も簡単で、決済確認もAmazon側ですべてやってくれて非常に楽なので、本業として利用する方以外の副業の方にも向いています。

●「Amazonマーケットプレイス」

参照URL
http://www.amazon.co.jp/b?ie=UTF8&node=1058424

114

● ヤフオク！個人出品者（Sec.55参照）

　日本最大のオークションサイトです。Yahoo! プレミアム会員費が399円（毎月）、出品システム利用料は1商品10.5円～、落札システム利用料は落札金額の5％（税別）となっています。レアもの やマニアックな商品はヤフオク！で探すというユーザーも多く、オークション形式なので、競り合いになると思わぬ高額価格で落札されることもあります。新商品などのテストマーケティングにも向いています。

▲「ヤフオク！」

参照 URL
http://auctions.yahoo.co.jp/

● ヤフオク！ストア（Sec.55参照）

　ヤフオク！個人出品者のグレードアップ版がストアです。月額の固定料金がシステム利用料18,900円、出品システム利用料は無料（一部の商品に限り有料）、落札システム利用料は落札金額の5％（税別）となっています。一括出品ツールやニュースレター配信機能など、個人出品者にはないビジネスに徹した機能が満載です。本気で稼ぎたいならヤフオク！ストアでの出品をお薦めします。

▲「ヤフオク！ストア」

参照 URL
http://business.ec.yahoo.co.jp/auctions/

Section 50　可能な販路はすべて活用するべし

● 楽天オークション（Sec.56参照）

ご存じ楽天が運営するオークションサイトです。意外と知られていませんが、楽天市場のポイントが楽天オークションでも使えます。コピー出品や自動再出品の回数を最大6回まで設定できるという、他のオークションサイトにはない独自の機能があります。お互いのメールアドレスを開示しないで取引を進めるシステムを採用しており、匿名配送なども選択できるのでセキュリティ面でも安心です。

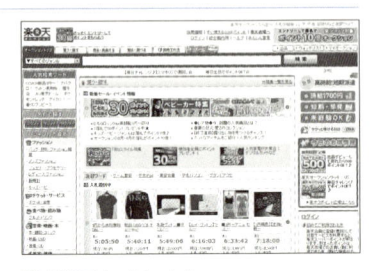

▲「楽天オークション」

参照 URL
http://auction.rakuten.co.jp/

● モバオク（Sec.57参照）

ヤフオク！や楽天オークションなどでは徴収される出品システム使用料や落札システム利用料などが一切かからないのが嬉しいです。月額315円ポッキリというのも嬉しいところです。オークション系サイトとしてはヤフオク！に次ぐ規模のオークションサイトであり、なぜか携帯系の販路を毛嫌いする販売者も多いようですが、販路として利用するべきです。現在では携帯以外にもパソコンやスマートフォンからも操作が可能となり、もはや携帯オークションサイトの枠には収まりきらないといってよいでしょう。

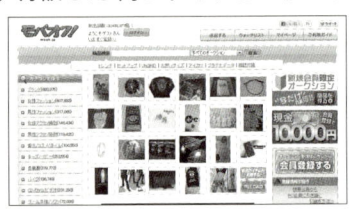

▲「モバオク」

参照 URL
http://www.mbok.jp/

● BUYMA（バイマ）

日本国内をはじめ、世界各国の商品を紹介・販売したい人とそれを購入したい人をマッチングするという、日本では珍しいスタイルのショッピングサービスです。無在庫販売ができるのが最大の特徴です。アパレル系、ブランド系の販売に向いており、そのようなジャンルをメインに販売する方には非常に相性がよいサイトです。日本未発売のハイブランド商品などの販売に向いています。

▲「BUYMA（バイマ）」

参照 URL
http://www.buyma.com/

● 楽天市場（Sec.82参照）

　日本一のインターネットショッピングモールです。一番安いプランであるがんばれ！プランの月額19,500円から、一番高いメガショッププラン月額1,000,000円まで、規模に合わせて選択できます。なお、出店時には初期登録費用60,000円（税別）が別途かかります。メルマガ配信機能や在庫管理システムをはじめ、ネットショップ運営に関するツールは一通り全部揃っています。楽天市場を利用すればやり方次第で数億円以上の売り上げも狙えるので、本気の人向けといえるでしょう。楽天主催の販促イベントなどもTVを中心に派手に告知されるので、そのような祭りに便乗して稼ぐことも可能ですし、ショップ独自のイベント（送料無料祭り、ポイントアップキャンペーンなど）を開催することもできます。

▲「楽天市場」

参照URL
http://www.rakuten.co.jp/ec/plan/

● Yahoo!ショッピング

　日本一のポータルサイト「Yahoo!JAPAN」が運営し、楽天市場に次ぐ規模の国内大手ショッピングモールです。もちろんYahoo!ポイントも使えます。ヤフオク！ストアと同時に申し込むと割引が適用されます。

▲「Yahoo!ショッピング」

参照URL
http://business.ec.yahoo.co.jp/promotion/shp_merit/

● 独自ネットショップ（Sec.58参照）

　独自ネットショップを起ち上げる場合は、「カラーミー」（http://shop-pro.jp/）や「おちゃのこネット」（http://www.ocnk.net/）といったネットショップサービスを利用するケースが多いです。PPC広告（検索サイト連動クリック課金型広告）をかけたり、独自の展開をすることも可能です。

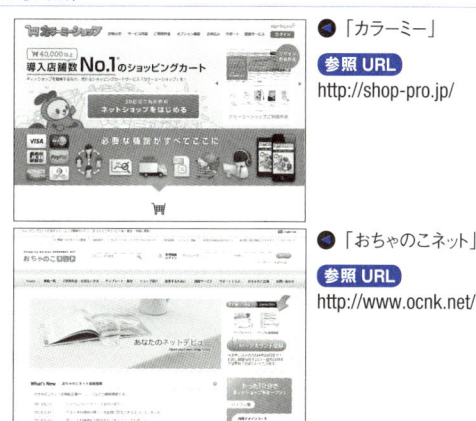

▲「カラーミー」

参照URL
http://shop-pro.jp/

▲「おちゃのこネット」

参照URL
http://www.ocnk.net/

Section 50　可能な販路はすべて活用するべし

Section 51

第3章 | 輸入した商品を国内向けに販売する

Amazonマーケットプレイスで販売するメリットとデメリット

| 基本 | 準備 | 輸入仕入れ | **輸入販売** | 輸出仕入れ | 輸出販売 |

メリットの多いこのサービスを利用して高回転ビジネスを展開する

　最近、ネット物販を始めたという方は Amazon マーケットプレイス中心に販売活動を行っているという方が多いかと思います。**Amazon の圧倒的な集客力を利用して販売活動ができる**という点が大きな特徴です。また、**出品作業が各種オークションに比べて楽で、しかも、入金の確認作業も Amazon 側が行うので、高回転販売ビジネスが展開できます**。現在、Amazon マーケットプレイスのアカウントとしては、

・個人出品者
・プロマーチャント（大口出品者）
・出店型出品者

の3つがあります。本気で稼ぎたいのであれば、毎月 4,900 円の使用料を支払うこととなりますが、最初は個別で独自出品ページを製作して販売することができる「出店型出品者」で登録することをお薦めします。途中からの変更もできますので、まずは使ってみて、自分に合ったプランを選択するのが賢い方法です。

　それでは Amazon マーケットプレイスで販売するメリット、デメリットを挙げてみましょう。

Amazon マーケットプレイスで販売するメリット

・世界一の通販サイトである Amazon の集客力を個人でも利用できるので、集客する必要がなく、商品がガンガン売れる。
・とにかく出品が楽。通常の出品の場合、商品名（ASIN などでも可）を入力して、商品コンデション、商品説明、販売価格を入力するだけで完了する。
・書籍はクリックなか見！検索や拡大ツールがあり、音楽などは試聴が可能、動画が見られるページもあるので、こちらが何もしなくても購入意欲を高めてくれる工夫が施されている。
・マイナーでマニアックな商品でも買い手がつく場合が多い。
・中古も新品も販売できる。

- 商品の一括停止（一時休止設定）がワンクリックでできる。
- 店名、屋号を自由につけられる。また、変更もいつでもできる。
- Amazon側が入金確認をすべて行うので、入金に関するトラブルがほとんどない。
- メールによる問い合わせはもちろん、フリーダイヤルによるお問い合わせができる。
- 出店型出品者になれば、独自商品の独占的販売も可能。
- お客様とのやり取りが最小限のため、在庫数1,000以上など多数の商品を販売するのに向いている。
- FBAサービスを利用すれば、受注や発送などをほぼ自動化することができる。

Amazonマーケットプレイスで販売するデメリット

- 出品アカウントは1人（1社）1アカウントに限られる。
- 評価が購入者からの一方通行のシステムなので、こちらに否がない場合の反論がしづらい。
- 基本的に画像のアップロードができないので、中古商品の場合、商品到着後にクレームがくる場合がある。
- 30日以内の購入者都合の返品の場合でも、基本的に出品者は応じる義務がある。
- 販売手数料が他のオークションサイトなどに比べて高い。
- 同じクオリティの商品があった場合、ユーザーは価格と評価を基準にして選ぶ傾向があり、価格競争に巻き込まれるケースが多い。
- 特典やまとめ売りなど、独自のアイデアでの差別化が難しい。

ざっとAmazonマーケットプレイスのメリット、デメリットを挙げてみましたが、圧倒的にメリットのほうが多いということがわかるかと思います。Amazonマーケットプレイスの規約に従い、このサービスを使い倒しましょう。その中で、Amazonマーケットプレイス中心に販売活動しているとお客様の視点が、

- 評価の高さ
- 値段の安さ

の2点に集中してしまうので、差別化がしづらくなります。当然、評価があまりよくなくて、安値ではない場合、なかなか売れなくなってしまいますので、評価をキープしながら、適切な価格で販売していく必要があります。

● Amazonマーケットプレイスの登場により、インターネット物販はさらに稼ぎやすくなりました。

Section 51 Amazonマーケットプレイスで販売するメリットとデメリット

Section 52 | 第3章 輸入した商品を国内向けに販売する

インターネットを自動販売機化する方法

基本 | 準備 | 輸入仕入れ | **輸入販売** | 輸出仕入れ | 輸出販売

Amazonに在庫、販売、発送、電話対応などすべてお任せ

　AmazonのFBA（フルフィルメント・バイ・アマゾン）サービスを利用すると、商品の発送、連絡、返品、返金までを少しの手数料ですべてやってもらえます。FBAサービスを利用する場合、事前登録が必要です（Amazon（FBA）への登録についてのお問い合わせ先・Amazon.co.jp カスタマーサービス：フリーダイヤル0120-999-373：fba-jp-info@amazon.com）。FBAを利用すれば、あなたがやることは2つだけです。指定されたバーコードシールを商品に貼って指定された納品場所に発送し、たまに価格調整をするだけです。それで物流がすべて回ります。凄い世の中になったものです。弊社もこのサービスを利用するようになってから、大幅に利益が上がるようになりました。最近では楽天市場でも配送サービスを始めましたし、同様のサービスを代行している会社も多数あります。このSectionでは、一般の人でも使いやすいAmazonFBAサービスを例に説明していきます。

FBAの基本ステップ

1 Amazon.co.jpのフルフィルメントセンター（配送センター）に商品を発送して納品します。

2 納品された商品は、Amazon.co.jpが出荷可能な在庫として保管します。

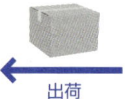

3 出品した商品が購入された場合、Amazon.co.jpが出品者に代わって注文を処理します。

4 配送センターから購入者へ、出品者の商品を出荷します。Amazon.co.jpが売上のうち純利益を出品者の銀行口座に送金します。

最初に、FBA サービスを利用する商品を決めます。すべての出品商品のうち、一部だけで FBA サービスを利用することが可能ですので、回転が早い商品を中心に、指定された Amazon の FBA の倉庫に送ります。なぜ回転のよい商品だけで FBA サービスを利用するかというと、商品が売れずに倉庫に在庫している期間も、Amazon から毎月保管料が徴収されるからです。回転が早い商品ほどコスト削減に繋がります。また現在のところ FBA の納品上限があり、売れない商品が多いと納品総数にも影響してきます。

　商品が決まったらバーコードのラベルを張って伝票を入れ、指定の発送場所まで商品を送れば、あとは Amazon が販売、発送、問い合わせ（一部、出品者宛にくる質問もありますが）、クレーム対応まで全部やってくれます。Amazon マーケットプレイスの場合、出品者からの発送する設定で販売している全商品をボタン 1 つクリックするだけで一括販売停止にすることもできるので、この機能は非常に便利です。ちなみにログイン後、出品アカウント情報から設定の変更ができます。

　出品者からの発送となっている商品の販売は完全に止まっても、FBA での販売は止まりません。ということは購入者がいれば、商品が発送されます。すなわち入金がある状態をキープしているので、これは非常によいサービスです。オークションで販売している商品を全部販売停止にする場合、1 つずつ出品停止にする作業をしなくていけませんし、入金も止まってしまいます。Amazon を使って大きく稼いでいる方のほとんどが、このサービスを使っています。Amazon はフリーダイヤルがあるので、わからないことがあったときは直接、オペレーターに聞けて便利です。

● 自分がやらなくてもいい仕事はどんどん任せてしまいましょう。

参照 URL
http://services.amazon.co.jp/services/fulfillment-by-amazon/merit.html

Section 53　第3章｜輸入した商品を国内向けに販売する

AmazonFBAサービスの具体的な使い方

| 基本 | 準備 | 輸入仕入れ | **輸入販売** | 輸出仕入れ | 輸出販売 |

メリットだらけの FBA サービスを使わない手はない

　AmazonFBA サービスに関する概要は、「フルフィルメント by Amazon ～出品者様向けの販売支援サービス～」という Amazon 公式ページがあるのでこちらをご参照ください（P.121 参照）。主な利点としては以下のことが挙げられます。

- 少しの手数料を払うだけで、商品在庫の保管、注文処理、出荷、そしてカスタマーサービスまで Amazon がすべて代行してくれる。
- 「当日お急ぎ便」「お急ぎ便」「Amazon プライム（※）」「全商品の通常配送料無料」に対応している。
- ショッピングカート獲得や「こちらからも買えますよ」ボックスでの上位表示が可能。
- 出品者が休みでも、Amazon が 365 日受注から発送まで行うので販売機会損失を防げる。
- 決済方法はクレジットカード、代金引換、コンビニ払いに対応しているため、購入者を逃さない。

※ Amazon プライムとは、年会費 3,900 円で、当日お急ぎ便やお届け日時指定便などの有料サービスが何度でも使い放題で利用できる、購入者向けのサービスです。

　本気で稼ぎたいのであれば、FBA サービスを使わない手はありません。それでは、自分の商品を納品する流れを説明します。まずは FBA サービスを利用する商品を、Amazon が指定する方法で納品しなくてはいけません。納品の際は、FBA で販売するためにシール式のラベルを商品に貼る必要があります。こういったものも Amazon で購入することができます。「プラス New いつものラベル 24 面 100 シート入 ME-506T 46-646」などがお薦めです。

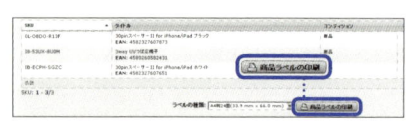

1 自分の出品アカウントでログインして、FBA 出品の手続きを進めていきます。もしわからないことがあった場合はフリーダイヤル（P.120 参照）で直接、オペレーターに聞けるので安心です。＜商品ラベルの印刷＞をクリックします。

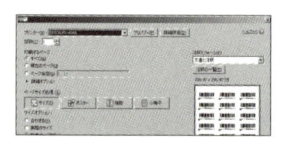

2 PDF で商品バーコードが出力されますのでシール式のラベルに印刷します（PDF 閲覧ソフトがインストールされていない場合は、インストールしてください）。

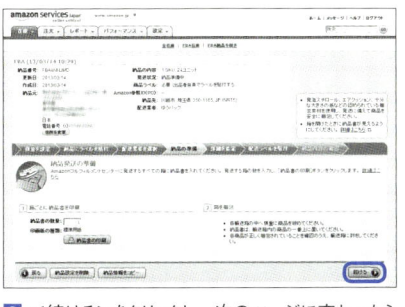

3 ＜続ける＞をクリックし、次のページに変わったら＜納品書の印刷＞をクリックして、納品書を印刷します。

4 印刷したら＜続ける＞をクリックし、次のページに変わったら箱に張るラベルを印刷します。

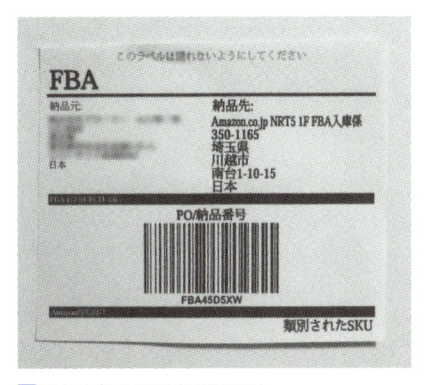

5 必要な部分だけを切り取ります。

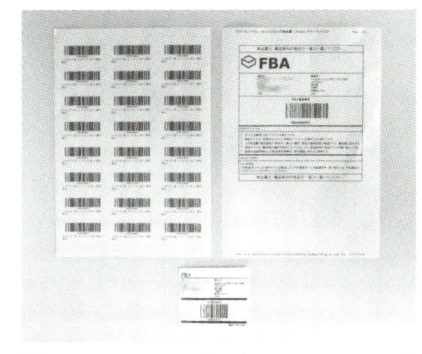

6 バーコードラベル、納品書、ラベル、納品に必要なすべての印刷物の印刷が完了しました。

7 バーコードのラベルシールを商品に貼ります。今回は CD で説明しておりますが、DVD でも PC パーツでも同じようにバーコードのラベルシールを張ります。

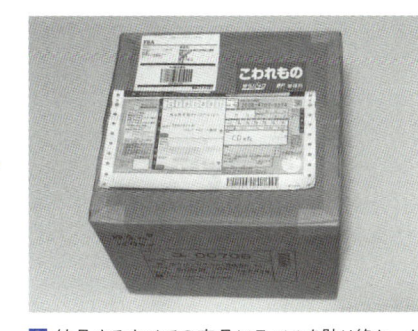

8 納品するすべての商品にラベルを貼り終わったら、箱に商品を詰めます。箱に隙間ができた場合、緩衝材や新聞紙などを詰めると途中で破損する可能が少なくなります。Amazon が指定する納品先を伝票に記入します。商品によって納品場所が異なりますので、必ず確認しましょう。最後にきっちりと箱を閉じて、発送伝票、配送ラベルを貼れば終了です。

Section 53　AmazonFBA サービスの具体的な使い方

Section 54　第3章｜輸入した商品を国内向けに販売する

ネットオークションで販売する
メリットとデメリット

| 基本 | 準備 | 輸入仕入れ | **輸入販売** | 輸出仕入れ | 輸出販売 |

メリットは多いが販売オファーができないなど致命的なデメリットも

　インターネットを使った販売方法はたくさんありますが、ネットオークションを利用して商品を販売するメリットを挙げてみましょう。

ネットオークションで販売するメリット
- 基本的に誰でも簡単に参入できる
- 一般店では販売していないものでも売れる
- ゼロから集客する必要がない
- 現金化が早い
- 出品などの手数料が安い
- 赤ちゃん用品から仏壇まで幅広い商品が販売できる

　このように、やらない理由がないといってよいほど、おいしいメリットばかりです。しかし、よいことばかりというわけではありませんので、ネットオークションのデメリットもきちんと知っておきましょう。

ネットオークションで販売するデメリット
- 出品に手間がかかる
- 落札しても代金を払わない人がいる
- 運営会社の規約に従わなくてはならない
- 1円スタートする出品者が増えると相場が暴落するときがある
- 取引以外での連絡ができない
  （ヤフオク！ストアは取引以外のオファー可能）
- 顧客リストの構築ができない

　などが挙げられます。特に、「運営会社の規約に従わなくてはならない」「顧客リストの構築ができない」という点は商売をやっていく上で致命的なので、何とか頭を使ってクリアしていかなければなりません。一度、購入してくれたお客様に、次の販売オ

ファーができないというのは、大きなチャンスをみすみす逃しているようなものです。そういった商品に興味があり、一度は自分の財布を開いたお客様です。再度、購入する可能性は非常に高いお客様ですから、販売オファーをしたいところです。個人出品者からヤフオク！ストアに切り替えれば、現在、ヤフオク！ストアで販売している商品の告知やこれから入荷する商品のお知らせをメールでオファーすることは可能ですが、やはりYahoo!が定める規約を守りながら販促しなくてはいけないので、これも最善の方法とはいえません。

ストアニュースレター

ストアニュースレターは、オークションストアが配信する無料のメールマガジンです。オークションストア主催のバーゲン情報や、プレゼントのお知らせなどの情報が届きます。

■ストアニュースレターの配信登録

ストア一覧ページで、ストアニュースレターを受け取りたいオークションストアの

▲ ヤフオク！ストアなら、メールでのアプローチも可能です。

　一番よい方法として推奨するのは、独自のネットショップを構築して独自のルールの上で運営し、顧客リストを構築してオファーをする方法です（Sec.58参照）。今は各種ネットショップサービスが使いやすくなり、ネットショップ構築もブログ感覚でサクサクできるようになりました。もしサイト制作などに苦手意識を持っていて、なかなか手をつけられないという方は、そういう意識を全部捨てて、挑戦してください。意外なほど簡単にできるので、驚くはずです。もし、どうしてもネットショップの構築ができないのであれば、ホームページ製作業者やWebデザイナーに頼めば、素晴らしいサイトができます。資金が少ない場合は、SOHOさんを探してやってもらうというのもお薦めです。

　メールでのオファーが可能なヤフオク！ストアですが、デメリットとしては、1つも売れなかったとしても月々18,900円（税込）の出店料を支払う必要があります。簡単決済での支払いの場合、個人出品者は決済があったその都度、数日後の入金となりますが、ヤフオク！ストアの場合、支払いは月に一回まとめて入金となりますので、キャッシュフローに遅れが生じます。しかしデメリットといえばそのくらいで、断然、デメリットよりメリットの方が多いといえます。個人出品者からヤフオク！ストアに切り替える目安としては、再出品を含む出品回数が1ヶ月に1,800回以上あり、18,900円以上の利益が見込めるのであればヤフオク！ストアに切り替えた方が何かとお得だといえるでしょう。

Section 55　第3章　輸入した商品を国内向けに販売する

ヤフオク!で販売して儲ける

| 基本 | 準備 | 輸入仕入れ | **輸入販売** | 輸出仕入れ | 輸出販売 |

アイデア次第で多くの戦略を打つことができる

　インターネットで一番手軽に商品を販売できる方法といえば、ヤフオク！をはじめとするネットオークションです。ヤフオク！は個人でも気楽に商品を売買できる日本最大のインターネットオークションサイトです。月額294円（税込）の有料サービス「Yahoo! プレミアム」に登録すれば、誰でも気軽に出品や入札に参加することができます。出品者側のメリットとしては、ヤフオク！の市場規模が桁違いに大きいということがあります。通常、リアルビジネスを始める場合は店舗を構えたり、まとまった金額が必要であったりと開店まで時間がかかります。その点、ヤフオク！ならすぐに商売が始められますので副業から始めて、軌道に乗ったら本業として取り組むことも可能です。リスクが少ない最適な方法だといえるでしょう。ヤフオク！を利用すれば、最短2日で現金化することも可能です。セット売りにしたり、即決価格を決めて販売したりと、アイデア次第で賢く稼ぐ方法は多数あります。手数料が比較的安いのも魅力です。

　Amazonマーケットプレイスと比べると写真撮影や説明文を書くのに手間がかかったり、落札された後の落札者とのやり取りが面倒といったデメリットがある反面、海外からの輸送中に壊れた商品などは、ダメージがある個所を画像つきで販売できるというメリットもあります。また、Amazonマーケットプレイスを中心に販売活動をしていると、どうしてもお客様の視点が、

▲ インターネット上の超巨大なフリーマーケットといえるヤフオク!。

参照URL
http://auctions.yahoo.co.jp

- 評価の高さ
- 値段の安さ

の2点に集中してしまうので差別化がしづらくなります。その点、ヤフオク！は**自由度が高く、送料無料、抱き合わせ商法、おまけ戦略など、アイデア次第でいろいろな展開ができます**。また個人出品者からヤフオク！ストア（Sec.50参照）に切り替えて販売をすれば、一度、購入してくれたお客様、販売している商品に興味があるお客様にメールでの販促もできます。また個人出品者での出品の場合、1商品につき、出品手数料が発生しますが、ヤフオク！ストアの場合は月額定額となっています。

ヤフオク！ストアの利用料
月額18,900円＋ロイヤルティ　落札額の5％（税別）

個人ID（個人出品者）での出品の利用料
1出品当たり10.5円〜＋ロイヤルティ　落札額の5％（税別）

　再出品も含め、月に1,800点以上出品している場合は、ヤフオク！ストアで運営した方が安上がりですし、Yahoo!が提供している一括出品ツールなどのシステムも使えるので何かと便利です。その辺りの経費も考えて、ヤフオク！ストアにするか個人IDでの出品にするかを決めればよいと思います。ちなみに、私はヤフオク！ストアでの出品と複数の個人IDで出品しており、別々にわけて管理しています。

ヤフオク！とAmazonマーケットプレイスの比較

	手数料	出品	即金制	入金確認
Amazonマーケットプレイス	高い	短時間で出品可能	遅い	Amazonが代行してくれる
ヤフオク！	安い	時間がかかる	早い	自分で1件ずつ行う

Point
ヤフオク！ストアと個人IDの違いについては、オフィシャルサイトに掲載されていますので、ご参照ください。
参照URL
http://business.ec.yahoo.co.jp/promotion/auc_merit/

Section 56　第3章｜輸入した商品を国内向けに販売する

楽天オークションで販売して儲ける

| 基本 | 準備 | 輸入仕入れ | **輸入販売** | 輸出仕入れ | 輸出販売 |

マイナーだがよい面もあるのでしっかり活用すべし

　楽天オークション、通称楽オクは元々は楽天フリマとして1999年にスタートし、それを母体として2005年に楽天オークションとしてスタートしたオークションサイトです。楽天市場でよく買い物をするといった30代以上のユーザーが多いのが、楽オクの特徴です。頻繁にリニューアルしており、以前より格段に使いやすくなりました。楽オクで販売するメリット、デメリットを挙げてみましょう。

● 0円で開始できるのも楽天オークションの魅力です。

参照 URL
http://auction.rakuten.co.jp

楽オクで販売するメリット

- 登録料、月額利用料、出品料が無料
- 楽天が入金確認をするので出品者が入金確認を行う必要がない
- 自動再出品が6回まで設定できる
- ヤフオク！でなかなか売れないものも楽天のブランド力で売れたりする
- 楽天ポイントが楽天オークションでも使えるので、他のオークションサイトで全然、売れなかった商品が売れたりする場合がある
- 決済確認後にラベルを印刷して、郵便局、ヤマトの営業所に商品を持って行くだけでよい（宅急便の場合は集荷もあり）
- コピー出品などワンクリックでできたりする機能もあり簡単で楽
- 楽天ポイントをもらえるキャンペーンが結構多いのでポイントが貯まりやすい

楽オクで販売するデメリット

- なぜか落札後、音信不通になる人が多い
- まだまだマイナーなため、一般認知度が低い
- サーバーが弱く、システムが稼働しないことが多々ある

　まだまだ改善してもらいたい箇所はたくさんありますが、商品の在庫がたくさんある場合、使える販路はすべて使っていくのが早く大きく稼ぐコツです。正直、Amazonマーケットプレイスやヤフオク！規模の爆発力や回転力はありませんが、モバオクと同様に国内の主要サイトは全部、販路として使うべきです。楽オクでは決済確認を楽天側でやってくれるのも嬉しい点です。ヤフオク！のように自分の銀行口座を相手に知らせたり、入金確認をしたりする煩わしさが一切ない点は、ある意味ヤフオク！よりもAmazonマーケットプレイスに近い感覚です。しかも「インターネットでのお買い物は楽天で！」という固定ファンが多いので、意外な商品が楽天オークションで売れたりします。また、楽オクはヤフオク！やモバオクに比べるとユーザーが少ないので、実は仕入れに向いているオークションサイトでもあります。実際、アクティブなユーザーが少ないので、**転売できそうな商品を探し出し、片っ端から入札しておくと、意外な程、安く買えたりすることがあります**。楽天オークションで仕入れて、Amazonマーケットプレイスやヤフオク！に出品して稼ぐこともできます。

　注意してもらいたいのは、楽天オークションと楽天スーパーオークションはまったくの別モノということです。楽天スーパーオークションは楽天市場に出店している楽天ショップが開催しているオークションのことですので、楽天市場にショップを出店していないと利用できません。

▲ 楽天オークションは仕入れの場としても活用できます。

モバオクで販売して儲ける

基本 | 準備 | 輸入仕入れ | **輸入販売** | 輸出仕入れ | 輸出販売

ヤフオク!に次いでユーザー数が多く、パソコンからも利用可能

　日本国内にはたくさんの携帯系オークションサイトがありますが、やはりサイトごとに特徴があり、携帯系のオークションサイトでもっともユーザー層が多く落札されやすいのがモバオクです。携帯系オークションサイトは、モバオク1つ押さえておけば安心です。モバオクはヤフオク！の次にユーザー数が多い国内オークションサイトなので、よい商品を出品すれば入札合戦になりその結果、高値で落札されることもしばしばあります。それではモバオクで販売するメリット、デメリットを挙げてみましょう。

モバオクで販売するメリット

- 携帯系オークションサイトの中では断トツのユーザー数を誇る
- 携帯からしか利用できないオークションだと思っている方が多いので、出品者のライバルが少ない
- 各種出品手数料などが無料
- 月額使用料315円で1,000品まで出品可能
- パソコンから出品、落札、管理などが可能

モバオクで販売するデメリット

- 若いユーザーが多く、ルーズな人も多い
- 規約変更や仕様変更が突然行われる
- 携帯メールの設定で連絡が取れない落札者がいる
- HTMLなどが使えないので派手な装飾などができない
- URLを張ることができない
- 自動延長機能がない

　本来であれば出品する商品に合わせて出品するサイトを変えていくのが鉄則なのですが、月額使用料315円で1,000品まで出品可能で、しかも落札手数料なども一切かからないので、とりあえず**在庫になっている商品を片っ端から出品しておくというスタンスもあり**だと思います。かかる経費は何品落札されても毎月315円（携帯通

信費は除く）なので、Amazonマーケットプレイスやヤフオク！に比べて、トータルの出品費用が極めて低いというのがおわかりでしょう。ただし、サービス開始当初から利用規約には非常に厳しく、出品した本人は悪気がなかったとはいえ、うっかりモバオクの運営規約に触れてしまい、退会させられた方も非常に多いです。その辺りは十分に注意し、モバオクから警告メールがきたときや出品商品を削除されたときは、できるだけ迅速に対応しましょう。当たり前のことですが、偽ブランド品や アダルト関連商品、コピー商品、複製品、海賊版などを出品するとモバオク規約の違反となります。「商品説明や自己紹介等において出品禁止アイテムあるいは禁止行為があった場合、会員規約に基づき、削除、ペナルティまたは強制退会等の処分を行います。」という明記が規約にあります。違反行為、ペナルティには次の行為が該当します。規約をよく読んで、うっかり規約違反しないよう注意しましょう。

違反行為	ペナルティ該当行為
・規約違反 ・出品禁止アイテムの出品 ・禁止行為	・落札後手続き不履行 ・複数回の違反出品 ・24時間経過後の出品キャンセル ・代引受取拒否 ・自己紹介欄に違反記載

参照 URL

モバオク会員規約
http://www.mbok.jp/kiyaku/

　また、モバオク＝携帯電話からの操作のみと思われている方がいまだに多いのですが、現在ではパソコンからほぼすべての操作が可能になりました。ガラケーと呼ばれる携帯電話関連のサービスは全体的に衰退に向かっているので、今後のモバオクの動向がどうなるか心配という方もいるかもしれませんが、その辺りは心配する必要はないようです。また携帯電話を持っていなくてもモバオクのアカウントを作ることができますので、モバオクという名前が残っている通常のオークションサイトという認識で販路の1つとして利用することをお薦めします。なお、auモバオクとモバオクは、携帯ユーザーによって呼び名が違うだけで、同一のオークションサイトです。

▲ 携帯電話だけでなく、パソコンやスマートフォンからも利用できます。

Section 58　第3章｜輸入した商品を国内向けに販売する

自分で運営するネットショップを持とう!

| 基本 | 準備 | 輸入仕入れ | **輸入販売** | 輸出仕入れ | 輸出販売 |

制限なしで自由に運営、1つのジャンルを極めた専門店を

　自社で運営するネットショップであれば、ネットオークションサイトなどと違い、日本の法律にさえ触れなければアイデア次第で自由に運営することが可能です。もちろん、事前に許可を得た方に対しては、メールでのオファーも可能です。自社のネットショップと書くと大袈裟に感じますが、カラーミーショップ、おちゃのこネットといった低価格で運営できるサービスを利用すれば、思っているよりも簡単に、ブログ感覚でネットショップを作ることができます。もちろん、操作性がやさしくデザインがよいだけでなく、各種クレジットカードでの決済機能、メルマガ機能、在庫管理ツールなど、販売やマーケティングに必要な機能がほぼすべて揃っているのも嬉しいところです。

　しかし、大きく稼ぐ希望を胸にネットショップを作ってはみたものの、なかなかお客様はこないものです。世の中には星の数ほどネットショップがあるので、よい商品を安く販売しているだけでは、お客様に見つけてもらうのも至難の業です。PPC広告を使ったり、SEO対策をしたり、店長ブログ、Twitter、facebookなどを運営して、販促活動の一環としてコツコツとした集客活動もしなくてはいけません。PPC広告は上手くやれば大きな効果が出ますが、広告を止めるとアクセスもこなくなります。また現在では便利な機能が増え過ぎて、一般人がマスターできるようになるまでには

●　ネットオークションではできることに制限がありますが、ネットショップであれば自由に活動できます。

かなりの時間がかかります。素人が適当にPPC広告に出稿して効果が出るという程、甘い世界ではありません。ですので、PPC広告を使いながら店長ブログ、Twitter、facebookといった無料サービスを使い、メインのサイトにそれぞれからリンクを張り、検索して欲しいキーワード、検索されるであろうキーワードを更新する記事内で意識的に使いながら、お客様とのコミュニケーションによる集客方法も並行していくと被リンク効果もあり、ネットショップの検索順位も徐々に上がってくるので効果的です。特にこういった無料のメディア、ソーシャルネットワークサービスは根気よくコツコツと続ければ続けるほど、じわりじわりと効果が表れます。長期的な目でじっくり運営していくことになりますので、焦らずに取り組んでください。ちなみにこのSectionでご紹介したカラーミーショップ、おちゃのこネットなどのネットショップサービスを利用すれば、年商1億円くらいの売り上げであれば対応可能です。名前こそ出せませんが、実際に私の友人がこういったサービスを利用して1サイトで売り上げ1億円超えのネットショップを運営しているので間違いありません。

　ネットショップでは、販売する商品ジャンルを決めることも重要です。例えば、野球用品、サッカー用品、バスケットボール用品は全部、球技系のスポーツ用品だから1つのサイトで販売しようと初心者の方は考えがちのようです。しかし、実際にこれらのスポーツをやっている人からいわせれば全然、違うスポーツですので、どうせなら専門店から買いたいと思うはずです。現在、在庫となっている商品を何でもかんでも売るのではなく、1つのジャンルを極めるネットショップ、すなわち専門店を目指すのが、後発組・小さな企業が勝ち残るコツです。専門店化した方が、検索して欲しいキーワードもおのずと決まってくるので、検索エンジン対策にもなり、結果的に検索されやすく、訪問者が増えるという効果もあります。

▲ カラーミーショップ

参照URL
http://shop-pro.jp/

▲ おちゃのこネット

参照URL
http://www.ocnk.net/

Section 58 自分で運営するネットショップを持とう！　133

Section 59　　　　　　　　　　　　　第 3 章｜輸入した商品を国内向けに販売する

出品する商品に合わせて出品する方法を変えていくのが鉄則

| 基本 | 準備 | 輸入仕入れ | **輸入販売** | 輸出仕入れ | 輸出販売 |

幅広いジャンルを扱うよりも専門店化した方が結果が出やすい

　ヤフオク！で商品を販売する場合は、**Yahoo! JAPAN ID 別に出品商品を変えて、出品商品に統一感を持たせると、2 つ、3 つとまとめ買いに繋がります**（まとめ買いを促す方法は Sec.65 参照）。例えば、赤ちゃんグッズとアダルトグッズを 1 つの ID で出品して販売していたとします。両方をまとめて買うという奇特な方はまずいません。赤ちゃんグッズだけを幅広く扱う ID であれば、まとめ買いに繋がるケースも必然的に多くなりますし、アイデア次第で販促の戦略を立てることができます。

　ネットショップも同様です。何でもあり、ごった煮のショップよりも、赤ちゃんグッズ専門店のほうが SEO（検索エンジン最適化。ある特定の検索エンジンを対象として検索結果でより上位に表示されるように工夫すること）的にもよいといわれています。赤ちゃんグッズ専門店をより細分化して、赤ちゃん用のベッド専門店やベビーカー・バギーの専門店にしていくと、さらによいでしょう。もしあなたが自分の子供に赤ちゃん用ベッドを買い与えるなら、ありきたりの雑貨店よりもこういった専門店

▲ 何でもありのごった煮ショップよりも細分化した専門店の方がまとめ買いされやすいです。

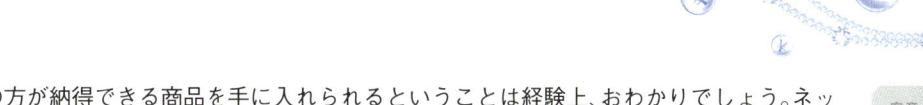

の方が納得できる商品を手に入れられるということは経験上、おわかりでしょう。ネットショップでも同じなのです。

　またネット通販の場合、メルマガでのセールスは非常に効果的なのですが、赤ちゃんグッズとアダルトグッズの両方を扱うショップのメルマガを懸命に配信しても購入率（コンバージョン）は上がりませんし、そういった焦点が合っていないメルマガの購読率を上げるのも至難の業です。楽天市場、Yahoo! ショッピングなどのショッピングモールでも、何でも屋よりジャンルを決めて、専門店化したほうが必然的に売れ行きはよくなります。そのような理由で、楽天市場に全然違うジャンルのショップを複数運営しているオーナーも多いです。販売するサイトごとにジャンルをきちんと定めることは非常に重要です。

　以前、モバオクは若い人向けといわれていましたが、現在ではパソコンやスマートフォンからもアクセスができるようになり、また、ガラケー世代の人たちもそれなりに年齢を重ね、あまりその辺りは気にする必要がなくなってきたようです。それでも20代から30代くらいのユーザーが多いという意識で、その世代の人たちが好む商品を中心に出品していくと結果が出やすいです。

　Amazon マーケットプレイスだけは別物で、規約上、1人で取得できる販売アカウントは1アカウントのみとなりますので、必然的に赤ちゃんグッズとアダルトグッズを一緒に販売することになります。しかし、お客様は基本的にキーワード検索である特定の商品を探しているケースが多く、そもそもまとめ買いをするお客様があまりいないので、このような出品方法でもまったく問題ありません。

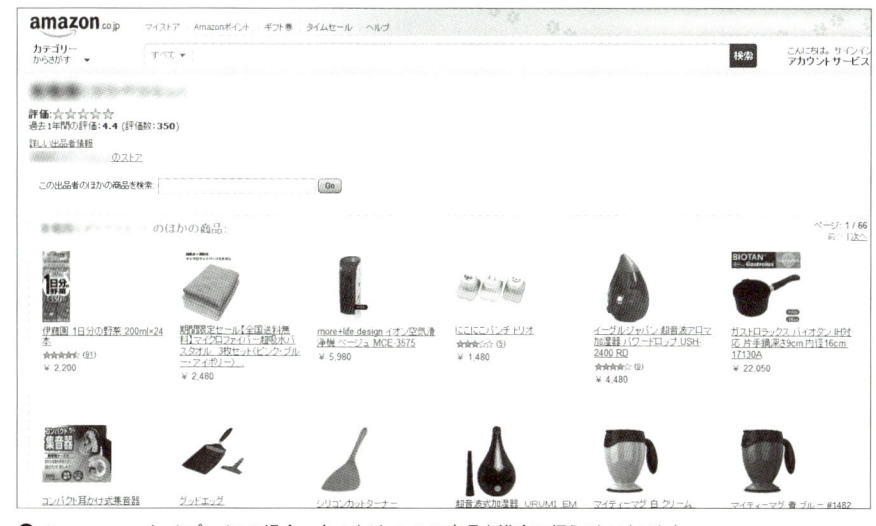

●Amazon マーケットプレイスの場合、色々なジャンルの商品を雑多に扱うことになります。

Section 59　出品する商品に合わせて出品する方法を変えていくのが鉄則

Section 60

第3章 | 輸入した商品を国内向けに販売する

便利なツールをフル活用する

| 基本 | 準備 | 輸入仕入れ | **輸入販売** | 輸出仕入れ | 輸出販売 |

自分の売り方に合うツールを使う

　突然ですが、よく「天才！志村どうぶつ園」系のTV番組でやっているワンシーンを思い浮かべてください。チンパンジーが自分の手では届かない所にある大好きなバナナを、頭を使い近くに置いてある棒（スタッフが事前に用意したもの）を使って器用に取る……。何度も見たことがある、あのシーンです。実は人間も、チンパンジーと同じです。チンパンジーにとっての「棒」が、人間にとってはインターネット上やパソコン上で使えるツールなのです。ネットオークションに使える便利なツールには、

・画像加工ソフト
・再出品ツール
・商品管理ツール
・出品テンプレート
・検索ツール

などの多くの種類があります。しかし、これらの非常に便利なツールを使わない方が、思った以上に多くいます。ほとんどのツールは無料版や1カ月間無料などのお試しができるので、どんどん使ってみてください。**近道できるところはどんどんショートカットして進んでいくのが早く成果を出す秘訣**です。こういったツールのどれが一番よいとか、優れているかということは完全に個人の好みの問題となりますが、私が使用しているツールの一部をご紹介します。また、Sec.88に、ここで紹介しきれなかった便利なツールやサイトを紹介しているので、そちらも参考にしてください。

● 便利なツールをどんどん取り入れ、効率よく作業しましょう。

GIMP2（画像加工ソフト）

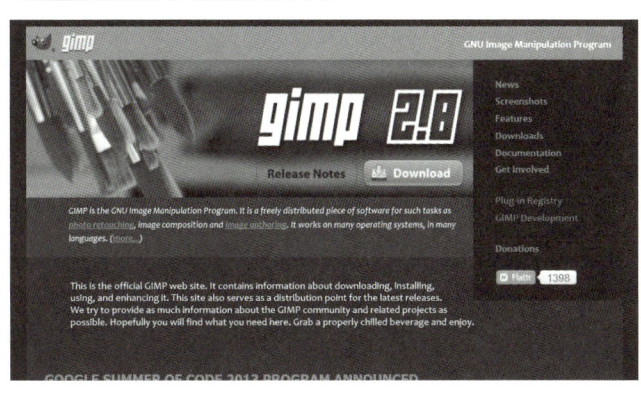

● フリーの画像加工ソフトとしては一番といっていいほど有名なフリーソフトです。プラグインなどをダウンロードすることで、非常に多くの拡張機能を使うことができます。

参照 URL
http://www.geocities.jp/gimproject/gimp2.0.html

おーくりんくす（オークション出品テンプレート作成サイト）

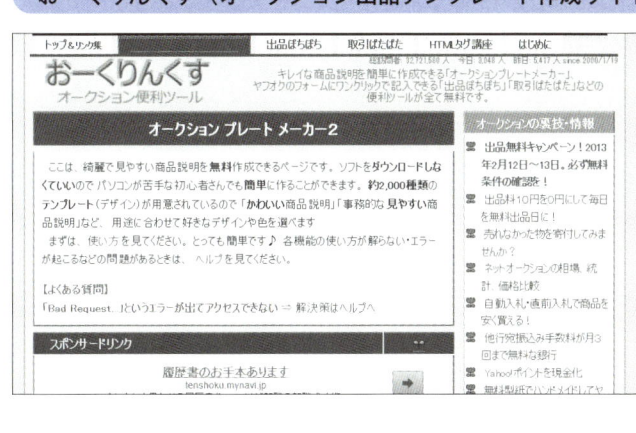

● サイト上で簡単に商品説明を作ることができるWebサイトです。約2,000種類のテンプレートが用意されているので、商品に合わせてデザインを変えることもできます。

参照 URL
http://www.auclinks.com/apm/

AMTS（Amazonマーケットプレイス）

● Amazonマーケットプレイスでの出品登録機能を持つ「出品君（フリーソフト）」や、出品登録に加えて販売の出品、受注処理、価格改定を一元管理できる機能を持った「AMTS-PREMIUM（30日間の無料試用期間あり）」などを提供しているWebサイトです。

参照 URL
http://www.amts.jp/

Section 60　便利なツールをフル活用する

Section 61

第 3 章｜輸入した商品を国内向けに販売する

値付けのテクニックについて
～Amazonマーケットプレイス編

| 基本 | 準備 | 輸入仕入れ | **輸入販売** | 輸出仕入れ | 輸出販売 |

FBA出品はショッピングカート獲得を狙った価格設定を

　Amazonマーケットプレイスでの販売の場合、新品商品か中古品か、出品者からの発送かFBA発送（Sec.52参照）かの違いによって価格の設定方法が大きく変わります。このSectionでは、新品商品を出品している場合を例に説明します。

　例えばFBA出品者がいなくて出品者からの発送のみの場合、マーケットプレイスで購入しようとしている方は値段が安い順に見ていき、その後、コンディションと評価を見てから購入するというタイプがほとんどです。お客様はまずは価格を見るということが重要です。評価に関しては高いに越したことがないのですが、90％以上をキープしていれば、さほど問題ありません。90％を下回っていると敬遠されるケースもありますので、なるべくよい評価をキープしていきたいものです。評価を上げる裏技としては新品商品を多数、FBAを使って販売することです。FBAなら発送のスピード、梱包の丁寧さ、どれを取っても完璧ですし、新品商品であれば、商品クオリティに関するマイナス評価はほぼつかないので、利益が薄い商品だとしてもたくさん販売して評価を安定させていくという作業も効果的です。実際のところ、Amazonマーケットプレイスで評価をいただけるのは販売商品や販売相手にもよりますが、だいたい10件中1～2件くらいの割合といった感じで、ヤフオク！などと違い、評価が貯まりづらいといえます。とにかく、文句がつかない商品をたくさん販売して、評価を安定させていってください。例えば評価100％で取引完了後、よい評価をいただいた件数が10件未満の場合、1つでも悪い評価をつけられると評価のパーセンテージは極端に下がります。同じく評価100％でよい評価が1,000件を超えている場合に運悪く1件、悪い評価をつけられてしまっても評価99％をキープしており、大きく評価が崩れることはありません。評価が同じ位の出品者が多数出品している場合、1円刻みの価格競争は避けられません。「出

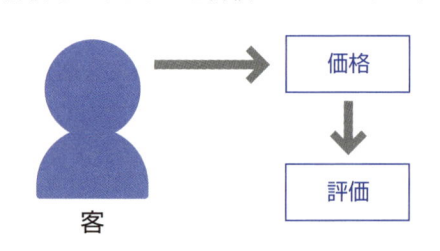

客 → 価格 → 評価

● 出品者発送のみの商品の場合、客は値段の安い順から見て、その後に評価を見て決める傾向があります。

品者からの発送」から選ぶ場合、価格の安さと出品者の評価を天秤にかけて、両方のバランスがよい出品者から順番に売れていく感じです。

それに対してAmazonFBAサービス（Sec.52参照）を利用した出品の場合は、ショッピングカート獲得が狙えますので、まずはショッピングカート獲得を目指します。ショッピングカートとは商品画面の右側に表示される、購入する際にクリックが必要なボタンのことです。このショッピングカートを獲得すると、商品が売れやすくなるという利点があります。**FBAで販売する場合は、ショッピングカートが獲得できる最高の価格に設定します**。そのため、闇雲に最低価格に設定すればよいというものではないのです。値段を下げれば売れるには売れると思いますが、利益率が下がります。ショッピングカートさえ獲得できれば、もし出品者からの発送でもっと安い商品があったり、値段が高かったりしても短いスパンで売れてしまいます。これはAmazonのサイト構成によるもので、特にiPhoneなどのスマートフォンや携帯サイトから見ると顕著に感じます。「もっと安い出品者がいるかもしれないけど、なかなかAmazonマーケットプレイスの出品者一覧ページに辿り着けない。もう面倒だからショッピングカートの商品を購入しよう」という方が多いのです。

このショッピングカート獲得のロジックは、正式にAmazonから公開されているわけではないので、個人個人の推測となります。そのため、目視と手動で価格変更とサイトの確認を何度か行う必要があります。自動価格改定ツールを利用している場合は、最安値の出品者に引っ張られて極端に価格が下がらないように、細かく個別設定をする必要があります。マーケットプレイスに出品している全商品の販売価格をボタン1つで自動的に自分が望んだ金額にするという便利なツールが各社から販売されており、本格的にビジネスとして販売活動をしている出品者はこういったツールを使っている場合が多いです。ちなみに中古品を「出品者からの発送」で販売する場合、やはり価格と評価数がものをいうので、1円刻みの価格重視の闘いは避けられません。

▲ FBA出品者には、Amazonプライム（P.122参照）のアイコンがつきます。

▲ 一方、出品者からの発送の場合は、Amazonプライムのアイコンはつきません。

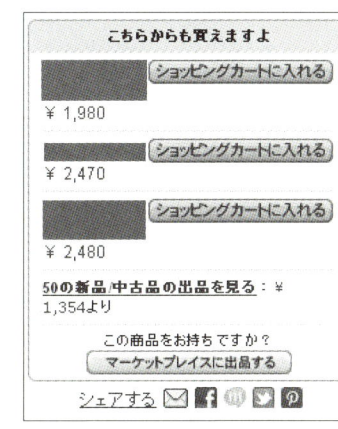

▲ FBA出品の場合、ショッピングカート獲得が狙える限界価格に調整するのが高く売る秘訣です。

Section 62　第3章｜輸入した商品を国内向けに販売する

値付けのテクニックについて
～ネットオークション編

| 基本 | 準備 | 輸入仕入れ | 輸入販売 | 輸出仕入れ | 輸出販売 |

リサーチした落札相場価格を基準にスタート価格、即決価格を決める

　ヤフオク！に出品する商品のスタート価格を決める場合、まずはオークファンを使い、その商品の平均落札額を調べます。**平均落札価格と同時に、よく落札されている価格帯も調べ、その後、現在の出品者の価格付けをチェックします。**一昔前までは1円スタートすると落札価格を上げる大きな要因になると考えられていましたが、現在ではよほどの人気商品以外は1円スタートすると滑りやすいので、ライバル出品者の送料込みの価格を調べて、それを基準価格にします。そのようにして調べた落札相場の価格よりも1円から10円位安い金額をスタート価格にして、スタート価格の1.2倍から1.5倍の金額を即決価格にします。例えば、落札相場の価格が1,000円だった場合、スタート価格は999円、即決価格は1,480円にするといった具合です。

　これが山口流オークション出品時の基本的な出品価格の決め方であり、この方法で価格設定すれば、ほぼ狙った金額で落札されることが多いです。「誰か1人でもいいから入札してくれればいいや」といった投げ槍な考えで、相場からかけ離れた高い価格で出品しても落札されることはなかなかないので、過去の落札データを分析し、しっかりと相場を掴むことが重要です。

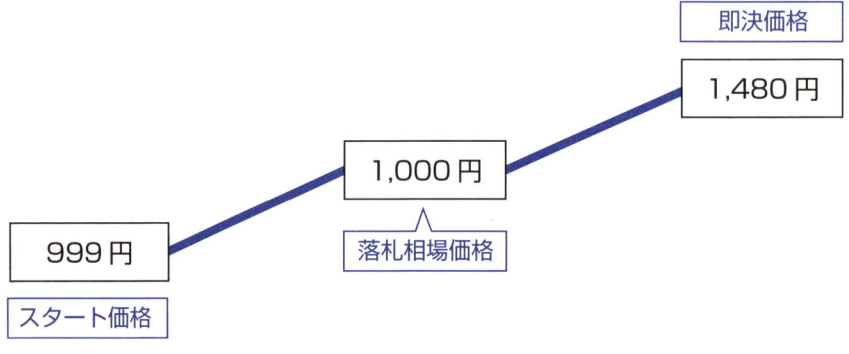

即決価格
1,480円

1,000円
落札相場価格

999円
スタート価格

● データ分析からスタート価格、即決価格を決めれば、狙い通りの金額で落札されます。

基本的にはモバオク、楽天オークションでも、ヤフオク！と同じ方法で出品価格を決めます。モバオクの場合はサイトの構成上、携帯電話から見たときに他の出品商品のページと比べづらいので、他の出品商品をたくさん探して比べるのは骨が折れる作業です。そのため、あまり他の出品商品と比べずに入札、落札する方が多いので、価格は相場より少し高くても落札されるケースが多々あります。

　モバオクは月額使用料315円だけ払えば、出品手数料、落札手数料がないので、ずっと出品していても出品料コストがかからないという利点があります。それを考慮して、最初は平均落札相場より少し高い強気の価格で出品するとよいでしょう。何度、再出品しても入札が入らない場合、徐々に価格を下げていけば、いつかは入札が入るはずですので、じっくり待ちましょう。

　楽天オークションの場合、楽天のポイントがオークションでも使えるので、思わぬ高額で商品が売れるときがあります。これはポイントが失効するくらいなら、買い物に使っちゃえ！　というユーザーがたくさんいるということです。また、楽天オークションには個人情報を出品者に知らせずに取引できる「匿名配送」もあるので、何らかの事情で個人情報を明かしたくないユーザーが、少し高くても渋々購入するケースもあります。こういった側面もありますので、楽天オークションでは相場より少し高めの価格でも売れるのです。

▲ データ分析して出品すれば、ガッカリするような価格でオークションが終了することもありません。

Section 62　値付けのテクニックについて～ネットオークション編

Section 63

第 3 章 | 輸入した商品を国内向けに販売する

値付けのテクニックについて
〜ネットショップ編

| 基本 | 準備 | 輸入仕入れ | **輸入販売** | 輸出仕入れ | 輸出販売 |

ライバル店との価格競争に巻き込まれないように値付けする

　ネットショップで販売する商品の価格を決める場合、まずは販売しようとしている商品について、楽天市場、Yahoo! ショッピングなどに出店しているライバル店の販売価格を調べます。この場合は送料込みの価格が、値付けする基準価格になります。基本的にネットショップでの販売は**闇雲に価格だけをライバル店より下げて販売するのではなく、ポイント還元をしたり、まとめ買いに繋げる工夫をしたりして価格競争に巻き込まれないようにすることを頭に入れて、販売価格を決めていきます**。

　楽天市場などのショッピングモールに出店する場合は、同じ商品を複数の店が同じプラットフォームで販売するので、トップページから狙っているキーワードで検索し、きちんとヒットしてライバルより上位に表示されるかということも重要です。同じショッピングモールでも、

・楽天市場
・Yahoo! ショッピング
・DeNA ショッピング（旧ビッダーズ）

を比べると、アルゴリズムが違うためにまったく違った結果で表示されます。

￥5,000
ライバル店

￥5,500
自分のショップ

￥7,000 以上で送料無料！

15% ポイント還元

● ライバル店より価格を下げるのではなく、オリジナルの付加価値をつけて勝負しましょう。

またその商品が利益を生む商品なのか？　フロント商品なのかバックエンド商品なのか？　を意識することも重要です。それにより価格付けや販売方法も大きく変わってきます。売りたい商品がフロント商品であれば、相場より安い金額で販売し、それを餌に顧客リストを構築し、その後、メールマガジンでバックエンド商品を販売するという手法も使えます。もし、まったく販売前例がない商品の場合、楽天市場に出店している場合は、楽天スーパーオークションで1円スタートしてどのくらいの価格になるか様子を見るという方法もよいでしょう。この方法だと、顧客リストも収集できるのでお薦めです。

　ネットショップというと「攻め」より「待ち」のイメージがあるかもしれません。しかし、自社のネットショップで販売するにしても、ショッピングモール内に出店して販売するにしても、実は構築したリストに対してメールマガジンで販促をかける「攻め」の姿勢が必要なのです。メールマガジンで販売する方法はSec.78などで詳しく書いておりますが、無理矢理背中を押してもお客様はなかなか購入してくれないので、戦略的に展開していく必要があります。買ってもらうためにはお客様が購入したいという価格設定にしておかなければいけません。いくらメールマガジンでダイレクトに販売するからといって、どこで買っても定価120円の缶コーヒーを倍の値段である240円で買う人はいません。しかし、もうどの店でも買えない999枚限定で販売されたTシャツだったら、定価以上でも買う人は買います。ネットショップの場合はオークションと違い、何でもかんでも安ければ売れるというわけではないので、そういった商品特性も頭に入れて、相場を確認しながら価格設定するのがコツです。

▲ 楽天スーパーオークションの開催は、楽天市場に出店していることが条件です。

参照URL
http://www.rakuten.co.jp/auction/

Section 63　値付けのテクニックについて〜ネットショップ編　143

Section 64

第 3 章｜輸入した商品を国内向けに販売する

ライバルに大きく差をつける
タイトルとその重要性

| 基本 | 準備 | 輸入仕入れ | **輸入販売** | 輸出仕入れ | 輸出販売 |

入札の多いものをリサーチしてタイトルづくりの参考にする

　有効的なライティングテクニックを知らずに闇雲にタイトル文を書いていても、入札率・落札額が高くなるとは限りません。ネットオークションで入札率・落札額が高くなるタイトル文を書くための、誰にでもできて、簡単・確実な方法を説明します。

　ここでは、高級ブランド「アルマーニ（ARMANI）」の商品を例として、タイトル文の書き方を説明します。最初に、Googleで「アルマーニ」を検索し、公式サイトを探します。公式サイトはだいたい、1ページ目の上の方に表示されます。公式サイトを開き、ブランド名のスペルをコピーします。手入力すると「ALMANI」「ARMANIE」など、スペルミスをする可能性が高いので必ずコピペしてください。スペルミスで出品すると高額落札は絶望的ですので、きちんとしたスペルを表記しなければなりません。例えば、「DOLCE&GABBANA（ドルチェ＆ガッバーナ）」や「YVES SAINT LAURENT（イブサンローラン）」など、ブランド名が長くなると、よほどのブランド通でない限り正しいブランド名を手入力するのは至難の業です。正確なブランド名は、メモ帳などに張っておくと出品時にすぐにコピーできて便利です。

　次に、オークファンを開きます。正確なブランド名「ARMANI」をオークファンの検索欄にペーストし、落札相場を検索します。一覧が表示されたら、「入札」をクリックして入札順に並べ替え、入札が多い商品タイトルの共通項を探します。この例では、「アルマーニ」「ARMANI」と日本語と正式ブランドスペルを2つタイトル文に入れま

1 Googleで「アルマーニ」と検索し、公式サイトを探します。公式サイトを見つけたら表示させ、「ARMANI」の文字をコピーします。

2 オークファンの入力欄にコピーした「ARMANI」をペーストし、落札相場を検索します。

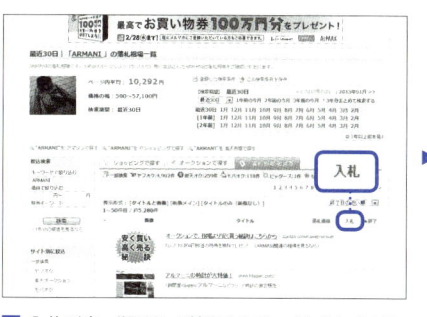

3 入札が多い順に並べ替えるので、<入札>をクリックします。

4 入札が多い順に並べ替えられました。共通するタイトルの特徴をチェックしましょう。

と入札が多いということがわかります。また、「アルマーニ」「ARMANI」だけではどんな商品かわかりづらいので、時計・ベルトなどのアイテム名や、新品・中古などの状態をタイトル文に入れられるだけ入れるのがコツです。

　商品タイトルは看板のようなものです。多くの方がキーワード検索で商品を探し出すので、ずらりと並んだ商品一覧ページからあなたの商品ページへアクセスしてもらうために、タイトル文は非常に重要です。あまり買う気がない方でも、目を引くタイトルやキャッチコピーがあれば思わずクリックしてしまいます。例えば次の説明タイトルの内、あなたならどちらをクリックしたくなりますか？

・松井秀喜　サインボール
・レア！巨人時代 松井秀喜公認直筆サインボール鑑定書付

　どちらも同じ商品ですが、下の商品の方をクリックしたくなりますよね？　ヒット数が多ければ多いほど、入札率、落札金額も上がります。

　ヤフオク！の場合、タイトルは半角60文字、全角30文字までと決まっていますので、入札率、落札金額を上げるためには**文字数いっぱいに、入札者の興味を引く単語を盛り込みタイトル文を書く必要があります**。文字数が余るのはもったいないので、商品名、商品の状態などをもれなく入れることが基本です。また、タイトルに「100円スタート」「9,800円即決」「送料無料」など、金額を入れるのも効果があります。新品、中古、商品の内容、メーカーなど、その商品のセールスポイントになるところもタイトル文に入れましょう。またコレクター向け商品の場合、「絶版」「激レア」「非売品」「数量限定品」「入手困難」などのキーワードを入れると入札率、落札額が高くなります。既製品の場合は、「未開封」「未使用」「美品」などのキーワードを入れると商品のクオリティの高さをアピールできるので効果があります。

Section 64　ライバルに大きく差をつけるタイトルとその重要性

Section 65　　　　　　　　　第3章｜輸入した商品を国内向けに販売する

商品を売る魔法のフレーズ

| 基本 | 準備 | 輸入仕入れ | **輸入販売** | 輸出仕入れ | 輸出販売 |

たくさん購入してもらえるよう購入時に付加価値をつける言葉

　ネットショップなどで販売する場合、ただ商品画像をアップして、商品タイトルと商品説明を書いて、価格を表示し、決済ボタンをつけているだけでは商品はなかなか売れません。頭を使ってスマートにたくさん、購入してもらいましょう。文章の力で販売するときに、**一番簡単で効果があるのはバリュー感を打ち出す方法**です。最初はあまりというか全然、買う気がなかったのに、「激安」「数量限定」「期間限定」「送料無料」「お試し価格」などとページに書いてあって思わず買ってしまったという経験は誰にでもあるはずです。今度はこちらがそういった戦略を仕掛ける番なのです。イソップ寓話「北風と太陽」のように北風で旅人の上着を吹き飛ばそうとするのではなく、燦々と照りつける太陽となって購入を促すという戦略です。王道であり、鉄板といわれている「安い」「無料」というキーワードを盛り込む方法もやはり効果があり

▲ Amazonの販売ページは自分が商品を販売するとき、非常に参考になります。

ます。「先着10名様限り」「お1人様3つまで」「限定20セット」「3月10日～12日までの3日間限定」など、希少性や数量限定など、少し大袈裟ですが、危機感を煽る文章と販売戦略は非常に効果があります。売り上げを伸ばすために、見込み客の背中をポンと押してあげましょう。

　文章と画像の合わせ技となりますが、Amazonの販売ページに見られる「よく一緒に購入されている商品」「この商品を買った人はこんな商品も買っています」といったテキストから興味を持つであろうと予想される関連商品のページに誘導し、同時購入を促す手段も効果的です。

　「今なら3つ購入すればもう1つプレゼント！」などというプレゼント系のオファーも、ついついまとめて買ってしまう戦略として非常に効果があるので、顧客にお得だと思わせる手法があればどんどん導入し実践しましょう。購入を促す文章のアイデアをたくさん絞り出し、常に貪欲に挑戦し、トライ＆エラーを続けます。ネットオークションで販売する場合でもアイデアで勝負します。数年前のネットオークションでは商品代金が安ければ、入札件数が増えて、落札金額が上がるというケースが多々ありました。現在では入札する側も知恵をつけてきており、上手く落札するテクニックやそのような情報がインターネット上にたくさんあり、本当に数に限りがある、プレミアチケットなどの超人気商品以外は1円スタートをしても価格がつり上がって思わぬ価格まで上がるというケースはあまり期待できません。馬鹿の一つ覚えでひたすら価格の安さを謳うのではなく、「3つ使えば送料無料」という文言を掲げて出品商品一覧のリンクを張り、文章の力で他の出品商品ページに誘導し、最終的には購入してもらう戦略も可能ですし、アイデア次第でいろいろな戦略を打つことができるのでインターネットでの販売戦略は突き詰めていくととても面白いです。最終的に決済に導くのはトライ＆エラーで掴んだ戦略の数々と文章の力なのです。

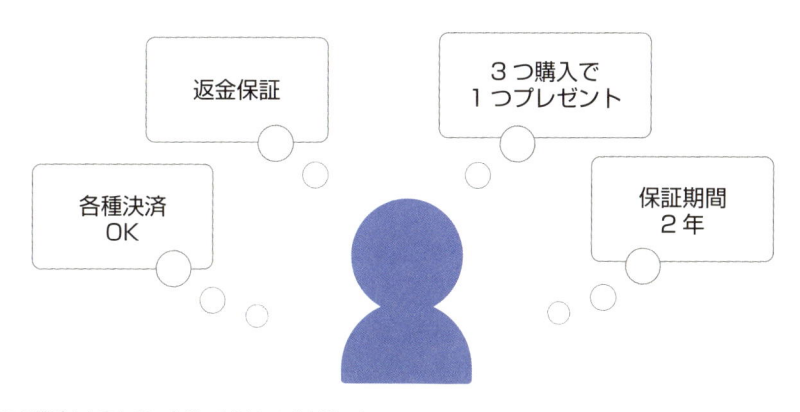

▲ この戦略なら売れる！　と思ったらとにかく実践です。

Section 65　商品を売る魔法のフレーズ　147

バリュー感をダイレクトに
アピールする方法

| 基本 | 準備 | 輸入仕入れ | **輸入販売** | 輸出仕入れ | 輸出販売 |

価格の比較や特典をつけることでお得感を出す

　インターネットで買い物をする場合、多くの人が、購入を検討している商品を他のサイトや販売者と価格などを比べてから購入します。自分が販売する場合は、できるだけ安く商品を仕入れ、仕入れ値より高く、定価よりは安い価格で商品を販売するケースが多くなるかと思います。そんなとき、**メーカー希望小売価格も一緒に表示してあげると、一目で価格の対比ができるので安さのアピールに繋がります**。Googleなどから商品名で検索すると、メーカー希望小売価格はすぐにわかります。市場価格や平均的な販売価格よりメーカー希望小売価格の方がかなり高いことが多いので、販売価格と比較するようにメーカー希望小売価格を表示すると、お得感を大きくアピールできます。また、「激安」「業界最安値」「●●％オフ」「赤字覚悟」などと思い切って書いてしまう手もあります。海外だけで販売されている商品は、メーカー希望小売価格が見つからない場合がありますので「楽天での販売価格」「Amazonでの販売価格」などを、比較する参考価格として表示するとよいでしょう。

　下の画像の商品を販売する場合、希望小売価格：11,429円（税込12,000円）という金額を販売ページに明記し、それと照らし合わせるようにあなたが販売している価格、例えば、同じ商品を8,400円で販売するのであれば、「8,400円」「30％オフ」という実際の販売価格や割り引き率を明記すると第三者にも伝わりやすいです。誰が見ても「安い！」ということをダイレクトに伝えるということが、購買意欲を掻き立てるためには非常に重要になります。

予備バッテリー充電セット LI90B+UC90 SET
リチウムイオン充電池LI-90Bと専用充電器のセットです。
希望小売価格：11,429円（税込12,000円）
▶ オンラインショップ

● 格安販売する場合、希望小売価格を表示すると安さをアピールできます。

しかし、安さを前面に出す戦略を取ると、ライバルより１円でも安くなくては生き残れませんし、価格競争に飲み込まれないようにしなくていけないので、私はあまり好きな戦略ではありません。正直、価格を下げるのは誰にでもできますし、頭がよい戦略とはいえないからです。例えば、個人の方が大きな会社と価格で闘おうとすると、どうしても体力負けしてしまう可能性が高いです。

　それでも価格で戦うという場合は、商品価格が一番安いネットショップや販売者の価格から少しだけずらした価格をつけておくという手があります。これはネットショップや販売者の商品が在庫切れをしている可能性も考えた戦略です。また、ネットショップの場合は、ポイント制にしてリピート購入を促すのも効果的です。例えば、ある商品を５回購入すれば、１回無料になる設定だとします。すでに４回購入している場合、現在、緊急的に必要がなくても、もう１度購入して無料の権利を手に入れたいと考えるのは人の性です。このように特典などを設定すれば、おのずと購入回数が増えるのは誰の目にも明らかだと思います。このような戦略はアイデア次第でいくらでも仕掛けることができます。

- ・5,250円以上送料無料
- ・今なら３つ買うと１つ無料
- ・今月いっぱいの価格
- ・初回入荷限定お試し価格
- ・限定999個の特別価格
- ・当店だけのオリジナル商品
- ・TVでお馴染みのヒット商品をこの価格で
- ・オープン１周年記念

　ここで重要なのは、見込み客の背中を押してやるということです。このような販促方法は、あなたのアイデア次第で無限に広がります。商品に合った販促方法で商品を多く売りましょう。

▲ たとえもう１個分必要がなくても、ついつい購入してしまいます。

Section 66　バリュー感をダイレクトにアピールする方法

Section 67 | 第3章 輸入した商品を国内向けに販売する

商品をさらに魅力的に見せる方法

| 基本 | 準備 | 輸入仕入れ | **輸入販売** | 輸出仕入れ | 輸出販売 |

こだわった商品画像がインターネット通販のコツ

　インターネット通販で、一番お客様の目を引くのは画像です。画像（動画を含む）がないとインターネットでは商品が売れないといっても過言ではありません。個人の方、小さな企業の方は自分で撮影した画像を使用しているという方も多いと思いますが、売り上げを大きく伸ばしたいのであれば、画像にこだわるべきです。ネットショップ、ネットオークションに使用する画像の撮影をプロに頼むだけで、商品ページが見違えるようになります。**多少コストはかかりますが、商品画像をプロに撮影してもらい、綺麗でわかりやすい画像に変えるだけで売り上げは上がるので、費用対効果は抜群**です。特に、インターネットで商品を販売する場合、実際には商品を手にすることができないので、画像で商品の魅力を伝えなくてはいけません。画像がよくないと、商品自体もよくないように見えることがあります。ロングランで売る商品であれば、プロに撮影してもらったコストはすぐに回収できるはずですし、テスト販売のときは自分で撮影した画像を使い、本格的に販売するようになったらプロに頼むという流れにすると、コストが安く押さえられるのでお薦めです。

　一概にカメラマンといってもいろいろな得意ジャンルがあり、静物が得意なカメラマン、人物が得意なカメラマン、風景が得意なカメラマンなどがいます。ですので、

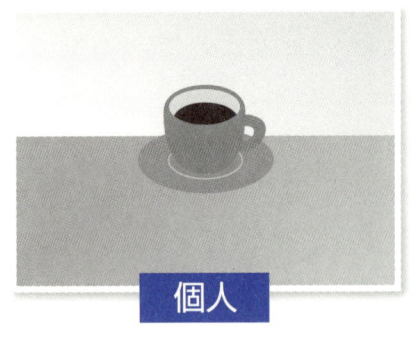

個人　　　　　プロ

● 画像をプロ仕様にするだけで効果絶大です！

自分が販売したい商品のジャンルを得意としているカメラマンを見つけるのがコツです。インターネットで探すといろいろなカメラマン、業者、撮影スタジオなどがヒットするので、自分の商品を一番上手に撮影してくれそうなカメラマンを探すとよいでしょう。昔と違って、今では安い業者もたくさんあるので、発注する側としては嬉しい限りです。

商品の使用説明が長くなる商品、例えば日本でまだ発売されていない外国製の電化製品などは、どのような働きや効能があるのかなどを文章だけで伝えるのはなかなか難しいはずです。そんなときは動画を使うと、商品の特徴をダイレクトに伝えることができます。動画を掲載すると聞くと難しそうに感じるかもしれませんが、iPhoneなどで撮影した動画をYouTubeにアップする方法なら比較的簡単です。

iPhone（iPod touch）からYouTubeに動画をアップする

1 YouTubeにアップロードしたい動画を開き、画面を軽くタップして ▤ をタップします。

2 右下の＜YouTube＞をタップします。

3 YouTubeアカウント（Googleアカウント）のIDとパスワードを入力して、＜サインイン＞をタップします。

4 タイトルや説明、解像度、公開範囲など必要事項を入力して、＜公開＞をタップすると、アップロードされます。

Section 67 商品をさらに魅力的に見せる方法　151

思わず買ってしまう
魔法の説明ライティングテクニック

| 基本 | 準備 | 輸入仕入れ | **輸入販売** | 輸出仕入れ | 輸出販売 |

キャッチコピーで購入意欲を促す

　人はどんなときに自分のお金を払って商品を買うのでしょうか。マーケティングを少しでもかじったことがある方は聞いたことがある話だと思いますが、念のために書いておきます。

1. 時間を短縮するために買う
2. 痛みから逃れるために買う
3. 快楽を得るために買う

　この3つの購買欲求は、誰でも持っているものです。**商品を販売するときは、自分が販売しようとしている商品が、この3つの理由すべてに該当しているかどうかを必ずチェックするべき**です。例えば、ダイエット商品であれば、下記のように3つの購買欲求に該当します。

1. 早く痩せたい、綺麗になりたい！
2. 厳しいのは嫌！
3. モテたい！

　そして、このようにしてピックアップした3つの購買欲求を網羅したコピーを書いていくことが重要になります。「着るだけでダイエット♪　モテモテBODYをGET！」といったコピーを書くと効果的です。
　また、レビューを始め、お客様の生の声を入れたり、店長やスタッフが実際に使用した生の声を顔写真入りでサイトに反映させたりすると信憑性が高まり、商品が売れやすくなります。その場合はタイピングされた文字より、手書きの感想をアップするとより効果的です。「ちゃんと生身の人間がこの商品を使っている」という人間臭さ

を感じさせることで、一気に購入率が上がります。売れているサイトを注意して見ると、結構、手書きの個所がある場合がありますが、こうした効果を狙っているのです。

　また、配送や送料に関することはわかりやすく表記しましょう。お客様が気になるポイントですので、事前の質問を少なくするためにも販売ページの2、3ヶ所に発送、送料に関する表記を入れてもよいでしょう。電話、メールで確認してから購入したいという方もいらっしゃるので、お問い合わせフォーム、メールアドレス、電話番号などもわかりやすく表記します。リアル店舗と違い、実際に手に取って見ることができないインターネット通販ですから、お客様の不安を1つ1つ取り除いてあげることが重要です。

　また、物語風にして読み込ませ、購入する気持ちにさせるセールスレター式も効果があります。このタイプの販売ページは縦長になっていきますが、商品について、よい点も悪い点も全部説明できます。高額商品の販売やまだ認知度が低く、いろいろと説明しなくてはいけない点が多い商品などを販売する場合に向いています。高額商品などは返金保証をつけてあげると売り上げが倍増します。

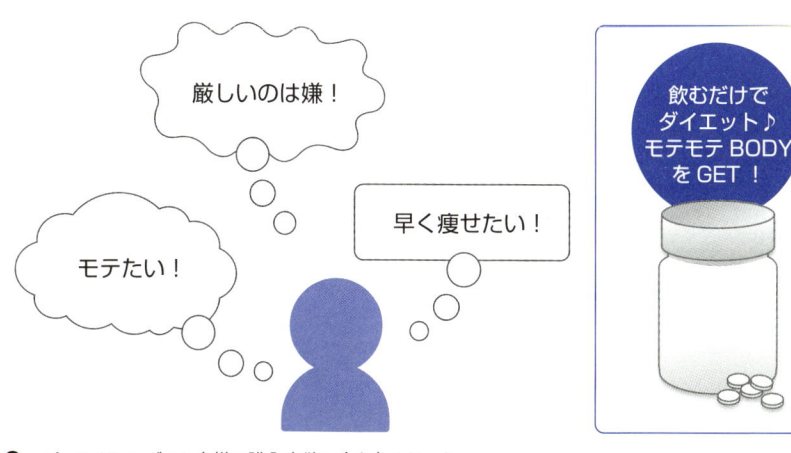

●料金表なども明確に表記すると安心感が高まります。

●コピーライティングでお客様の購入意欲に火を点けましょう。

Section 68　思わず買ってしまう魔法の説明ライティングテクニック

Section **69**

第 3 章｜輸入した商品を国内向けに販売する

スプリットランでテスト販売し、確実に売れる商品だけを仕入れる方法

| 基本 | 準備 | 輸入仕入れ | 輸入販売 | 輸出仕入れ | 輸出販売 |

2パターンで試験販売し、反応を見ながら改良を重ねて成約率を高める

　商品を大量に仕入れる前に必ずやっていただきたいのが、スプリットランテストです。スプリットランテストとはAとBの2つのパターンを用意して、同じ条件で試し、どちらのパターンがより反応率がよいのかを試しながら精度を上げていく手法で、ABテストと呼ばれることもあります。これはテストマーケティングの手法の1つです。非常に精度の高いデータを収集することができます。特に、インターネットを使った販売のデータを計測する際は、この方法が最も適しています。ネット物販では**文章や画像の一部だけを変えて、検証の結果よい方を選び、それを繰り返して成約率（コンバージョン）の高い販売ページにしていく**ことに利用します。よくも悪くも検証結果は数字で出るので、勘に頼ることなく仕入れるか、仕入れないかを決めることができます。スプリットランテストをやらないで仕入れてしまう方があまりにも多いのですが、これは非常に重要なことなので仕入れる前に必ず行ってください。スプリットランテストすら行わずに感覚で大量に仕入れるということは、自ら失敗に向けてアク

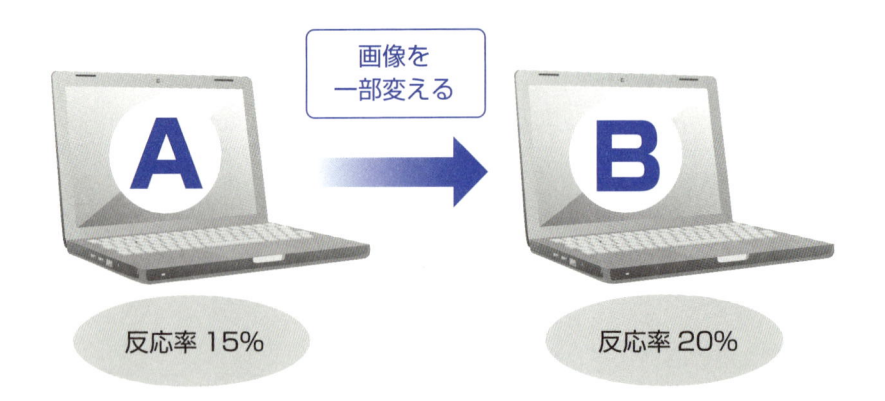

画像を一部変える

A　反応率 15%　→　B　反応率 20%

▲ 反応率が高い方を選ぶことで、高い成果が望めます。

セル全開で驀進しているようなものなのです。スプリットランテストでは、

- 何アクセスで売れたか？
- 既定のアクセス数に達するまでの時間
- 質問の数
- 検索されたキーワード

などをキッチリ記録しておきます。記録したデータを分析することにより、その商品が売れるかどうかの予想を立てることができます。

スプリットランテストは販売ページだけではなく、インターネット広告、メールマガジンなど幅広いマーケティングのテストやデータ収集に使われます。これは、販売に対する費用対効果を高めるためにスプリットランテストが向いているからです。効果が高い要素を残して、もっと効果があると思われる画像や文章を加えて、検証を繰り返していくことで検証効果の精度が上がっていきます。方法としては、100アクセスでどのくらい反応があったかどうかを調べたり、ランダムに選んだ100人にメールマガジンを送って反応率を調べる方法が一般的です。マメにデータを収集し、更新と修正を繰り返す必要があるので手間はかかりますが、低コストで非常に高い成果が狙える方法です。ネット物販でも、この方法は非常に有効ですので億劫がらずに実践しましょう。特に、反応率が悪いときは投げやりになってしまいがちですが、我慢してスプリットランテストを繰り返せば、必ずよい反応が出る販売ページを作ることができます。

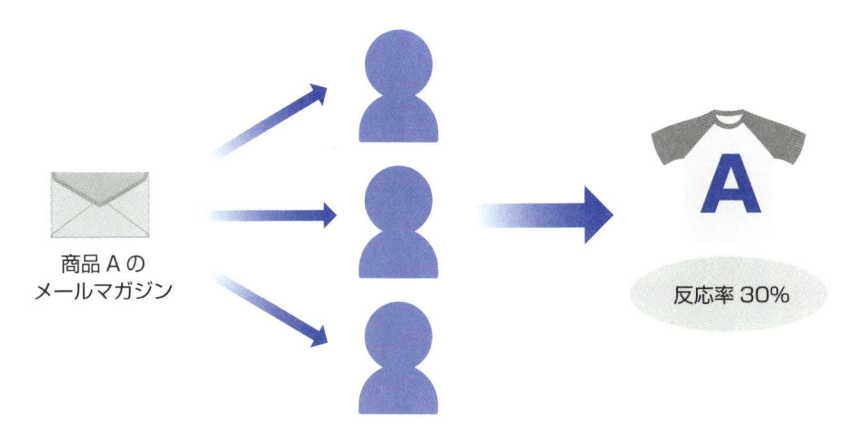

メールマガジンを送るなどの方法でスプリットランテストを行い、反応率を調べます。

Section 70

第 3 章｜輸入した商品を国内向けに販売する

悪い評価を消してもらう方法
～Amazonマーケットプレイス編

| 基本 | 準備 | 輸入仕入れ | **輸入販売** | 輸出仕入れ | 輸出販売 |

Amazonへ削除依頼か、購入者へ問い合わせて確認する

　現在のところAmazonマーケットプレイスの評価は購入者からのみ行えるシステムで、出品者からは評価ができないようになっています。これは出品者としては改善してもらいたいポイントではあります。こちらの落ち度がないのにも関わらず、悪い評価をつけられてしまった場合、評価の変更をしてもらうようにしましょう。評価の変更、削除の方法には2通りあります。

- ・Amazonに連絡して削除をお願いする
- ・購入者に連絡して評価の変更、削除をお願いする

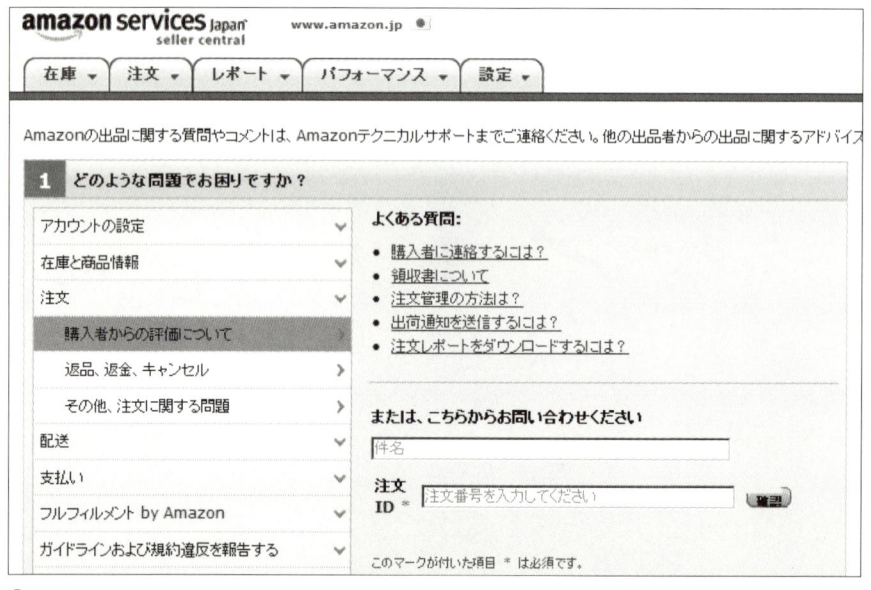

● 理不尽な評価をつけられた場合、カスタマーセンターに連絡して対応してもらいましょう。

Amazon に削除してもらえる可能性があれば Amazon に直接連絡して、対応を待ちます。それが無理なら購入者に直接、連絡します。特に、

- 個人情報を書かれた
- 商品のレビューを書かれた
- 商品の内容、性能について書かれた

などに該当する場合は、Amazon の方で評価を消してくれますので連絡を入れましょう。

あまり神経質になることはないですが、販売するにあたり、平均評価が高いに越したことはありません。Amazon マーケットプレイスの場合、パーセンテージ評価になります。最高で100%、5段階評価（評価件数をパーセンテージ化して表示）で「3」をつけられると評価はマイナスになり、全体の評価が下がります。大きな問題もなく、商品が届いたにも関わらず、悪い評価、普通の評価をつけられてしまった場合、まずはなぜ、悪い評価なのかを相手に問い合わせましょう。中にはいたずら的に悪い評価をつけるような購入者もいます。もし、本当に不良品などを発送してしまった場合やこちらの落ち度があった場合、交換や返金など改善策があるようでしたら、改善後に評価の変更をしてもらう約束を相手として、それから動くようにしましょう。

その場合は Amazon にログインして、販売履歴から相手を探し、メールで紳士的にアプローチして変更を求めます。紳士的にきちんと対応すれば評価を変えてくれる人もいますが、まったくもって無反応な人もいます……。あまり時間と体力は使いたくないですからある程度、諦めも必要です。その場合、評価に対する返答は1回だけ書き込めますので、誠心誠意の返答コメントを書き残しましょう。なお、評価、返答コメントはすべての人が見ることができますので、きちんとしたコメントを入れておくと、後から購入する方への信頼感アップにも繋がります。悪い評価を変えてもらえなかったときに書き込む返答コメントこそ、本当の信頼を得るチャンスなので手は抜けません。喧嘩腰にならずに、紳士的なコメントを残すように心がけましょう。Amazon マーケットプレイスの評価は95%以上が理想的ですが、90%台であれば商品は売れますのでご安心を！

| 3 | 良かった 出品者からの返信：お届け時間も早く、取引や商品にも落ち度がなかったにも関わらず評価が3というのはとても残念です。ありがとうございました。 返信を削除する | はい | はい | はい |

● 評価は消してもらえなくても、返信コメントは入れておきましょう。出品者への信頼に繋がります。

Section 71　　　　　　　　　　　　第3章｜輸入した商品を国内向けに販売する

悪い評価を消してもらう方法
～ネットオークション編

| 基本 | 準備 | 輸入仕入れ | **輸入販売** | 輸出仕入れ | 輸出販売 |

落札者に悪い評価の理由を伺い、改善後に変更してもらう

　ヤフオク！、楽天オークション、モバオクなどのネットオークションは基本的に相互評価式になっています。評価は強制ではないですが、どちらかが評価したら、評価を返すといった流れが一般的になっています。取引が終了したら、一番よい評価とコメントを残すのが一般的なしきたりとなっていますが、特に初心者、新規の方はそういったオークションの常識がまったくなく、オークションでの取引に大きな問題もなく、商品がきちんと届いたにも関わらず、いきなり「普通」などと厳しい評価をつける方もいたりします。評価に対して返答もできるので、あまり神経質になることはないのですが、よい評価が多いに越したことはありません。いきなり悪い評価をつけられた場合、まずは**なぜ悪い評価なのか、相手に問い合わせましょう**。間違えて悪い評価をつけてしまい操作方法がわからず、評価を変えたいのはヤマヤマだがどうしていいのかわからないという方も過去にいらっしゃいました（こういうのは悪気がなかったとしても困りますね……）。中にはいたずら半分で悪い評価をつけるような落札者、購入者もいるので、改善策があるようでしたらどこが悪かったかをいってもらい、**改善後に評価の変更をしてもらう約束を相手として、改善するようにしましょう**（ただし一定期間が経過した取引については評価変更ができません）。

　また稀にですが、理不尽なことをいい出す輩もいたりしますので、必要以上に時間

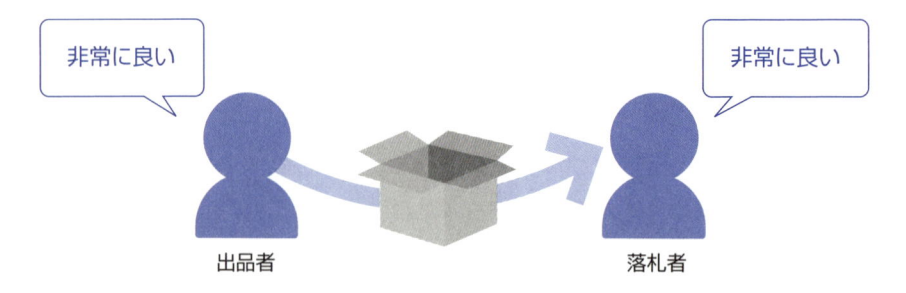

> 非常に良い　　　　　　　　　　　　　非常に良い
>
> 出品者　　　　　　　　　落札者

● 余程のことがない限り、基本的には「非常に良い」の評価をつけるものです。

と体力は使いたくないですからある程度、諦めも必要です。運悪く交通事故にあったと思うしかありません。評価を変えてもらえない場合、自分の意見、主張を返答欄に入れておくと第三者が見た場合、どちらに否があるかわかるので必ず入れましょう。評価は誰でも見ることができるので、こうした返答こそ、後から購入する方への信頼に繋がります。紳士的で誠心誠意のコメントを残すように努めましょう。悪い評価をいつまでも気にしているよりも販売数を増やして、総合的に高い評価を目指していきましょう。例えば、

```
非常に良い      10件    悪い    1件
非常に良い     100件    悪い    1件
非常に良い   1,000件    悪い    1件
```

このようによい評価が増えれば、1件くらい悪い評価をつけられたとしてもさほど悪い印象は受けないはずです。ちなみに評価やコメントに関しては基本的にノータッチというオークション運営サイトが多いですが、個人情報を書かれてしまったり、明らかに人を侮辱するようなコメントを書き込まれたときは、運営サイト側が対応してくれる場合もあります。泣き寝入りして諦めないで、問い合わせてみましょう。

　また、中にはたくさん取引していると「評価はして欲しくない」「評価はいらない」という方もいます。評価をつけるとその評価と購入商品がWeb上に残るのでそれを気にしているのかもしれません。特にコンプレックス系商品やアダルト系商品を購入される方に評価不要の方が多いので、間違えて評価をつけてしまわないように気をつけましょう。

今までの総合評価

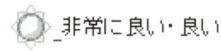

　非常に良い・良い　　　　　非常に悪い・悪い
　7150 詳細　　－　　5 詳細　　＝　7145

- 7150人〈7303件〉の「非常に良い・良い」という評価を得ています。
- 9人〈9件〉の「どちらでもない」という評価を得ています。
- 5人〈5件〉の「非常に悪い・悪い」という評価を得ています。

● 評価数が多ければ多いほど、悪い評価をされた場合にさほど悪印象を受けることがなくなります。

Section 72 販売するシーズンについて

第 3 章｜輸入した商品を国内向けに販売する

| 基本 | 準備 | 輸入仕入れ | **輸入販売** | 輸出仕入れ | 輸出販売 |

シーズンの 2 か月前には商品の販売準備をしておく

　季節商品の販売は本格的シーズンに入る 2 か月前には Web 上にアップ済みで、いつでも販売できる状態にしておくのが理想的です。例えば、バレインタインデーのプレゼントなら 1 月、夏の海や川のレジャーグッズ、サングラス、水着なら 6 月、秋のアウトドアグッズなら 8 月、ハロウィングッズなら 9 月、クリスマスグッズ、ギフト商品の場合、11 月くらいから前倒しで準備しておくイメージです。

　また定番商品であれば、来年も同じように売れる可能性が高いので、もし売れ切れなくても、品切れになるくらいなら多少、在庫として残っても来年売ればよいという考えで仕入れも強気にできます。特に 12 月は 1 年のうち、一番商品が売れるシーズンなので、売れ筋商品が在庫切れにならないように気をつけましょう。逆に水着や洋服のような流行りものなど、どう考えても来年は売れそうもないトレンディな商品はシーズン終了前に全部売り切るようにしましょう。こういった商品を販売する場合、100％利益展開に持ち込むことは稀ですので、1 円でも多く現金化するという考えが必要です。モバオクですと特商法を開示すれば、たった月額 315 円払えば 1,000 品まで出品可能ですので売れる、売れないは別として出品商品のデータの保存として出品しっ放しにしておくのもよいかと思います。季節外れでもとりあえず出品さえして

● クリスマス用品なら 10 月くらいから仕込んでおくべきです！

おけば、誰かが買ってくれる可能性がありますし、出品していなければ売れる可能性はゼロなのです。Amazonマーケットプレイスで出店型出品者やプロマーチャント出品の場合、月額の経費こそ発生しますが、出品手数料などは売れるまでかかりません。

　ネットショップ、ショッピングモールでの販売の場合、在庫がなくても予約販売が可能ですので、仕入れる前に予約を取ってしまえば、かなりのリスクヘッジになります。例えば、おせちの事前予約販売や高級車の販売は注文が入ってから商品を手配するわけですが、それに対して誰も文句はいわないですよね？　インターネット販売でもこの手法が使えます。実際、注文を受ける時点では在庫がないわけですから、信頼を得るためにも納期やキャンセルについてを販売ページに明記しておくとよいでしょう。しかし、ヤフオク！（個人ID）やモバオクで無在庫販売をすると規約違反になり、退会処分やアカウント停止の処置を取られる場合がありますので注意してください。

　販売する商品にもよりますが、一般的に2月は、お正月にお金をたくさん使ってしまい、その皺寄せで財布の紐が堅くなってしまうことで売り上げが伸び悩み、8月は、海外旅行などにお金を使う人が多くなることで売り上げが伸び悩むといわれています。その時期はバタバタしてもあまり意味がないので、商品の仕入れや出品商品ページのブラッシュアップに時間を使います。会社員のボーナスが支給される7月と12月は勝負の月となっていますので、全身全霊で挑んでいます。

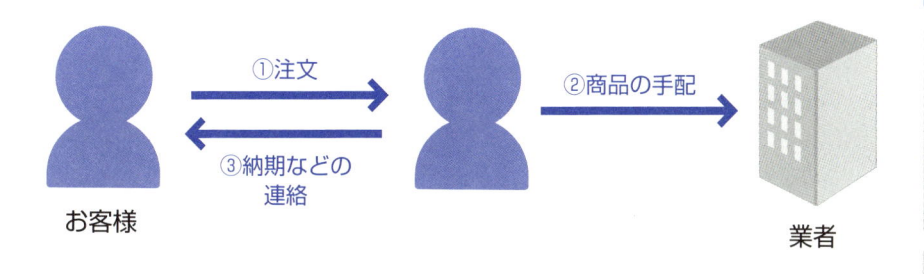

🔺 商品によっては在庫がなくても予約販売が可能ですし、実はこの手法は一般的な販売方法です。

Section 73

商品の梱包方法

| 基本 | 準備 | 輸入仕入れ | 輸入販売 | 輸出仕入れ | 輸出販売 |

卓上シーラー、印字封筒を使って梱包の効率化

　初心者の方にとっては、梱包も1つの悩みどころです。ショップのように綺麗に梱包しないといけないのでは？　と思っている方も多いかもしれませんが、そこまで完璧にやらなくても問題ありません。一般の人がショップのように綺麗な梱包をするのは無理がありますし、少量を綺麗に梱包するとコスト面でもかなり高くなってしまうものです。梱包の考え方としては、**輸送中に壊れずに、受け取った人が嫌な気分にならなければ問題ない**といえるでしょう。発送数が増えてくると、商品の梱包にもかなり時間がかかってきますので、なるべく手早く終わらせたいものです。そこで、**スピードアップの秘密兵器である卓上シーラーをお薦めします**。ビニール袋や一般的にプチプチと呼ばれる気泡緩衝材などを熱で密封するタイプのシーラーです。大切な商品の梱包シーンで活躍します。密着させる時間もダイヤル調整で微調整できますので、幅広い梱包材に対応できます。価格もお手頃で1台数千円です。ちなみに画像のシーラーは、私がヤフオク！で購入したものです。「卓上式シーラー」でインターネット検索するとたくさんヒットするはずです。

　ちょっとした小技となりますが、気泡緩衝材はツルツルの面が内側にくるようにすると、商品を入れるのが楽になり、梱包するスピードも上がります。袋状にした気泡緩衝材の中に商品を入れて、口を閉じれば終了です。テープでベタベタ張るよりも綺麗でプロっぽい仕上がりになりますし、テープで梱包するのと比べ、シーラーは熱でシーリングするのでテープ

🔻シーラーを使うと梱包のスピードも上がり、プロっぽい仕上がりになります。

代も節約できます。

　気泡緩衝材などの他に封筒や箱などが必要な場合もありますが、オークションの場合、さほど汚なくなければ、中古品でも構いません。先ほども書きましたが輸送中に壊れずに、受け取った方が不愉快な気分にならない梱包をすれば問題ないのです。Amazonマーケットプレイスの場合は規約上、新品の封筒、梱包材を使うことが前提となっています。こちらはAmazonの規約で決まっているので、従いましょう。

　よく使う大きさの封筒は、印刷屋さんで発送元の住所などを印刷してもらうと効率化に繋がります。最近では小ロットで印刷してくれる印刷屋さんも増えていますので、探してみるとよいでしょう。オークションの再出品ツールなどを導入するのと同様で、卓上シーラー、印字封筒を始め、こういった便利なツールも積極的に導入していくのが効率化の鍵です。

● Amazonマーケットプレイスで販売した商品は、新品の梱包材を使うことが規約で決まっています。

参照 URL
http://www.amazon.co.jp/gp/help/customer/display.html?nodeId=200414880

Section 73　商品の梱包方法

Section 74　第3章｜輸入した商品を国内向けに販売する

アイテム別の賢い発送方法

| 基本 | 準備 | 輸入仕入れ | 輸入販売 | 輸出仕入れ | 輸出販売 |

お客様のニーズに合った送り方を選ぶ

　本来であれば、商品を発送する際に送料利益も狙い、ダブルゲインで稼ぎたいところです（Sec.75参照）。しかし実際にはネットオークションなどで小さな商品を販売していると「メール便対応ですか？」「定型外発送可能ですか？」という問い合わせがたくさんきます。小さい商品はメール便や定型外発送で送ると送料が安く押さえられるので、お客様に喜ばれ、購入率も上がりますが、万が一のときの補償がないのがネックです。しかし、**インターネットでの販売において、送料がいくらになるかということをユーザーは特に気にします**。Amazonが数年前にすべての商品の送料無料（マーケットプレイス、一部を除く）に踏み切ったことが、いかにユーザーに送料面での安心感を与え、顧客を獲得したかを考えるとわかると思います。

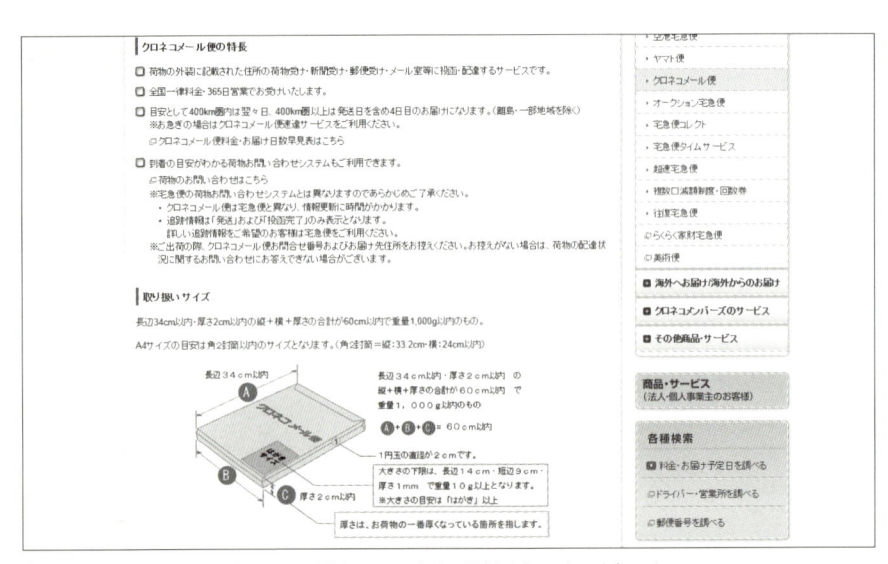

●クロネコメール便は大きさ制限があり補償もないですが、送料が安いことで人気です。

参照URL
http://www.kuronekoyamato.co.jp/mail/mail.html

メール便や定型外発送は、送り先の住所が間違ってさえいなければ、ほぼ問題なく商品は到着するので、あまり心配する必要はないのですが、補償がないということで、比較的単価の安い商品向きの発送方法といえるでしょう。効力はあまりないですが、万が一に備えるという意味合いで念のため、補償がない旨のお断りの一文を発送の前に送っておくとよいでしょう。

　日本郵便のレターパックというサービスも、よく使われる発送方法の１つです。レターパックも補償こそないですが、荷物のお問い合わせ番号があるのでお薦めの発送方法です。住所さえ間違えていなければ、ほぼ到着します。金券ショップやオークションなどで安く買えるときにまとめ買いするとお得です。

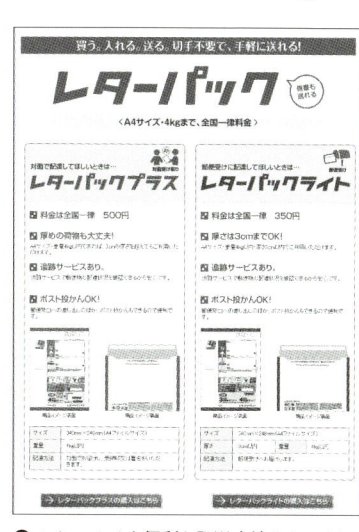

　レターパック以上の大きさになると宅急便かゆうパックを利用することになります。共に正規料金と業者用の料金があるので、もっとも条件のよい業者と契約することで、送料が一般料金より安くなります。目安としては商談のときに、月に100件以上を安定して超えるといえば、なかなかよい金額を提示してくれるかと思います（エリアにもよります）。

　商品の大きさが170センチを超える大きい荷物はこれらの方法では送れないので、

● レターパックも便利な発送方法の1つです。

参照 URL
http://www.post.japanpost.jp/lpo/letterpack/index.html

・ヤマト運輸のヤマト便
　参照 URL
　http://www.kuronekoyamato.co.jp/yamatobin/yamatobin.html

・ヤマト運輸のらくらく家財宅急便
　参照 URL
　http://move.008008.jp/kazai/

などのサービスを使うことになりますが、私自身は、商品が大きいと保管も結構大変ですから、面倒なのであまり大きな商品は扱わないようにしています。しかし、逆に土地が余っているという方は、大きめの商品を扱うとライバルが少なく稼ぎやすいといえるでしょう。

Section 74　アイテム別の賢い発送方法

Section 75　第3章｜輸入した商品を国内向けに販売する

ただ発送するだけで儲かる方法とは？

| 基本 | 準備 | 輸入仕入れ | **輸入販売** | 輸出仕入れ | 輸出販売 |

送料利益も立派な利益

　発送するだけで儲かるなんていう魔法のような稼ぎ方もあるんです。実は、この方法で利益を大幅に上げている通販会社は非常に多いです。この方法を実践する場合、**運送会社と事前に業者価格で取引できるように商談して契約を結び、商品1つ当たりの発送単価を下げておく準備が必要**です。私の会社の場合は、1つ当たり300円台から60サイズの宅急便が発送できますので、自社サイトで販売する場合、お客様から送料として1,000円いただければ、1つ当たり600円程の送料利益が生まれます。600円の利益を生む商品だって貴重な存在ですから、これは非常にパワフルな儲け方です。

　例として、わかりやすく月間出荷数500件という前提で話を進めます。私は副業のときでも月間100件は発送していました。出荷件数が多いので、一般の方と同じ送料ではありません。運送業者名は伏せておきますが、おなじみの業者を利用しています。売れた商品を発送すると1つ当たり宅急便350円からと、一般価格よりかなり安いです。交渉に交渉を重ね、この金額になりました。

　オークションで落札された商品を宅急便で発送する場合、大きさにかかわらず840円（沖縄1470円・北海道は925円）いただいています。一般価格ですと840

商品1つあたりの送料差額490円、月間500件発送した場合

490円 × 500件 = 245,000円

送料差額（1つあたり）　　発送数（月間）　　利益

▲ 発送するだけで儲かって、お客様も損をしないリーズナブルな送料という素晴らしい仕組みです。

円で発送できるのは一番近いエリアで60サイズ（一番小さい荷物）のみになります。ゆうパックなどでも同一エリア内、60サイズで最低金額620円かかりますし、エリアや大きさによって、通常1,000円以上になる場合も多々ありますので、お客様に良心的な価格だと喜ばれています。大きさに融通が効くので破損がなく、クレームがこないように完璧な梱包をするよう気を使っています。当然だと思いますが、お金をいただく以上、最大の敬意を払います。つまり大雑把に1個当たり840円－350円＝490円の利益が出るとしたら、月間500件発送した場合には、月々490円×500件＝245,000円の送料利益が出ます。もし1,000件になれば、約49万円の利益です。もし10,000件を超えたら凄い数字になりますが、そこまでの件数になるととても一人では発送が不可能です。発送する方も発送するだけで儲かって、お客様も損をしないリーズナブルな送料、そして配送業者も荷物が増えて儲かるという、まさにWIN-WINな関係といえるのではないでしょうか。

　実は一般の方にはあまり知られていませんが、この方法は通信販売を行っている多数の業者が使っている方法です。大量発送をする業者が一般価格というわけはないですから、当然この方法を利用しています。しかし、個人で毎回、コンビニから発送しているといつまでも「定価」のままです。副業の方でも月200～300件くらい発送している方もいると思いますので、是非、発送業者に見積もりを出してもらってみてください。ちなみに郵便局（日本郵便）でも月々の発送件数が増えれば、割引が適用されます。もちろん個人でも可能です。コンスタントに大量発送する方は一度、窓口で聞いてみてください。そして送料と商品のダブルで利益が出る醍醐味を味わってください。

東　海	信　越	関　東	関　東
岐阜県 静岡県 愛知県 三重県	新潟県 長野県	東京都	埼玉県 千葉県 神奈川県
350 480 600	350 480 600	350 480 600	350 480 600

▲ ある業者の見積書です。通常価格よりも圧倒的に安いのがわかるはずです。

特定商取引法に従い、女性が安全に物販をするときの注意点

| 基本 | 準備 | 輸入仕入れ | 輸入販売 | 輸出仕入れ | 輸出販売 |

レンタルオフィスを利用して安全管理、セキュリティ対策を

　日本の法律上、インターネットで商品を販売する場合、「特定商取引に関する法律」第11条（通信販売についての広告）に基づき販売業者名やその所在地、責任者名、電話番号などを明示しなくてはいけません。ネットオークションでの基準は、以下のようになっています。

> 1. 過去1ヶ月に200点以上又は一時点において100点以上の商品を新規出品している場合
>   但し、トレーディングカード、フィギュア、中古音楽CD、アイドル写真等、趣味の収集物を処分・交換する目的で出品する場合は、この限りではない。
> 2. 落札額の合計が過去1ヶ月に100万円以上である場合
>   但し、自動車、絵画、骨董品、ピアノ等の高額商品であって1点で100万円を超えるものについては、同時に出品している他の物品の種類や数等の出品態様等を併せて総合的に判断される。
> 3. 落札額の合計が過去1年間に1,000万円以上である場合

参照URL
http://www.itoh.fullstage.biz/webbusiness/topics/060.html
（井藤行政書士事務所 Web サイトより引用）

インターネット・オークションにおける「販売業者」に係るガイドライン(経済産業省より)
参照URL
http://www.meti.go.jp/policy/economy/consumer/consumer/tokutei/pdf/auctionguideline.pdf

　ここに記載されている最低ラインである項目「100点以上の商品を出品する」などは、本気でやっていたらすぐにボーダーラインを越えてしまう数です。しかし、女性が自宅や事務所の住所をネットで公開するのはリスクがありますし、自宅住所をインターネット上や名刺に書きたくないという方も多いでしょう。自宅を営業所にしている場合、トラブルが発生したら、取引相手が自宅までくる可能性がないとはいえません。そういうことを気にしないで、思い切り仕事に集中したいものです。そんなときは**住所をレンタルできるバーチャルオフィス、レンタルオフィスといったサービスを利用する方法**がお薦めです。住所の利用・レンタルだけではなくDMの発送元、

郵便物の受取、保管、転送などにも対応してくれます。オフィスを借りるコストを押さえたい場合や、銀座・青山といった洒落た場所の住所を使いたい、まずは東京事務所の住所だけ欲しいといった場合は便利です。実際はそこが事務所として機能していなくても、立地のいい住所で登記できるという点もポイントが高いです。ミーティングルームなどを併設している施設もあり、打ち合わせ、面談、面接、少人数のミーティングなどにも利用できたりするサービスもあります。バーチャルオフィスだけではなく、秘書代行、電話転送、電話代行サービスをオプションで使うこともできるので、安全管理、セキュリティ対策にも最適です。

以下にバーチャルオフィス、レンタルオフィスを選ぶポイントを挙げてみました。

- 倒産の可能性がないような経営母体のしっかりした会社が運営している
- サービス内容（電話代行、秘書代行など）を実際に使っている方に評判を聞く
- 自分の受けたいサービスがあるか、またいくらで利用できるかを調べる
- 利用期間を決める

もし、レンタルオフィスを変更する場合、変更登記の登録免許税だけでも数万円はかかりますし、名刺・封筒など印刷物の作り直し、新しい事務所の移転費用などがかかります。慌てて飛びつかずに、自分に合ったサービスをしっかりと選ぶことが重要です。上手に利用すれば非常に便利なサービスですし、何より法律上、営業するのに問題なく、月数千円から利用できるというのが嬉しいですね。

【特定商取引法に基づく表記】（例）

販売会社	株式会社チョウジッセンバイブル
運営統括責任者名	技評太郎
郵便番号	000-0000
住所	東京都宿区市谷左内町 00-00
商品代金以外の商品説明	送料代引手数料
申し込み有効期限	10日以内
不良品	商品到着日より8日以内にご連絡ください。良品との交換のお手続きをさせていただきます。

販売数量	1個から
引渡し時期	入金確認後
お支払い方法	代金引換、銀行振込
お支払い期限	10日以内
屋号またはサービス名	いいねセレクトショップ
電話番号	03-0000-0000
公開メールアドレス	xxx@xxx.com
ホームページアドレス	xxx.xx.jp

Section 77　第3章 輸入した商品を国内向けに販売する

クレーマーの対処方法

| 基本 | 準備 | 輸入仕入れ | **輸入販売** | 輸出仕入れ | 輸出販売 |

滅多に発生しないが、誠心誠意に対応すれば問題なし

　インターネット販売はお客様と直接顔を合わさない取り引きだといっても、やはりお客様商売であることに変わりはありません。取引や商品に問題があり、しつこくクレームをつけてくるクレーマーに遭遇する場合もあると思います。「今は問題ない。大丈夫」という方でも、いつかはクレーマーに遭遇する日がくるという覚悟をしておいた方がよいでしょう。しかし、対策法を知っていれば、必要以上に怖がらなくても大丈夫です。基本的な対策は以下の通りです。

・現在の状況を確実に知る
・問題を後回し、たらい回しにしない
・誠実に相手の心を理解する
・相手を思いやる心を持つ
・必ず敬語で対応する

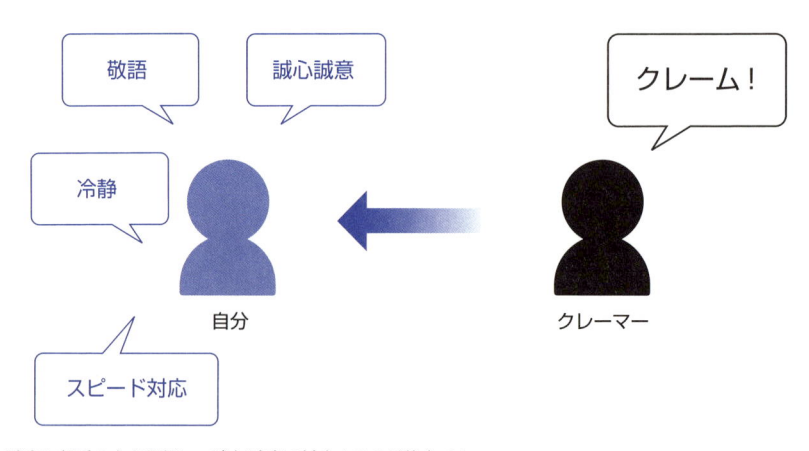

敬語　誠心誠意　　　　クレーム！

冷静

スピード対応

自分　　　　クレーマー

● 誠実に相手の心を理解し、誠心誠意で対応するのが基本です。

メールでも電話でもそうですが、これらのことは外さないようにして、きちんと対応しましょう。罵倒されて、つい逆上してしまうことだけは絶対に避けるように気をつけましょう。インターネットでの販売でクレームが発生したとき、ほとんどの場合は**誠心誠意で対応し、お支払いいただいた代金（商品代金や送料）を返金すれば鎮火できます**。商品が低額の場合は、返金＋返送不要という条件を提示する方法も効果があります。高額商品の場合、運送会社の引き取り便で商品を回収してもらうと、着払いでの返送よりもコストが安く収まる場合が多いです。お客様の好きな発送方法での着払いで返送してもらうという手段もありますが、お客様自身が宅配便の営業所に持って行ったり、伝票を書いたりする手間も発生しますので、引き取り便で返送手続きをした方が賢いやり方といえるでしょう。返送された商品を受け取った場合やこちらから返金した際には、メールか電話で連絡を入れると、さらに誠意が伝わるはずです。

　稀に理不尽なことを求められる場合もありますが、きちんと誠意を見せて、商品代金と送料を返金すれば、それ以上は対応しなくてよいですし、対応する義務もありません。できることをすればよいだけの話です。警察に行くとか裁判するとかいい出すケースも稀にあるかもしれませんが、ほとんどの場合が、はったりの脅しと見てよいでしょう。実際に本当に裁判をするのであれば当然、お互いに弁護士費用もかかりますし、準備にもかなりの時間がかかります。経費面を考えても数千円〜数万円の商品の取引で裁判を起こすとなると費用がかかり過ぎて、本末転倒になってしまいます。しかし、だからといって安心というわけではないですが、もし、本当に警察や弁護士から連絡がきたら、そのときはそのときできちんとした対応をすればよいだけです。そのような場合になったとしても、紳士的な態度は最後まで貫いてください。

　ちなみに、クレーマーの発生率はすべての取引件数のうち、ほんの数パーセントというデータがありますが、私の経験則では新品商品を100件取引して1〜2件という感じです。かなり低いので、さほど心配する必要はありません。

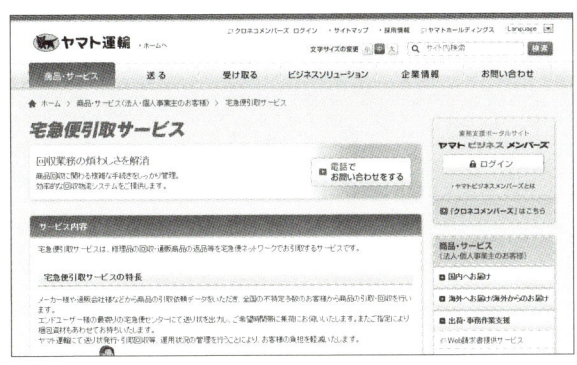

● ヤマト運輸などが引き取り便のサービスを行なっています。

参照URL
http://www.kuronekoyamato.co.jp/hikitori/hikitori.html

Section 77　クレーマーの対処方法

Section 78　第3章｜輸入した商品を国内向けに販売する

個人情報の取り扱いは厳重に管理しよう

| 基本 | 準備 | 輸入仕入れ | 輸入販売 | 輸出仕入れ | 輸出販売 |

メルマガ配信は必ず個人情報保護法に基づいて行うこと

まず始めに個人情報とは一体何なのか、Wikipediaで見てみましょう。

個人情報（Wikipediaから引用）

個人情報には

- 氏名
- 性別
- 生年月日
- 住所
- 住民票コード
- 携帯電話の番号
- 勤務場所
- 職業
- 年収
- 家族構成
- 写真
- 指紋、静脈パターン、虹彩、DNAの塩基配列などの生体情報
- コンピュータのIPアドレス・リモートホスト

などの情報で、かつ個人を特定できる場合に該当する。

参照URL
http://ja.wikipedia.org/wiki/個人情報

　Amazonマーケットプレイス、ヤフオク！、楽天オークション、モバオクなどで取得した個人情報（メールアドレス、住所、電話番号など）を取引以外で利用することは禁じられています。もし、こういった個人情報の不正利用が発覚した場合は、ID削除、強制退会になります。特に最近は、この辺りの規約に対しての処罰が厳しくなってきています。商売ですからセカンドオファー、アップセルをしたい気持ちはあると思うのですが、規約によりできないのです。プラットフォームを使って販売している以上、こういった制約がありますから、もっと大きく稼ぎたい場合は、違う販路を持つ必要があります。自社のネットショップ、ヤフオク！ストア、Yahoo!ショッピング、楽天市場などは購入後のメールでのオファーも可能ですので、Amazonマーケットプレイスなどのプラットフォームだけに頼らず、独自の販路、ショッピングモール内のショップを持つことが重要になります。正直にいうと、一度、購入してくれたお客様にオファーできないことは、非常にもったいないのです。財布を開いてくれる可能性

が一番高いお客様なのですから、Amazon マーケットプレイスなどで販売しながら、個別にオファーできる方法を並行展開して販売するのが賢い方法です。ですので、**ネットオークションや Amazon マーケットプレイスはあくまでも販路の１つと考え、別の方法で顧客リストを集めて、個人情報保護法に基づき、販売のオファーをしていく必要があります**。また、インターネットを利用した販売の場合、メルマガでの販促が主になるかと思いますが、まずはじめにメルマガ配信の許可を得た方だけに配信するのが大前提になります。ワンクリック解除、解除フォームの設置なども、メルマガを配信する際には必須となります。

個人情報保護法（抜粋）

・第 15 条
個人情報取扱事業者は、個人情報を取り扱うに当たっては、その利用の目的（以下「利用目的」という。）をできる限り特定しなければならない。

・第 16 条
個人情報取扱事業者は、あらかじめ本人の同意を得ないで、前条の規定により特定された利用目的の達成に必要な範囲を超えて、個人情報を取り扱ってはならない。

原文（個人情報の保護に関する法律｜消費者庁）
参照 URL
http://www.caa.go.jp/seikatsu/kojin/houritsu/index.html

その他、「個人情報の保護」について（消費者庁より）
参照 URL
http://www.caa.go.jp/seikatsu/kojin/index.html

ネットオークション、Amazon マーケットプレイスなど

購入者

取引以外で利用するのは規約で禁じられています。

ヤフオク！ストア、楽天市場など

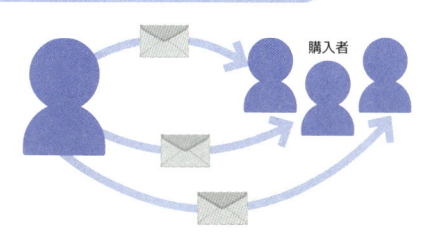

購入者

個人情報保護法に基づいて販売のオファーが可能です。

Section 78　個人情報の取り扱いは厳重に管理しよう

Section 79　第3章｜輸入した商品を国内向けに販売する

あらかじめ知っておきたい！
よくある失敗事例

| 基本 | 準備 | 輸入仕入れ | 輸入販売 | 輸出仕入れ | 輸出販売 |

大惨事が起きないよう事前に把握しておく

ここでは誰もが思わずやってしまう失敗例を挙げて、その原因などを解説します。

● 輸送中に壊れてしまった

「形あるものはいつか壊れる」といいますが、海外から遥々、海を渡って日本までやってくるのですから、あらかじめ、輸送中の衝撃にも耐えられる商品を選ぶのがコツです。他のSectionでも書いておりますが、PayPalバイヤーズプロテクション補償、Amazonマーケットプレイス保証も適応される場合がありますが、正直、手続きが面倒ですので、壊れないで届く方がどれだけ幸せだか……。

● 湿気で書籍がヨレヨレに

急激な気圧変化や船便独特の湿気や水気により、書籍などの商品がヨレヨレになってしまうケースも結構あります。

● 偽物だった

こういった商品は知的財産侵害物品に当たる場合があります。知らなかったでは済みません！

▲ 飛行機の気圧の変化により、書籍がヨレヨレになることもあります。

▲ 偽物を仕入れたくて仕入れるという人はいません。やましい心は捨てましょう。

174

● 日本と電圧や仕様が違っていた

わかりやすい例を挙げると、海外の DVD と日本の DVD はリージョンコードが違います。

> **リージョン コードと地域（Wikipedia から引用）**
>
> ALL(0). どのリージョンにおいても利用可能で、実際には下記の 1 ～ 8 すべてが許可された設定を指す。リージョンを表す正規のロゴは「ALL」で、「0」は DVD 規格上のものではなく便宜上一般的に呼ばれているものである。
> 1. バミューダ諸島、カナダ、アメリカ合衆国 およびその保護下にある地域
> 2. 中東諸国、西ヨーロッパ、中央ヨーロッパ、エジプト、フランス保護領、グリーンランド、日本、レソト、南アフリカ および スワジランド
> 3. 東南アジア、香港、マカオ、韓国 および 台湾
> 4. 中央アメリカ、カリブ海諸国、メキシコ、オセアニア、南アメリカ
> 5. アフリカ、旧ソビエト連邦諸国、インド亜大陸、アフガニスタン、モンゴル、北朝鮮
> 6. 中国本土
> 7. 予備
> 8. 航空機および旅客船などの国際領域での利用など

参照 URL
http://ja.wikipedia.org/wiki/リージョンコード

日本はリージョンコード 2 のエリアなので、アメリカで流通しているリージョンコード 1 の DVD は特別なプレイヤーなどがない場合、再生できません。電圧やプラグの形状も国により違います。

● 頼んだ商品と違う商品が届いた

販売者のミスという場合は連絡を取り、どのように処理するか相談します。いろいろと細かなバリエーションなどがある商品は注文時に本人が間違えている場合もあります。その場合は注文し直すか、そのまま売るかになります。

● 販売の際、薬事法などの資格がないとできない商品だった

薬事法により医薬品、医薬部外品、化粧品及び医療機器は厚生労働大臣の製造販売業、製造業の許可を受けなければ輸入や販売ができません。

参照 URL
http://www.customs.go.jp/tetsuzuki/c-answer/imtsukan/1805_jr.htm （税関より）

他にもありますが、以上が失敗しやすい代表例です。この辺りのポイントを注意して仕入れれば、大きな火傷をしないで済みます。知らないとぞっとするものばかりです。そのための授業料と考えれば、この本はなんて安いんでしょう。

Section 80 | 第3章 輸入した商品を国内向けに販売する

ロングラン販売している商品の撤退時期について

| 基本 | 準備 | 輸入仕入れ | **輸入販売** | 輸出仕入れ | 輸出販売 |

大量在庫は少しでも現金化する

　一生高値で売れ続ける商品などというものはこの世の中に存在しませんが、少しの工夫を施してあげればロングラン販売に持ち込むことは可能です。例えば、同系統の別の商品とセットにして販売するというのは、簡単で効果が出やすいロングラン販売の手法です。しかし、いずれは利益が薄くなるので、いつかは上手なタイミングで撤退しなくてはいけません。特に、近年のAmazonマーケットプレイスでは価格の暴落が激しく、ついこの間まではウハウハ状態で儲かっていた商品が、いきなり利益が全然出なくなってしまったということが多くあります。そういう商品は在庫がなくなったら、その時点で辞めるというのが一番よい撤退方法と時期なのですが、なかなかそういうわけにも行きません。

　大量に在庫がある商品に関しては商品価値がなくなる前に1円でも多く現金化していく必要があります。ネットオークションなどで格安出品して売り切るのも手です。DeNA BtoB marketなどのネット問屋に出店して、量をさばくというのもあります。自社サイトやショッピングモールなどには「卸売り、大量購入可能ですのでお気軽にお問い合わせください！」などと表記をすると問い合わせがくるようになりま

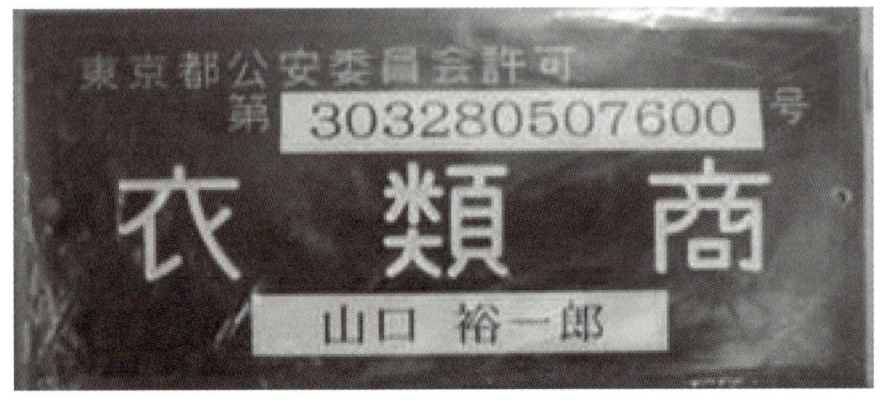

● 古物商は管轄の警察署に申請すれば取得可能です。

す。卸売りの販路を持つと小売だけのときよりも視野が大きく広がります。ただし、ヤフオク！での個人IDなどは基本的には個人対個人の取引のみとなりますので、卸売などの表記をすると規約違反になるので注意してください。

　楽天市場に出店している場合は、楽天スーパーオークションに1円出品をして、利益度外視で顧客リスト収集に使う手もあります。単価の安い商品であれば、思い切って期間限定サービスとして、ある商品を購入した方、あるいは○千円以上お買い上げの方にプレゼントするといった販促商品としても利用できます。古物商を取得して古物市場にて大量に販売するという手もあります。

　こういった大量に商品を流せるルートがあると、いざというときに処分ができますので、思い切った仕入れも可能です。物販をされる方は、こういう販売サイクルや商品寿命もしっかり意識しておかないといけません。面白い売れ方としては、いつまでも売れ残っている商品を「お1人様3点限り」という感じの見出しに変えて販売すると突然、その商品が売れ出すケースがあります。「お1人様3点限り」という上限をつけられると、最大数まで買いたいと思うのは人の性です。販売用のメルマガで「こちらはお1人様3点限りの商品です。この商品に限り3点以上買うことはできませんのでご了承ください。ご理解の程、よろしくお願いします。」といった感じでオファーすると、今まで全然売れなかった商品なのに、ほとんどの方が3点買うことになります。何度も連発できる手法ではないですが、人間の心理を巧みについた販売方法といえるでしょう。

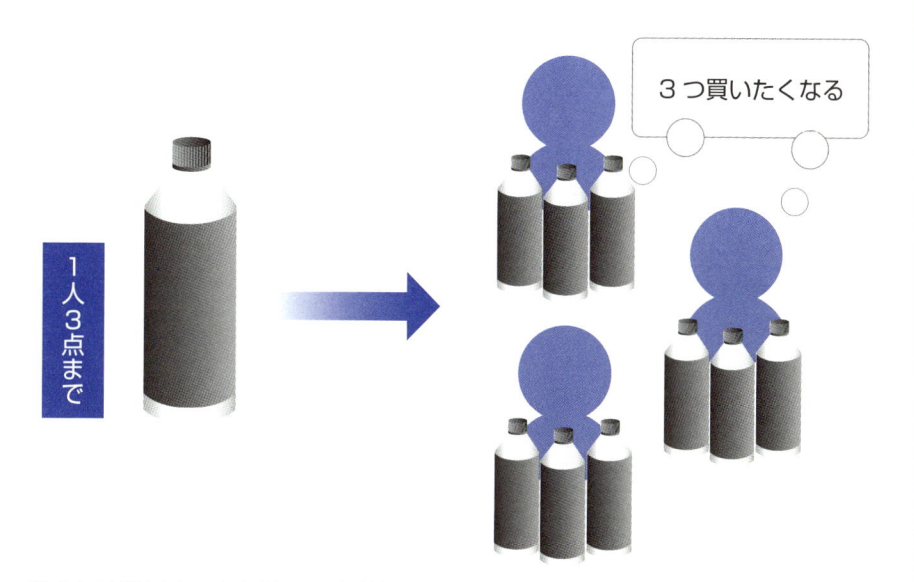

▲ 今まで全然売れなかった商品も、やり方次第で飛ぶように売れます。

Section 80　ロングラン販売している商品の撤退時期について

Section 81 さらに稼ぐための次のSTEP

第 3 章 ｜ 輸入した商品を国内向けに販売する

| 基本 | 準備 | 輸入仕入れ | **輸入販売** | 輸出仕入れ | 輸出販売 |

Amazonやネットオークションでは販売に限界がある

　少量の商品を仕入れてテストマーケティングしながらAmazonマーケットプレイス、ヤフオク！、楽天オークション、モバオクなどで販路を広げて販売していくのは、ある程度のレベルに達した方は皆さん、実践されていると思います。これだけでも本気で取り組めば、月商数百万円レベルになるので、そのくらい稼ぐと安心してしまう方も多いかと思います。人それぞれ目指す目標は違って当然です。実際月に数百万円の売り上げがあり、仮に利益率30％で計算したとしても一般的なサラリーマンより何倍ものお金を手にすることになるでしょう。それだけあれば、普通の生活をしていれば十分に足りますし、いや、もっと贅沢をしても確実にいくらか残るよい生活ができるはずです。

　しかし、この稼ぎ方には2つの致命的な欠点があります。1つ目としては販売するプラットフォームにぶら下がって販売しているだけなので、運営会社が決めた規約には絶対に従わなくてはいけません。最近ではコンバースの並行輸入販売が禁止されました。「何でだよ？」と噛みついても規約で決まった以上、これは1人のユーザが騒ごうがわめこうがどうすることもできません。また、プラットフォームを使っていると、ちょっとした規約違反によるアカウント削除、ID停止処分もかなりあります。

● コンバースのように個人では並行輸入できない規約になったら、それに従うしかありません。

我々は毎月、使用料を払って販売プラットフォームを使わせてもらっている身分ですので、この辺りはどうすることもできません。

2つ目は顧客リストが収集できない（使えない）ことです。ヤフオク！（ヤフオク！ストアを除く）などで販売したお客様のメールアドレスなどの個人情報を利用してオークション以外の取引を行ったり、オファーをかけることも規約違反となります。これをやるとアカウント停止になる可能性大です。楽天オークションなどは、Web上で取引するので相手のメールアドレスさえ表示されません。2回目のオファーができないということはビジネスを行う上で、かなり致命傷ですので、別の販路を利用してリピーターが確保できるビジネスモデルを構築する必要が出てきます。

こういった顧客名簿は江戸時代では大福帳と呼ばれており、現在では顧客リストと呼ばれています。店が火事になったら大福帳を井戸に投げ込んで逃げ、火事が収まったら大福帳を引き上げて、それを元にすぐに仕事を再開したという有名な話があるのですが、まさにその一言に尽きます。ビジネスをかじったり、勉強したことがある方なら一度は聞いたことがあるお話しだと思います。Amazon マーケットプレイスやネットオークションだけの販売に頼っている限り、これができないということは致命的です。顧客リスト、及び見込み客リストを構築するには Sec.58 で紹介した独自のネットショップのほか、ショッピングモールへの出店、無料オファーなどの方法がありますので次ページから1つ1つ解説していきます。

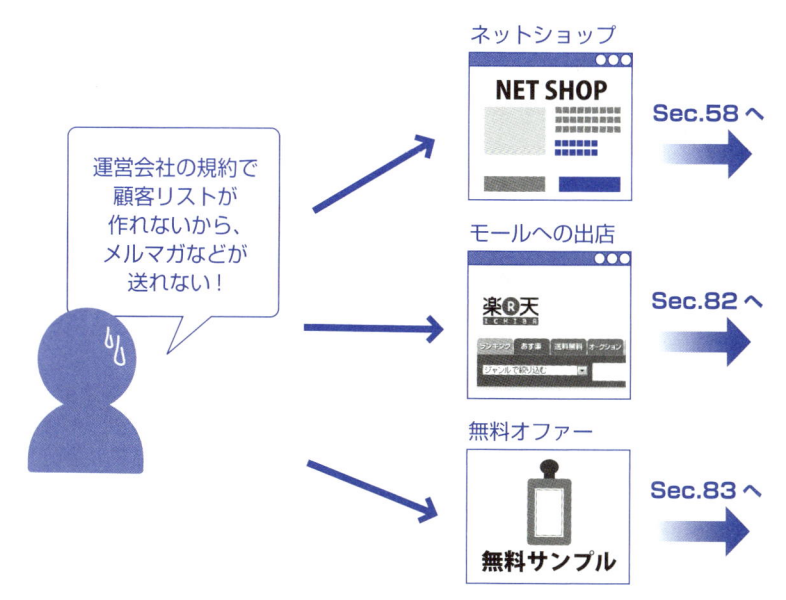

ネットショップ
NET SHOP → Sec.58 へ

モールへの出店
楽天 → Sec.82 へ

無料オファー
無料サンプル → Sec.83 へ

運営会社の規約で顧客リストが作れないから、メルマガなどが送れない！

▲ 運営会社が定めた規約上、取引以外の連絡はできません。

Section 82

第 3 章 | 輸入した商品を国内向けに販売する

ショッピングモールへの出店

| 基本 | 準備 | 輸入仕入れ | **輸入販売** | 輸出仕入れ | 輸出販売 |

国内トップクラスの楽天市場に出店して注力する

　輸入した商品を販売して、さらに稼ぎたいのであればAmazonマーケットプレイス、各種オークションサイトへの出品を続けながら、並行展開で楽天市場に出店しましょう。楽天の発表では2011年1月1日からの流通総額（楽天ブックス含む）が、開設以来初めて1兆円を超えたということです。もちろん、これは通販会社ではトップクラスの実績です。インターネット物販で稼ぎたいのであれば、絶対に無視することはできないショッピングモールです。日本人の楽天使用率は驚くほど高く、ネットユーザーの中で楽天で買い物をしたことがないという方は少ないのではないでしょうか？

　他にも国内主要ショッピングモールがいくつもありますが、まずは楽天市場にだけ出店すれば大丈夫です。私は別に楽天の回し者でもありませんし、肩を持っているとかそういう理由ではありません。楽天市場には改善して欲しい個所もたくさんあるのですが、国内の主要ショッピングモールすべてに出店してみて、実際に肌で感じた感想です。アレコレと手を出す前に、まずは楽天市場に力を入れて、売り上げを上げることが重要だと感じています。

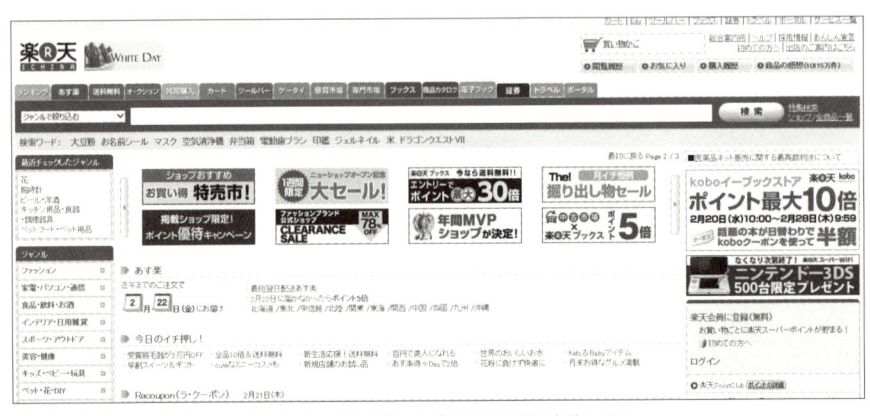

●国内主要ショッピングモールはいくつかありますが、まずは楽天市場を攻略しよう！

楽天は楽天市場という事業に全力に注いでいる会社で、他にまったく関係のない事業がなく、ショッピングモールの運営に集中しています。その反面、他のショッピングモールは他の事業をいろいろと展開しており、肝心なショッピングモールに全力投球していない感じがあります。また、これだけユーザーを抱え、独走状態で走っているのは誰の目からも明らかです。日本国内のインターネット通販事業で大きく稼ぎたいのであればAmazonと楽天、この2大サイトでの販路は確実に押さえておくことが重要です。アドフレックス・コミュニケーションとメディアインタラクティブの調査では、通販を使う人の7～8割が楽天・Amazonジャパンの利用者という調査結果を発表しています。

> 首位のAmazonの訪問者数は2億8200万人で、これは全インターネットユーザー（13億8300万人）の20.4%に当たるという。つまり、インターネットユーザーの5人に1人が同サイトを訪問したことになる。2位は米eBayで2億2400万人（16.2%）、3位は中国のAlibabaの1億5700万人（11.3%）だった。日本の楽天が5位に入っている。
>
> （ITmediaより引用）

参照URL
http://www.itmedia.co.jp/news/articles/1108/18/news025.html

　例えば、楽天市場では他社が出品している同じ商品でも画像、説明文、送料、ポイントなど価格以外の面で差別化しやすいので、価格競争に巻き込まれにくいという利点があり、価格、評価、コンディションだけが勝負のAmazonとは対照的です。楽天市場を少し覗いてみると、年間1億円以上の売り上げを上げている企業が非常に多くあります。そして、今からでもその一角に食い込んでいくことは可能です。いろいろなプランから選択できますが、一番安いスタートプラン「がんばれ！プラン」であれば1年契約で手記登録費用6万円＋毎月19,500円の費用で出店できます。システム使用料として、売り上げに対して3.5～6.5%の手数料が発生します。まずは**集客力抜群の楽天市場に出店して、ここでの売り上げを伸ばすことに集中し、余力があれば、他のショッピングモールに出店していくというのが、国内ショッピングモールを攻略するポイント**です。

● Amazonと楽天、この2大サイトでの販路は確実に押さえておくことが重要です。

Section 83　第3章｜輸入した商品を国内向けに販売する

ネットショップの販促に効果絶大！
無料オファー戦略について

| 基本 | 準備 | 輸入仕入れ | **輸入販売** | 輸出仕入れ | 輸出販売 |

無料オファーのミソは、利益を狙わないこと

　インターネットでの販売戦略ではこれ以上の方法はないのでは？　と思われる効果絶大の無料オファー戦略について解説します。最初のステップとしては、先に少量の商品を無料で提供します。商品には絶対の自信があるので、お客様は一度手にすれば必ず欲しくなると考えています。私の場合、結構な数のサンプル商品とQRコードつきのカタログ的なチラシを郵送しています。**利益率の高い商品を販売することが目的ですので初期投資は後で返ってきます。**ですので、発送コストなどの費用の心配は要りません。もちろん、発送コストなどの費用とコンバージョン（成約）率はきちんと見ていく必要はありますが、お客様自ら応募しているのですから、商品サンプルを手にすれば、その後は必ず商品が欲しくなります。

　デパ地下の試食コーナーやバスキンロビンス（サーティワンアイスクリーム）の試食、ドモホルンリンクルの無料サンプルなどと手法は同じです。身近なところで頻繁に行われている販促戦略ですが、知っているのとやっているのとでは大違いです。読者の皆さんも手法は知っているかもしれませんが、すでに実践しているという方は少ないと思います。やらないと何も始まらないので、実践あるのみです。

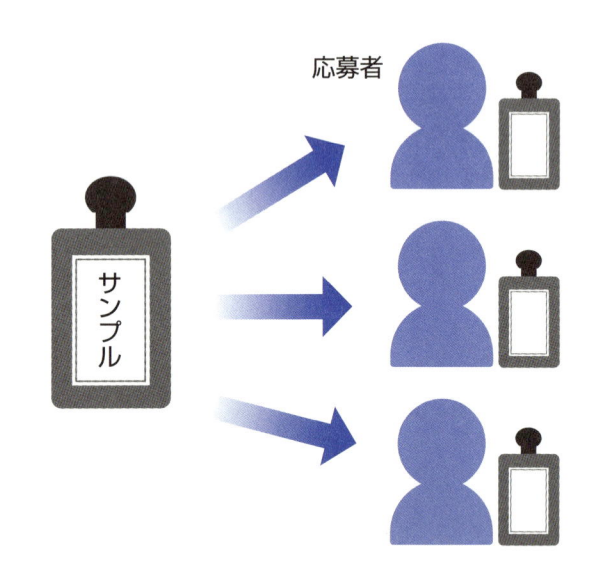

🔺 効果絶大の無料オファー販売戦略を実践しよう！

無料サンプル請求後はステップメール（設定したメールを自動的に配信するメールシステム）に自動的に登録されるシステムにして、定期的にお客様と接触するようにします。濃い関係を作り、いつか購入してもらうという戦略です。ステップメールはシナリオを組んでしまえば、後はほぼ自動的にメールを配信して、オファーし続けてくれるので、個人的に大好きな販促方法です。もちろん、メルマガや無料ブログ、Twitter はもちろん、属性の合う雑誌広告にも積極的に出稿しています。他のライバル企業が品質、デザイン、価格などを打ち出す中、私1人だけ、あざ笑うかのように無料オファーでアプローチをしています。初めから収益は狙っていないのがミソです。あくまでもプレゼントを導線に、ステップメールに引き込むことに徹しています。それによってお互いの距離を縮めながら、定期的に通常の販促メルマガも流しています。メルマガの頻度は多過ぎず、しかし、忘れられない程度といった感じにしています。商品にもよりますが週2、3回くらいの配信頻度でいいかと思います。これだけで月収100万円くらいは稼げます。私は約1年でここまでシステム化できたので、皆さんにもできるはずです。

　扱う商品単価が高くて、無料では配布できない場合は、フロント商品として格安でお試しセットを販売する方法も効果があります。どのような商品の販売も、できる限りのことをやってみるというのが重要です。

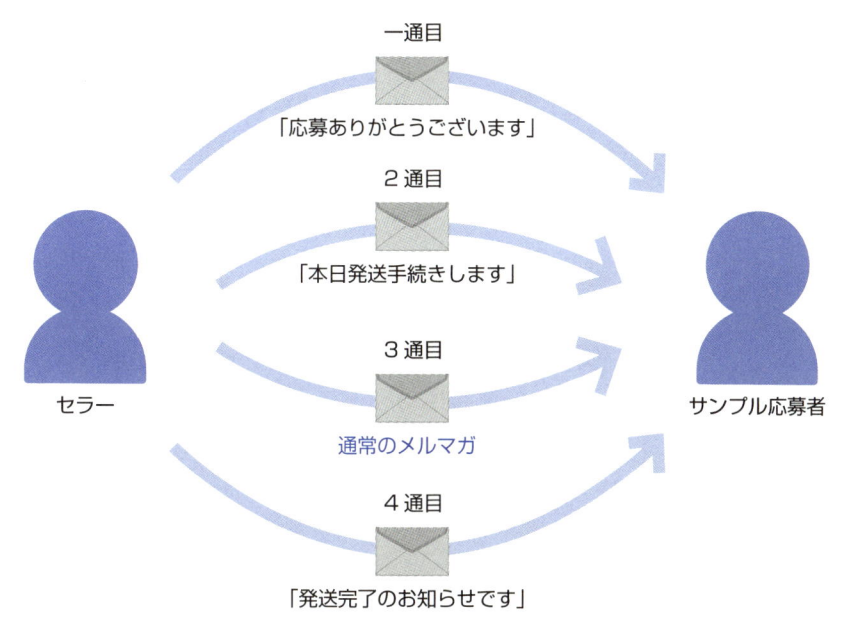

セラー　　　　　　　　　　　　　　　　　　　　　　サンプル応募者

一通目
「応募ありがとうございます」

2通目
「本日発送手続きします」

3通目
通常のメルマガ

4通目
「発送完了のお知らせです」

▲ 無料サンプルの応募者などへステップメールを送信し、メルマガも織り交ぜて購入へ繋げましょう。

Section 84　第 3 章｜輸入した商品を国内向けに販売する

送料無料戦略でさらに稼ぐ！

| 基本 | 準備 | 輸入仕入れ | **輸入販売** | 輸出仕入れ | 輸出販売 |

商品に合わせた送料の戦略をとる

　インターネットで商品を販売する場合、商品代金に送料を含ませた価格設定にすると、自然と購入率が上がるという傾向があります。ネットショッピングをしていて、いざ購入しようと思ったら、価格が送料別となっていて、送料込みの総額が予想外に高かったという経験が誰しも１度くらいはあるのではないでしょうか？　それにより購入するのをやめてしまったという経験もあったかもしれません。今度はあなたが販売者なのですから、そういう事態になることだけは絶対に避けたいところです。

　送料無料にすると、かなりお得な価格設定をしているショップだというイメージを与えることができますし、少し頭を使って送料込みの金額にするだけで、お客様からすると「おっ、この商品は送料無料じゃん！これはお得♪」と感じてもらえるので大きな効果があります。ただし、楽天市場などでは価格順で並べ替えた場合、送料に関わらず、単純に商品価格だけが安い商品が上位に検索されます。そのため、送料別の価格が安い商品の方が上位表示されてしまうので、ライバルの価格をしっかりと調べて、戦略的な出品をしていく必要があります。顧客リスト作りのために利益度外視で送料無料の商品をガンガン販売して、その後、２ステップ、３ステップ式で利益を生む商品を売る戦略もありですね。

●　3,150 円以上送料無料など、指定した金額を超えると得するというオファーをして購入単価を上げる戦略も効果があります。

送料は別途、きっちりお支払いしてもらう設定にして、「3,150円以上で送料無料」「5,250円以上で送料無料」という感じでまとめての購入を促す方法も効果があります。今、お読みのあなたもこのような戦略にハマってしまい、気がつくとまとめ買いをして送料無料の金額になるまで買ってしまった経験があるかと思います。今度はこちらがこういった戦略を仕掛ける番なのです。

　この場合、あらかじめ500円とか1,000円くらいの低価格の商品をたくさん増やしておいて、そういった商品をユーザーから見てよく目につく場所に配置するサイト構成にすれば目標金額（3,150円、5,250円など）まで足りない分の差額を埋めるために、あれやこれやと買ってくれるケースが多くなります。このようにして1回の取引でより多くの代金をお客様が喜んで支払ってくれるという戦略を取ります。インターネット通販ではどうしても送料が購入時のネックになるという側面があるので、お客様からしてもこういった設定は嬉しいですよね？

・送料無料（実は送料込み）
・○千円以上で送料無料

　このように、**送料1つ取ってみてもいろいろな戦略が取れるので、あなたが扱う商品に合わせて一番よい方法を導入しましょう。**

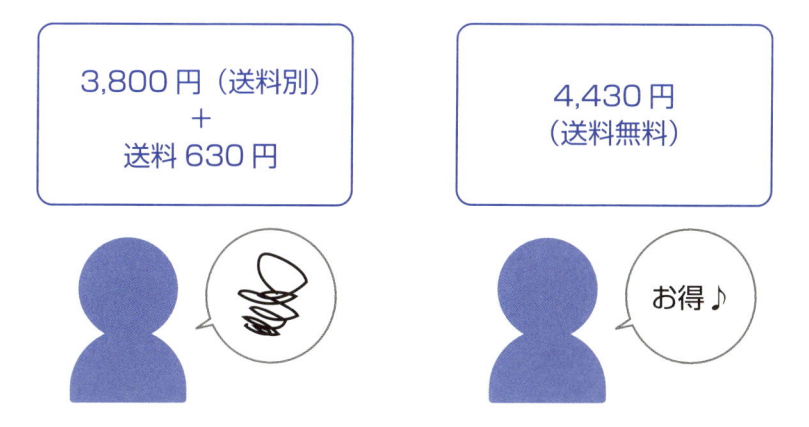

3,800円（送料別）
＋
送料630円

4,430円
（送料無料）

お得♪

▲ 実は送料込みの価格でも、「送料無料」にするだけでお得感がぐんとアップします。

Section 85 親近感、信頼感を高める方法

第 3 章｜輸入した商品を国内向けに販売する

| 基本 | 準備 | 輸入仕入れ | **輸入販売** | 輸出仕入れ | 輸出販売 |

お客様への誠実な姿勢が信頼を生む

　商品を実際に手に取ることができないインターネット通販の場合、感じのよい店長写真を掲載するのは非常に重要なことです。いろいろと検証した結果、特別なジャンルを除き、店長画像は男性より女性の方が好感度が高くなり、もし店長が男性だとしても女性の画像を店長としてアップすると売り上げが上がったというデータがあります。イメージ作りはそれだけ大切だということです。

　最近ではTwitterなどのSNSや店長ブログ、メルマガなどでマメにコミュニケーションを取ることで、お互いの距離を縮めていく手法もかなり効果があります。これは「単純接触頻度」を上げるためで、専門的にはこれを単純接触効果といいます（Sec.33参照）。インターネット時代だからこそ、その他大勢ではなく、1人の人間として認識されたいという願望があるのかもしれません。

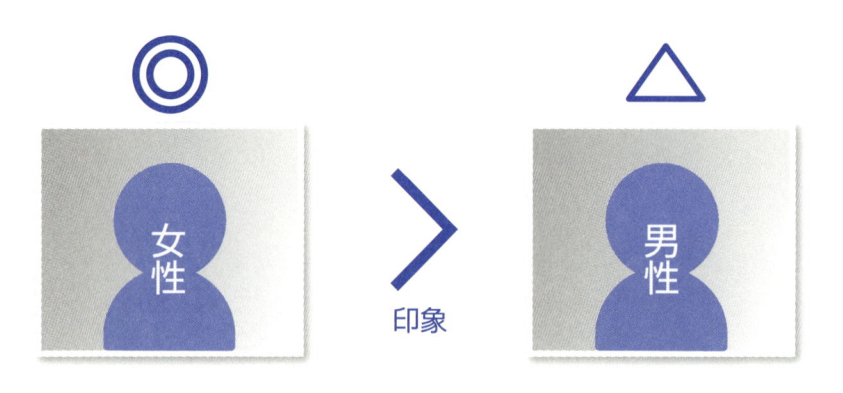

◎ 女性 ＞ △ 男性　印象

● インターネット通販の場合、店長画像は女性の方が好印象を与えられます。

ネットショップの場合、レビュー式にするのも信頼感アップに繋がります。楽天市場に出店しているショップではレビューを書いてくれた方だけの限定サービス（値引きやプレゼントなど）をよく実施しているので、その効果はいわずともわかると思います。神田　昌典氏の著書『口コミ伝染病—お客がお客を連れてくる実践プログラム』（フォレスト出版刊）にも詳しく書かれていますが、**一般人の口コミによる評判は販売に大きく影響する**のです。悪いレビューをつけられてしまったらどうしよう、と思われる方もいるかもしれませんが、よいレビューの中に、悪い内容のレビューを数件書かれたという場合であれば、逆に自分自身が見えなかった商品の欠点がわかったり、あらかじめ面倒なお客様を切っていくことができるなどの効果もあります。

　重要なのは悪いレビューに対して、きちんとした返答コメントを入れて、誠心誠意対応する姿勢を見せることです。そうしたコメントを返すことにより、これから購入しようと思ってくださっているお客様に安心感と信頼感を与えることができます。返金、返品、交換、保証についても簡潔にわかりやすく書くことや、問い合わせ可能なメールアドレス、電話番号、対応時間などを明記することも、信頼性を高めるためには重要です。販売ページはもちろん、こういった項目を別ページにまとめておくと、信頼を高めるだけではなくユーザーからのお問い合わせを減らす効果も生まれるというダブルの効果が期待できます。

評価　★★★★★　1.00　　　　　　　　　　　　投稿日：2012年10月24日

まったく反応せず。使用できません。電池がいけないのかと思を変えようかと思いましたが、日本製とは基準が合わず使用ができません。説明書も英語です。こちらの商品は購入しないようほうが賢明です。無駄遣いをしてしまいました。

　　　　　　　　　　　　　　　　　　　　　　　全てのレビューを見る
　　　　　　　　　　　　　　　　　　　　　　　このレビューを見る

「電池が日本の基準と合わない」とありますが、
この商品で使用する電池は 4LR44 という型番のもので、
一般的にはカメラ用として市販されております。

楽天トップページからこの型番で検索して頂けると
すぐに出てきます。
（今検索してみましたら、196件表示されました）

こちら、当店で購入して頂いた商品のレビューでしょうか？

▲ いただいたレビューに対してきちんと返信コメントを入れることが重要です。

Section 86

第 3 章 | 輸入した商品を国内向けに販売する

フロント商品とバックエンド商品を戦略的に扱う理由

| 基本 | 準備 | 輸入仕入れ | **輸入販売** | 輸出仕入れ | 輸出販売 |

利益の出るバックエンド商品を売るためにフロント商品を使う

　皆さんはお気付きだと思いますが、**儲かっている企業は必ずといっていい程、フロント商品とバックエンド商品を扱っており、その2種類の商品がそれぞれきっちり機能している**のです。フロント商品とバックエンド商品は、

・フロント商品＝見込み客を集める商品
・バックエンド商品＝売りたい商品

という図式になっており、フロント商品自体には利益をあまり求めていません。最近では、フロント商品として先に無料で商品を提供してしまうフリー戦略も大流行してます。それに対してバックエンド商品は文字通り、利益を生み出す商品です。例えば、居酒屋だとフロント商品が生ビール1杯目100円のサービスで、バックエンド商品がボトルキープとイメージするとわかりやすいでしょう。

　ポケットティッシュと共に生ビール1杯目100円の券をもらったので、1杯だけといった感じで入ったことのない店に入り、気が付いたら料理やボトルをたくさん注文していた、ということは日常的にあると思います。余談ですが、ボトルキープも通常1カ月までや3カ月までと期限があり、リピートで店にこさせることを推進する

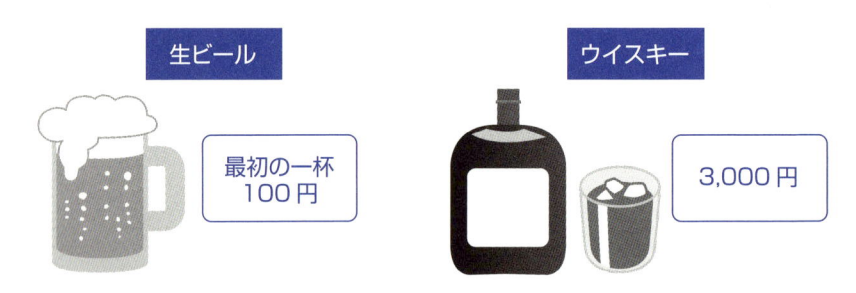

生ビール　　最初の一杯 100円

ウイスキー　　3,000円

● 儲かってる企業は必ずフロント商品とバックエンド商品を扱っています。

大きな武器です。ボトルキープのカードには当然、期限も店名も書いてあるので、財布を開くたびに無言のうちに営業をしているといっても過言ではないでしょう。牛丼チェーン店の並盛も、同じフロント商品です。牛丼並盛自体は安いですが、生卵、おしんこ、生野菜、ビールなどをその場で追加注文しやすい環境になっているはずです。もう少し食べたい人のために牛皿を提供したり、味噌汁をプラス150円で豚汁に変更できるというアップセルもあり、結果、客単価が上がるというビジネスモデルなのです。

　フロント商品だけ購入してもらって、それで終わりだとあまり意味がないので、このように自然にお財布を開かせる仕組みを作ることも重要です。これらのことはすべてネット物販に応用できます。ネットショップの場合、まずは利益度外視で安い商品を販売し、顧客のリスト（メールアドレス）を大量に収集します。中途半端な価格だと顧客リストが集まりにくいので、このときは思いきった価格で商品を販売してリスト収集に徹するのがポイントです。そして、集まったアドレスに対して、購入された商品、関連商品に関する情報が詰まったメルマガを配信し続けて、販売者とお客様の距離を縮めていきます。情報を配信しながら距離を縮めておいて、同系統の高額商品のオファーをしてクロージングします。もうここまでくれば距離も縮まっており、お客様も「欲しい商品があれば買ってもいいかな？」という心理になっているので、商品を販売するのはさほど難しくありません。このように、物販は戦略的に2ステップ式でアプローチしてお互いの距離を縮めていくと、高額商品でもいとも簡単に販売することができるので、是非実践してみてください。

▲ ご一緒にポテトはいかがですか？　というのも1種のアップセルです。

Section 86　フロント商品とバックエンド商品を戦略的に扱う理由

Section 87

第 3 章 | 輸入した商品を国内向けに販売する

顧客リストは財産です

基本　準備　輸入仕入れ　**輸入販売**　輸出仕入れ　輸出販売

一度購入した顧客にタイミングを見計らい効果的に

　一度でもマーケティングを勉強したことがある方なら「商売は顧客リストから」という言葉を聞いたことがあるはずです。基本であり、一番重要なことでもあります。**自らお財布を開き、商品を購入してくれたお客様は再度、同じ商品、関連する商品を買ってくれる可能性が非常に高い**お客様なのです。利益を大きくしていくためにはそういったお客様をいかにたくさん集めるかにかかっています。もちろん、多ければ多い程、商売は安定します。例えば、サプリメントなど消耗品関係の商品は使い続ければいつかはなくなるわけですから、後からオファーをかけてあげれば、再度、購入してもらえる可能性は非常に高いのです。購入日を元に計算して、以前購入した商品が切れそうなときを見計らってオファーをかける手も使えます。押し売りするのではなく、もうじき切れるということをお知らせしてあげるのですから、お客様に感謝され、喜ばれる場合が多いです。実際に一度、購入しているわけですから、まだ一度も買ったことがない方に対して販売のオファーをするより、はるかに楽に購入してもらえるという利点があります。

● Amazon は顧客リストに対しての売り込みが非常に上手です。

一度、購入されたお客様にオファーして効果的なのは、こういった消耗品だけではありません。例えば、ダイエット関係の商品を購入したお客様はダイエットに興味があり、ダイエットして綺麗になりたいという願望を持っているのですから、他のダイエット系商品を紹介すれば、その商品を購入する可能性が非常に高いです。

　また、手元に新生児の親のリストがあったとします。まずは３年間、赤ちゃんを育てるときに必要なグッズをオファーをします。その後、３年間、すなわち６歳になるまでは幼稚園、保育園に通うときに使うグッズをオファーして、次は小学校に入学するわけですから小学校に関するグッズをオファーし、中学に入るとき、高校に入るとき、大学に入るとき……などと次々とオファーできるわけです。しかも、闇雲に不特定多数の人にオファーするより、極めて購入する可能性が高いお客様ということがおわかりだと思います。何が必要ということが手に取るようにわかるのですから、とても仕事がしやすいわけです。

　もちろん、新規のお客様を掴むこともとても大切なことですが、１回の購入で終わらせないで２回、３回と定期的に購入してもらうことが重要です。以前、購入されたお客様は特別扱いするとリピートで購入してくれる可能性が上がりますので、購入回数に応じてサービスや特典をグレードアップしていく手法も使えます。こうして文字で読むより、実際に自分で体験したほうが身体でわかるはずです。

　一流といわれる会社の手法は本当に勉強になりますし、敢えてその戦略にはまってみて、商品やサービスを購入してみると非常に勉強になります。ビジネスというのはこういった繰り返しで大きくなるものです。輸入＆輸出ビジネスに活かせるやり方を見つけて、どんどん実践していきましょう。

赤ちゃん → 幼稚園・保育園 → 小学校 → 中学校

Section 88　｜第 3 章｜輸入した商品を国内向けに販売する

輸入販売するときの便利なサイト、ツール一覧

| 基本 | 準備 | 輸入仕入れ | 輸入販売 | 輸出仕入れ | 輸出販売 |

作業の効率化を図り自分はやるべきことに集中する

実際に私が輸入販売するとき、商品検索の際に利用している Web サイトをご紹介します。

Web サイト編

● オークファン

参照 URL http://aucfan.com/

Yahoo!・楽天・Amazon それぞれのオークションやショッピングの商品を比較・検討できるサイト。過去 2 年間のオークション落札価格などを見ることができます。出品テンプレート、落札ツール、キーワードアドバイスツールなど便利なサービスがたくさんあります。

● Amazon.co.jp

参照 URL http://www.amazon.co.jp/

ファッションからベビー用品まで 5,000 万点以上の商品がラインナップされています。輸入ビジネス実践者としては Amazon ランキングやレビューが見られるのが嬉しいです。販売サイトとマーケットプレイスを使うだけではなく、同時に検索ツールとしてなくてはならないサイトです。

● FBA料金シミュレーター（ベータ）

参照 URL https://sellercentral.amazon.co.jp/gp/fbacalc/fba-calculator.html?ld=SCFBACalcAnnounce

フルフィルメントを利用して発送する場合の経費と出品者から発送する場合の差額を見たり、いくらで仕入れていくらで販売すれば利益展開できるかなどを見ることができる便利なサイトです。

● excite翻訳

参照 URL http://www.excite.co.jp/world/

英語、中国語、韓国語、フランス語、ドイツ語、イタリア語、スペイン語、ポルトガル語、ロシア語のテキスト翻訳、Web ページ翻訳に対応しています。

● Yahoo!翻訳

参照 URL http://honyaku.yahoo.co.jp/

英語、中国語、韓国語、フランス語、ドイツ語、イタリア語、スペイン語、ポルトガル語のテキスト翻訳、Web ページ翻訳に対応しています。

● Google翻訳
参照URL http://translate.google.co.jp//

英語、中国語（簡体字、繁体字）、韓国語、フランス語、ドイツ語、イタリア語、スペイン語、ポルトガル語、ロシア語などの他、セルビア語やアラビア語、ノルウェー語など44言語のテキスト翻訳、Webページ翻訳に対応しています。

● Infoseekマルチ翻訳
参照URL http://translation.infoseek.ne.jp/

英語、中国語（簡体字、繁体字）、韓国語、フランス語、ドイツ語、スペイン語、ポルトガル語、イタリア語、タイ語、ベトナム語、インドネシア語のテキスト翻訳、Webページ翻訳に対応しています。

● Amashow
参照URL http://amashow.com/past.php

Amazonマーケットプレイスの価格変動をグラフ表示で確認できます。

● PRICE CHECK
参照URL http://so-bank.jp/

Amazonで販売されている商品価格やランキングを分析できます。

● Takewari 竹割
参照URL http://www.takewari.com/index.php.ja

世界のAmazonを横断して検索できます。

● Googleプロダクトサーチ
参照URL http://www.google.com/prdhp

キーワード検索すると、その商品を扱ってる複数のオンラインショップが表示され写真、商品価格を見比べることができます。商品のリンクをクリックすると販売ページへアクセスできるという便利なサイトです。

● Yahoo!ファイナンス
参照URL http://info.finance.yahoo.co.jp/exchange/

ドル、ユーロ、ポンド、豪ドル、カナダドル、スイスフランなどの為替相場を確認することができます。

● キーワード ツールGoogle AdWords
参照URL http://adwords.google.co.jp/o/Targeting/Explorer?__u=1000000000&__c=1000000000&ideaRequestType=KEYWORD_IDEAS

どんなキーワードで検索されているか調べることができるので、検索、出品などのキーワード選択に欠かせないツールです。

ツール編

● JTrim（ジェイトリム）

参照 URL
http://www.woodybells.com/jtrim.html

特別な知識のない初心者でも気軽に操作ができる無料の画像加工ソフトです。軽快に動作するので、ストレスなく作業ができます。

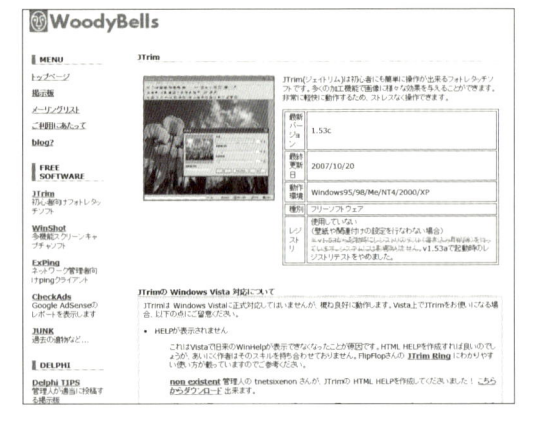

● VisualAuction

参照 URL
http://www.cloud-soft.net/SupportPage/information.html

ヤフオク！を管理するツールです。再出品ツールとして人気があります。他にも商品説明ページの自動作成や、出品中の商品のアクセス数などのデータ分析、商品管理、落札後のサポートなど多機能です。フリー版とシェアウェア版がありますが、シェアウェア版は現在、申し込みを一時停止しています。

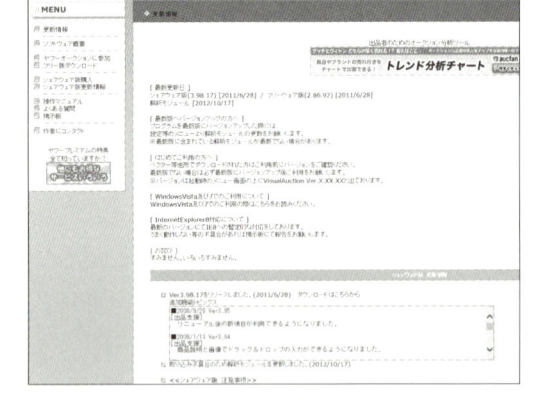

● たまご

参照 URL
http://crispysoft.nobody.jp/

ヤフオク！、モバオクで一括出品や自動再出品が簡単にできるツールです。Excelを利用した商品の変更、追加も便利です。モバオク関連の一部機能は、シェアウェア登録（800円／年）を行うことで利用ができます。

● Re楽天2

参照URL
http://www.noncky.net/software/rerakuten/

楽天オークションで、簡単に一括再出品を自動設定できるソフトです。月額980円で利用することができます。再出品の際に項目を変更することもできます。

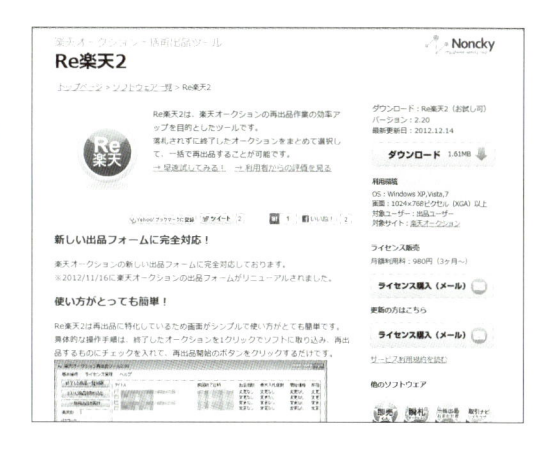

● せど楽

参照URL
http://www.sedoraku.com/

出品サポートや価格最適化、注文管理などを備えた多機能商品管理ツールです。通常、主要3ソフトの初期設置費用は80,000円ですが、無料となるキャンペーンが行われる場合があります（利用には月額使用料12,000円が必要です）。

● オークファン出品テンプレート

参照URL
http://aucfan.com/auctemp/

HTMLタグによる商品説明ページの作成をサポートする無料ツールです。キレイな出品ページを作成すれば、落札率も変わります。

私の成功体験談

ヤフオク！からAmazonマーケットプレイスへ転向、年収2,000万を稼ぎ出す！

脇坂 浩さん

　私が輸入ビジネスを始めたきっかけは、当時無職でありながら再就職はしたくないという思いからでした。とにかくネットを使って稼ぎたいと考え、いろいろ調べて、辿り着いた結果が「eBay→ヤフオク！」というビジネスでした。最初はヤフオク！のみでeBayからアンティーク雑貨を大量に仕入れ、のちに新品の家電製品を仕入れて並行輸入品として販売する手法へとシフトしていきました。主にヤフオク！を利用して1円スタートをしてたくさんの落札希望者に競わせるという非常にシンプルなものでしたが、価格の上下に変動はあったものの利益を出すのはそう大変なことでもなかったのです。しかしその後は参入者が増え、入札自体が他の出品者の商品へと分散してしまうようになりました。利益を出すことが容易ではなくなってきたためAmazonマーケットプレイスで販売するようになったのですが、これが大当たりで今現在でもかなりの金額を稼ぎ出しております。

　輸入ビジネスはサラリーマンとして働いている方でも副業として取り組まれている方が多いです。とりわけ、Amazonマーケットプレイスという場所は副業で輸入ビジネスをするには最適な販売場所です。AmazonFBAサービスにより自分自身が出荷をする手間が省けるので、発送や梱包などで時間を割くこともありません。

　そんな便利過ぎると思われるAmazonですが、唯一の難点といえば、各出品者ごとの差別化を図るのが難しいということです。Amazonマーケットプレイスでは同じ出品ページ内に複数の販売者が安い順に並ぶシステムです。そのため、ヤフオク！などと異なり商品説明文や写真で出品者ごとの差別化をすることができません。必然的に価格で勝負をするケースが大半となり、いかに安く商品を仕入れることができるか？　という点が勝負のわかれ目になりがちです。ただ単に海外で売っている商品の中で日本との価格差がある商品を仕入れて売る、という右から左への単純な作業だけでは利益を出すことが難しいという側面もあります。会社員時代はおおよそ年収350万円程でしたが現在では2,000万円を超えて、今後もこの数字は伸びております。

第4章

海外向けに輸出する商品を国内で仕入れる

誰もが手を出すのをためらうからこそ
ビジネスチャンスがある …………… 198
儲かる商品の探し方 …………………… 200
稼げる商品を探し出すリサーチ術 …… 202
海外ウケがする売りやすい商品とは …… 204
意外に売れない、売りづらい商品はコレ …… 206
インターネットで仕入れ先を探す方法 …… 208
セールやキャッシュバックを利用して
安く仕入れる ………………………… 210
問屋でまとめ買いをして仕入れる …… 212

ライバルより安く仕入れるテクニック …… 214
初心者でも滑らない
海外向け商品セレクト術 ……………… 216
リアル店舗の販売価格が高い理由 …… 218
国内の展示会で卸業者を探す ………… 220
輸出販売でこれだけは気をつけたいこと
ベスト10 ……………………………… 222
他のセラーと差をつけるための輸出戦略 …… 224
複数の仕入れ先があれば、必然的に安定した
収入になる …………………………… 226

第 4 章 | 海外向けに輸出する商品を国内で仕入れる

Section 89

誰もが手を出すのをためらうからこそ ビジネスチャンスがある

| 基本 | 準備 | 輸入仕入れ | 輸入販売 | **輸出仕入れ** | 輸出販売 |

個人輸出ビジネスを始める心構え

　長引くデフレ、雇用への不安、ここ数年で副業やサラリーマンから独立をして、輸入ビジネスを始められる方が増えています。その一方で輸出ビジネスを始める方の人口はあまり増えていないという印象です。輸入ビジネスに比べて、輸出ビジネスを始める人がまだ少ないのには、2つの理由があると僕は考えています。

　1つめは「英語の壁」です。輸入ビジネスをするにも、英語のサイトで商品を購入したり、海外の転送業者へ英語でメールをしたりと、ある程度の英語を使う必要はあります。しかし、輸出ビジネスをするには、販売ページを英語で作成したり、お客様とのやり取りをすべて英語でする必要があったりと、英語に触れる機会はさらに多いのでそれが心理壁になっているのでしょう。しかし、実際はそれほど不安に思う必要はありません。取引の流れやトラブル対応は基本的に同じようなケースが多いので、1つずつ自分のものにしていけばよいのです。さらに、後ほどご紹介させていただく、便利な翻訳ツールや翻訳サービスもあります。それらを活用していけば、英語力はそれほど必要ありません。もう1つは、「インフラがまだまだ整備されていないこと」です。ここ数年の輸入ビジネスブームで「個人で輸入ビジネスをする人のためのサービス」が次々と現れています。荷物の発送代行や商品をリサーチするためのツールな

・英語ができない…
・ちょっと難しそう…
・どこで販売すればよいかわからない…
・発送方法がわからない…

▲ 多くの人が輸出ビジネスに壁を感じているからこそ、ライバル少なく稼ぎやすいのです。

どがそれにあたります。しかし、輸出ビジネスではこうしたインフラはまだまだ発展途上で、「どのサービスを利用したらいいのかわからない」という相談をよく受けます。そこで、僕や僕の周りの方が実際に利用した中で、使い勝手がよくてサービスの質が高いものを本書でご紹介していきますので安心してください。

　僕自身もちょっとしたきっかけから1年半ほど前に輸出ビジネスの世界に飛び込みましたが、コツコツと仕組み化をしていった結果、現在ではほとんど何の作業もせずに月に100万円ほどの収入を得ています。あなたが今、「今日から個人輸出ビジネスを始めよう」と思っても、どうやって稼いでいったらよいのか、なかなかイメージしにくいのではないかと思います。僕も最初はそうでした。だからこそ僕は「今日から個人輸出ビジネスを始めよう」という目線に立って、しっかりとわかりやすく解説させていただきますので、最後まで頑張ってついてきてください。

　これから、あなたが**輸出ビジネスを始めるにあたり、お薦めの販売先は、海外のオークションサイトeBay、海外のAmazon、海外向けネットショップ、の3つです**。この3つの場所で販売することをお薦めするのは、インターネット上にたくさんの情報が流れているからです。情報というのは、これらの場所を利用して、輸出で稼ぐためのノウハウのことです。あなたが輸出ビジネスに取り組んでいくうちに悩みやトラブルに遭遇したり、情報を共有できる仲間が欲しいと感じるタイミングがきっとくるはずです。そのときはインターネットで検索をしてみてください。すぐに具体的な解決策や、一緒に頑張る仲間が見つかるでしょう。

　それから、「**わからないことを自分で検索するスキル**」はインターネットでビジネスをする上で非常に大切です。欲しい情報に効率的にたどり着く検索方法についても、本書の中で実例を挙げながら解説していますので少しずつ身につけていってください。

仲間と情報交換

トラブル解決

不明点の確認

● パソコンをフル活用して、個人輸出ビジネスに取り組みましょう。

Section 90

第 4 章｜海外向けに輸出する商品を国内で仕入れる

儲かる商品の探し方

| 基本 | 準備 | 輸入仕入れ | 輸入販売 | **輸出仕入れ** | 輸出販売 |

eBay や海外 Amazon で日本関連商品を探し国内価格と比較する

　個人輸出で儲かる商品を探すにあたっては、商品や競合セラーの比較がしやすいeBay か海外の Amazon が便利です。まずはどちらかのサイト開いて「japan」など、「日本」に関連するキーワードで商品を検索してみてください。

　どうでしょうか？　日本にまつわる商品がたくさん出てきたと思います。実は、この検索結果に出てきた商品すべてが、実際にあなたが海外に向けて販売する商品の候補となります。ものすごい数だと思いませんか？　まさに可能性は無限にあります。それでは、商品を1つずつ開いて、日本の Amazon や楽天市場との価格差を見ていくことにしましょう。

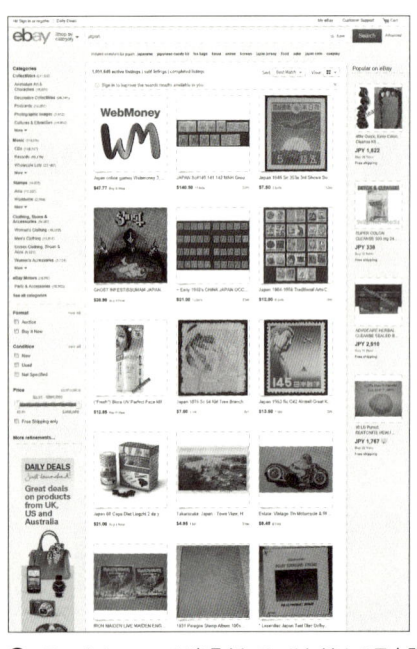

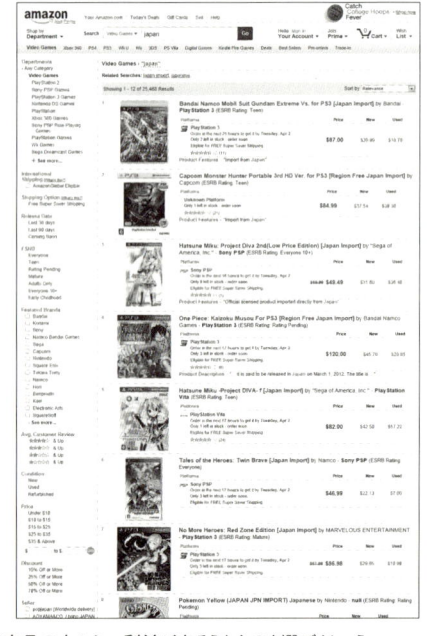

● eBay や Amazon に出品されているたくさんの日本関連商品の中から、利益が出そうなものを選びましょう。

実際に次のように、価格差のある商品が見つかりました。

- 【eBay 22,138 円（$269.98）】-【日本の Amazon 13,549 円】=【価格差 8,589 円】
- 【Amazon 26,289 円（$320.6）】-【日本の Amazon 13,549 円】=【価格差 12,740 円】

※ $1=82円で計算

> **Point**
> ドルでの売上を日本円に両替するときは手数料がかかるので、為替は現在の相場から -3% 程度で計算するようにしましょう。

　ただし、eBay や Amazon で商品を販売した場合、この商品の価格差がそのまま利益になるというわけではないので注意しましょう。商品を購入したお客様が実際に支払うのは、「商品の価格」と「送料」の総額です。そしてこの「商品の価格」と「送料」は、基本的には出品者が自由に決めることができます。

　【商品価格 $100、送料無料】に設定しても【商品価格 $50、送料 $50】にしても、お客さんの支払うお金の総額は同じ $100 になります。インターネットでの販売では、「商品の価格」だけでなく、「商品の価格と送料の総額」をいくらに設定するかが大切になってきます。この「商品の価格と送料の総額」から、eBay や Amazon の手数料が差し引かれたものが、僕たちセラーの手元へ実際に入金されます。ここから「商品の仕入れ代金」や「商品を送るのに実際にかかった送料や梱包材料費」などを差し引いて、残ったお金が、その商品を売った純粋な利益となるのです。ということで、**以下の計算に当てはめて、利益がプラスになる商品が稼げる商品です。**

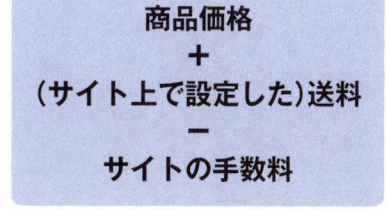

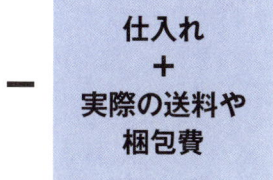

$$\text{商品価格} + (\text{サイト上で設定した})\text{送料} - \text{サイトの手数料} - (\text{仕入れ} + \text{実際の送料や梱包費}) = \text{利益}$$

Section 90　儲かる商品の探し方

稼げる商品を探し出すリサーチ術

| 基本 | 準備 | 輸入仕入れ | 輸入販売 | **輸出仕入れ** | 輸出販売 |

キーワードをもとに様々な検索を行なう

　稼げる商品とはどのようなものか理解していただけましたか。それでは次は、価格差のある商品をどんどん探していくリサーチ術をお伝えします。

● 他のセラーをお手本にする（セラー検索）

　稼げる商品をリサーチしていくはじめの一歩は、**他のセラーをお手本にすること**です。すでに輸出で稼いでいるセラーが出品している商品をお手本にしながら、「どんな商品が海外で人気があるのか」「どれくらいの価格で取引されているのか」「どのように販売しているのか」を少しずつ勉強していきましょう。ここでの積み重ねは、将来パワーセラーになるためのトレーニングのようなものです。野球でヒットを打つのにバットの振り方を教わっても、いきなりは打てるようにならないのと同じように、商品リサーチの方法を知るだけでは、本当の力は身につきません。正直、慣れない英語のサイトを長時間眺める作業は、最初はなかなか大変だと思います。しかし、少しずつリサーチを積み重ねて、稼げる力を身につけていってください。せっかくお手本にするのであれば、まずは信頼度が高いセラーを選ぶに越したことはありません。「直近の評価数が多く、よい評価の割合が高いセラー」を見ていくようにしましょう。トータルの評価ではなく直近の評価を見ることで、いま勢いのあるセラーのナマの情報を知ることができます。現役パワーセラーの売っている商品を、ぜひ参考にしてください。

Recent Feedback ratings (last 12 months)

	1 month	6 months	12 months
Positive	476	2649	5082
Neutral	1	4	8
Negative	0	1	5

Feedback History:

Feedback	30 days	90 days	365 days	Lifetime
Positive	99%	98%	97%	97%
Neutral	1%	1%	1%	1%
Negative	0%	2%	2%	1%
Count	67	161	510	543

What do these mean?

● eBayやAmazonの評価を確認し、信用度の高いセラーを手本にリサーチしましょう。

● **メーカーやキャラクター名からリサーチ**

　お手本にするセラーの商品を1つずつリサーチしていくと、価格差のある商品が少しずつ見つかってくると思います。しかし、価格差のある商品を1つ見つけることができたら、そこでちょっとストップしてください。なぜなら**稼げる商品の関連商品は稼げる可能性が高い**からです。そこで今度は、具体的な商品を例にとって関連商品を掘り下げていく練習をしましょう。

　セラー検索の結果、右の画面の商品が見つかったとします。まずはこのゲームを発売しているメーカー名「NAMCO BANDAIGAMES」で検索して、同じように1つずつ価格差を調べていきます。すると、たくさんのゲームがあることがわかります。次に、このメーカー名は

▲ 1つの商品から連想して、商品の幅を広げます。

「NAMCO」と「BANDAI」にわけることができるので、それぞれのメーカー名で検索をしてみましょう。ゲーム以外にもフィギュアなどが出てきます。最後に「NAMCO」「BANDAI」以外の日本のおもちゃメーカーはどうだろうかとメーカー名の連想をしてください。この**「連想をする」という行為が、最初のリサーチにおいて最も大切なポイント**となります。すぐに思いつかない場合は、Googleで「日本　おもちゃメーカー」と検索してください。たくさんのおもちゃメーカーがヒットします。

　メーカー名でのリサーチができたら、次にこのゲームのメインキャラクター名「Gundam」やゲーム機本体の名前「PS3（プレイステーション3）」というキーワードで検索してみます。「PS3」からゲーム機本体の「Wii」を連想したり、「Wii」を発売している「Nintendo」に派生させても面白いでしょう。少し視点を変えて、ガンダムと同時期に流行していたアニメや戦隊ものなども検索するのはどうでしょうか。調べていくとガンダムは1979年から放映開始されていることがわかります。そこで次にGoogleで「79年　アニメ」と検索すると、その時代に放映されていたアニメが見えてきます。アニメのタイトルやキャラクター名で1つずつ検索をかけます。同様に近い年代でも同じことを繰り返していきましょう。このように、キーワードの分解→連想→結合を行ったり、リサーチ先をAmazon→Google→eBayと横断的に行ったりきたりすることで、無限にリサーチを続けていくことが可能になります。

> **Point**
> 商品検索をする際に、「Playstation3」「Play station 3」「Playstation 3」と検索した場合、3つともそれぞれ異なる検索結果となります。稼げる商品を見逃さないためにも、いろいろなパターンで検索していきましょう。

Section 92　第4章｜海外向けに輸出する商品を国内で仕入れる

海外ウケがする売りやすい商品とは

| 基本 | 準備 | 輸入仕入れ | 輸入販売 | **輸出仕入れ** | 輸出販売 |

滑らない人気の日本商品8例を紹介

　海外ウケがする売りやすい商品には、どのようなものがあるでしょうか。実際のリサーチに使えるキーワードを例にとって、海外ウケする商品を紹介します。

1.日本の地名や建造物

　「Tokyo（東京）」「Kyoto（京都）」など日本の地名をキーワードに出品されている商品はたくさんあります。地名の他にも、観光スポットや建造物で検索してみるのも面白いです。

2.日本の歴史文化

　「Meiji（明治）」「Ninja（忍者）」などのキーワードで検索すると、江戸や明治をはじめとして、その時代に製造、使用されていた商品や、その時代をモチーフに製作された商品がヒットします。例えば「Musashi」というキーワードのように、地名、人物名、戦艦名の他にも、海外向けに製造販売しているいろいろな製品に名付けられているものもあります。

3.ゲーム

　「Nintendo」「PSP」などで検索してみましょう。日本のゲームは海外で高い人気を誇っています。やはり、海外未発売のゲームソフトが人気ですが、ゲーム機本体や周辺機器も多数取引されています。

4.家電・カメラ

「Panasonic」「Nikon」などの高品質な日本製の家電やカメラは海外で人気があります。ただし、このカテゴリは少し注意が必要なポイントがあるので、詳しくは次のSectionでご説明します。

5.日本伝統の衣類や小物に関する商品

「Kimono（着物）」、「Kanzashi（カンザシ）」など日本の伝統的なファッションは海外で密かな人気になっています。日本の伝統のファッションをそのまま身にまとうだけでなく、欧米風にアレンジされたデザインが、若い世代を中心に人気となっています。

6.日本のサブカルチャー

日本のコミックは、海外では「Manga（漫画）」という名称でブームになっています。アニメのフィギュアや関連グッズもよく売れる商品ジャンルの1つです。

7.スポーツに関する商品

「Ichiro Suzuki（鈴木イチロー）」など世界で活躍する日本人プロスポーツ選手や「Judo（柔道）」などの日本の武道に関連する商品も根強いファンが多く、需要が高いキーワードです。

8.日本食に関する商品

「Sushi」「Japanese(green) tea」など日本食に関連するキーワードで絞っても、たくさんの日本の商品が出てきます。ただし、食品関連の商品は輸出や販売に許可が必要になるケースがほとんどなので注意してください（Sec.13参照）。

● 番外編

「form Japan」「from Tokyo」などと記載して、日本からと中国や韓国のセラーとを差別化をしているセラーも多いので、こういったキーワードで絞ることで日本人セラーに辿り着くことも可能です。

Section 93

意外に売れない、売りづらい商品はコレ

| 基本 | 準備 | 輸入仕入れ | 輸入販売 | **輸出仕入れ** | 輸出販売 |

工夫次第で売れる商品に変えることはできる

　それでは、Sec.92とは反対に海外で意外に売れない、売りづらい商品にはどんなものがあるのでしょうか？

● **海外流通モデル**

　まず、前のSectionで紹介した日本の家電メーカーの製品です。**海外で人気がある商品は、海外では一般的に流通しておらず、日本国内のみで流通しているモデルが中心**です。そのため日本のメーカー側が積極的に海外展開しているモデルは売りにくくなっています。とはいっても、日本国内モデルを探すことはそれ自体が大変です。しかし、実はとても簡単に日本国内モデルを探す方法があります。それは、メーカー名（Panasonicなど）にプラスして「japan import（輸入品）」「japan limited（限定品）」「japan model（モデル）」「japan ver（バージョン）」などを加えて検索するという方法です。

　「japan」を「japanese」や「JP」に変えてみてもよいですし、逆にメーカー名を加えないで検索することで、幅広い日本製品のリサーチも可能になります。また、Amazonに出品されている商品では、JANコードを利用して、日本国内モデルかどうかを簡単に確認できる場合があります。JANコードとは日本国内の商品識別コードで、国際規格の商品識別コードであるEANコードと互換性があります。JAN（EAN）コードは国ごとに頭2桁のコードが決まっていて、日本製品は45もしくは49から始まります。

1 商品詳細画面の右下にある「Sell on Amazon」のボタンをクリックします。

2 商品固有のJAN（EAN）コードが表示されます（EAN：4549077060440）。頭2桁が45で始まっているこの商品は、日本国内モデルであることがわかります。

● **中国製品**

中国製品は圧倒的な価格の安さを武器に世界中に流通しており、日本へ輸入する商材としても人気が高いです。しかし、日本人セラーが中国製品を欧米などに向けて販売しようとしても、そのままではなかなか売りにくいです。というのも、中国のセラーも eBay や Amazon を魅力的な販路だと考えているので、すでに数多くの中国セラーがこれらのサイトに出品しているからです。中国のセラーは中国人の安い労働力を武器に1商品売って $1 以下の利益というような商品もどんどん出品しているので、日本人セラーはなかなか太刀打ちできません。しかし、実は僕たち**日本人セラーは中国セラーと同じ土俵で戦う必要はありません**。日本人が中国製品を欧米などへ販売するためのポイントを3つお伝えします。

1.日本人セラーであることを印象づける

セラー名や商品説明で日本人セラーであることをアピールして、日本の商品を中心に出品している中に中国製品を少しだけ混ぜることで、お客様に安心感を与えれば、同じ商品でも、高く販売することができます。

2.Made in Japan戦略

一度日本に中国製品を輸入し、再加工をしてから「Made in Japan」の製品として販売します。

3.日本の製品と関連づけて販売する

アニメのコスプレやフィギュアの衣装などは、中国で OEM 生産して販売します。日本製のフィギュア本体とセットにして販売するのもよいでしょう。

> **Point**
> 中国製品を販売する際は、メーカー名が入っているような既製品は絶対に避けましょう。欧米メーカーのコピー品だと知らずに販売していたら、ある日突然、損害賠償請求を求められてしまうということもあります。

Section 94

第 4 章　海外向けに輸出する商品を国内で仕入れる

インターネットで仕入れ先を探す方法

| 基本 | 準備 | 輸入仕入れ | 輸入販売 | **輸出仕入れ** | 輸出販売 |

新品商品、中古品それぞれのお薦め仕入れ先

価格差のある商品が見つかったら、次はインターネットで商品を仕入れてみましょう。

● 新品商品を仕入れる

いろいろなネットショップがありますが、新品商品の場合、**まずは Amazon.co.jp か楽天市場のどちらかで購入することをお薦めします**（ただし Amazon では、転売目的で商品購入をしていると、購入用のアカウントを停止をされてしまうことがあります。なるべく、一度に大量の注文をしないよう注意しましょう）。これらのサイトをお薦めする理由は以下の3つです。

- ・ポイント還元率などを考慮すると、価格が最安値付近になることが多い
- ・出品されている商品点数が多いので、いろいろなサイトを行き来しなくて済む
- ・注文から商品の到着までがスピーディ

また、Amazon や楽天市場の厳しい出店規約のおかげで、出品しているショップが顧客対応や在庫の管理などを比較的しっかりと行なっている場合が多いです。安いからといってオークションなどで購入すると、偽物が送られてきたり、不良品についての対応をなかなかしてくれなかったりと、いい加減なセラーに出くわすこともあります。その度に商品の再注文をしたり、不良品対応に気をもんだりしていると、手間がかかるだけでなく、モチベーションが低下してしまう可能性もあります。まずは確実に成功体験を積み上げていただきたいので、不要なトラブルを避けるためにも、Amazon や楽天市場といった大手のショッピングモール、もしくは大手量販店の運営するネットショップなどで

▲ Amazon や楽天市場がお薦めです。

商品を購入するようにしてください。そして、少しずつ商品の仕入れに慣れてきたら、大手のサイト以外からも仕入れをはじめて、より安く安全に商品の仕入れができるルートを増やしていきましょう。商品の相場を調べるには、次のサイトが便利です。型番やキーワードを入力して、ピンポイントで商品を探します。

・Googleショッピング
参照 URL
http://www.google.co.jp/shopping

・価格.com
参照 URL
http://kakaku.com/

これらのサイトを経由すると商品の相場だけでなく、ショップの評価を見ることもできるので、比較的安心して仕入れができます。また、これらのサイトでヒットする独自で運営しているネットショップは、まとめ買いの割引交渉にも使えます。

● 中古商品を仕入れる

一方、中古品の仕入れでお薦めなのが、日本最大のネットオークション「ヤフオク！」です。Amazonにも中古品は出品されていますが、ヤフオク！に比べると、若干価格が高く設定されているケースが多いです。ただし、ヤフオク！では取引に手間がかかるのが難点です。また、クレジットカードで決済（Yahoo!かんたん決済）するのに別途手数料がかかったり、領収書の発行をお願いしないと仕入れの明細が残らなかったりと、何かと不便なことも多くあります。こうしたことが手間だと感じるようでしたら、Amazonから中古品を仕入れることも選択肢に入れておきましょう。その他にも、楽天オークション、モバオク、フリーマーケット、個人売買掲示板なども、中古品の仕入れ先として重宝します。なお、中古商品を販売目的で購入（仕入れ）する場合は、古物商の免許が必要です。

● ヤフオク!はたしかに安いですが、Amazonと比べると手続きが多く不便に感じます。

Section 94 インターネットで仕入れ先を探す方法

Section 95　　　　　　　　　第4章｜海外向けに輸出する商品を国内で仕入れる

セールやキャッシュバックを利用して安く仕入れる

| 基本 | 準備 | 輸入仕入れ | 輸入販売 | **輸出仕入れ** | 輸出販売 |

ネットショップの激安特価商品を探す

　他のセラーと仕入れで差をつける方法の1つとして、**ネットショップのセールやキャッシュバックを利用**するという方法があります。Amazonや楽天市場といった大手のショッピングモールでは、定期的にセールを行っています。例えばAmazonでは、「セール・バーゲン・お買い得情報」や「在庫一掃セール」「タイムセール」などのページが設けられ、タイムセールを利用すると、通常の20%引きで商品が購入できます。近日開催されるセールに関しては、Amazonでも楽天市場でもトップページに大きく書いてあることが多いので、定期的にチェックをしてライバルよりも安く商品を仕入れましょう。同様にGoogleなどの検索エンジンで「ヨドバシ　セール」「BOOK OFF　セール」など、「ネットショップ名＋セール」というキーワードで検索することで、セール情報を手に入れることができますので、いろいろと検索してみてください。

●Amazonの「セール・バーゲン・お買い得情報」は全カテゴリーの格安商品が紹介されています。

参照URL
http://www.amazon.co.jp/セール-バーゲン-激安情報/b?ie=UTF8&node=15754471

●「バーゲンコーナー」では、定価の半値以下の商品がたくさん紹介されています。

参照URL
http://www.amazon.co.jp/バーゲンコーナー-ゲーム/b?ie=UTF8&node=3245011

●「ネットショップ名＋セール」で検索すると、以外なキャンペーンを発見できるときもあります。

参照URL
http://www.bookoffonline.co.jp/files/guide/pricedown_newcd.html

さらに、Amazonでは50％以上の割引がある商品を検索する方法があります。やり方はとても簡単で、

1. カテゴリを絞る
2. URLの最後に「&pct-off=50-」をつけ足す

以上2ステップで完了です。右の写真の例は「おもちゃ＞男の子のおもちゃ＞男の子ホビー」というカテゴリで50％OFF以上になっている商品の一覧です。もし70％以上の割引率で絞りたい場合は、数字を50から70に変更すればOKです。ちなみに、この方法は海外のAmazonでも使えますので、輸入の仕入れにも応用することが可能です。

▲ Amazonで半額以下となっている商品を一覧で表示することができます。

次に、キャッシュバックを活用する方法ですが、キャッシュバックサイトを経由して商品を仕入れることで、商品を仕入れる度にマイルを貯めることができます。細かい積み重ねですが、年間に数百万単位の仕入れをするようになると、かなり大きな差が出てきます。

◀「JACCSモール」
Amazonでの買い物でキャッシュバックが受けられる数少ないキャッシュバックサイトです。ご利用にはJACCS系のクレジットカードが必要です。

参照URL
http://www.jaccsmall.com/

◀「ANAマイレージモール」
ご利用にはANAマイレージクラブへの入会が必要です。

参照URL
http://www.ana.co.jp/amc/reference/tameru/mileagemall/

Section 95 セールやキャッシュバックを利用して安く仕入れる

Section 96　第 4 章｜海外向けに輸出する商品を国内で仕入れる

問屋でまとめ買いをして仕入れる

| 基本 | 準備 | 輸入仕入れ | 輸入販売 | **輸出仕入れ** | 輸出販売 |

問屋で大量に仕入れるメリット、デメリット

　問屋仕入れというと敷居が高く感じるでしょうか？　たしかに、問屋での仕入れには、「卸値で安く買えるけど仕入れの量が多い」「一見さんお断り」などのイメージがあります。ただ、近年では問屋との取引も少しずつ変化をし始めていて、「1個からでも注文可能」「会社でなく個人でも仕入れ可能」といった問屋も存在するようになりました。では、どのようにして問屋を探していけばよいでしょうか。

　まずは、検索エンジンで「メーカー名＋卸」「メーカー名＋問屋」「お住まいの地域＋問屋」などのキーワードで検索して、出てきた業者へ順番に電話をしてみましょう。「いきなり電話をして大丈夫？」と思われるかも知れませんが、「断られて当然」くらいの気持ちで勇気を持ってチャレンジしてください。最初は少量の取引しかできないとしても、電話をするのに気後れする必要はありません。**交渉のポイントは2つ。相手のメリットに訴える提案をすることと、将来への展望をきちんと持っていると説明することです。**もし断られてしまっても、なぜ取引をしてくれないのかをきちんと説明してもらいましょう。「仕入れ金額が少ないから」「会社でないから」など原因が

「Webを見て電話しました」

「一見さんお断り」「大量仕入れ」

問屋

▲　問屋をインターネット検索して調べ、電話してみましょう。まずは行動あるのみです。

ハッキリとしていれば、それをクリアしてから再度交渉をすると取引してくれる可能性はぐっと上がります。

問屋仕入れには1つ大きなデメリットがあります。それは、多くの問屋が「現金取引」であることです。これまで出てきたAmazonや楽天市場などで商品を仕入れる場合は、クレジットカードで商品を仕入れることが可能です。クレジットカードで支払いをした場合は、代金の引き落としまで最大で2ヶ月程度あります。ということは、クレジットカードで仕入れた場合は自己資金がまったくなくても、代金の引き落としまでに商品が売れて、現金を手元に残せておければ問題ないわけです。しかし、問屋での仕入れは現金での決済が基本になるので、手元にある現金の分しか仕入れができません。これでは、資金が少ない状態のときに、稼ぎの成長スピードを遅らせることになってしまいます。

その代わりに問屋との取引では「掛け」という方法で支払いを先延ばしにできることがあります。ただし、小さな会社や個人だと最初から掛けでの取引をしてくれる可能性はほとんどないので、資金が少ないうちは、問屋から仕入れた場合の仕入れ値が5〜10%程度安くなるくらいであれば、クレジットカードを利用して小売店から仕入れることをお薦めします。

問屋仕入れには隠れたメリットがあります。それは「同じ商品を大量に購入することができる」ことです。当然のことと思われたかも知れませんが、実は、ネットショップや街の小売店では、1人で大量の商品を購入することを制限している場合があります。せっかく稼げる商品を見つけても、購入数制限で仕入れができないために、ミスミス利益を逃すのはもったいないことです。毎月コンスタントに売れている商品が見つかるようになったら、問屋での仕入れを考えていくとよいでしょう。

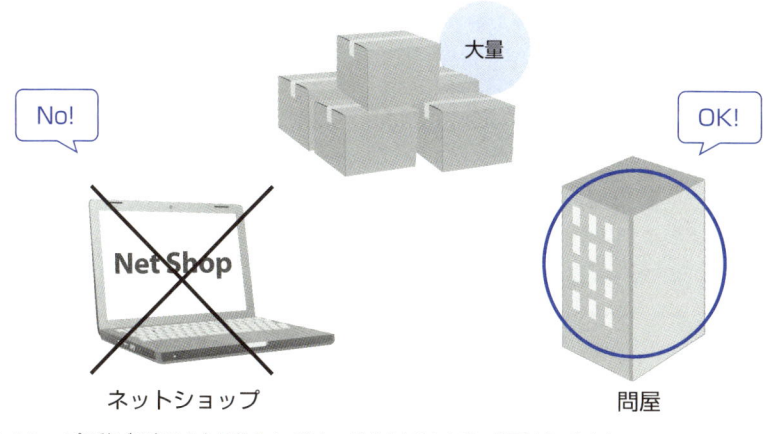

● ネットショップは稼げる商品を大量仕入れできない場合もありますが、問屋ならできます。

Section 97 | 第 4 章 海外向けに輸出する商品を国内で仕入れる

ライバルより安く仕入れるテクニック

| 基本 | 準備 | 輸入仕入れ | 輸入販売 | **輸出仕入れ** | 輸出販売 |

アイデア次第、様々な手法で安く仕入れる

　ここでは特別に、ライバルよりも安く商品を仕入れるテクニックについて紹介します。

● 仕入れ時の送料を減らす

　商品を仕入れるときの送料をなるべく節約しましょう。一度に1商品ではなく、まとまった量の商品を購入すれば、1商品あたりの送料を押さえられるだけでなく、送料無料などのサービスが受けられる場合もあります。また、1つ価格差のある商品を見つけたら、その商品を仕入れようと思ったショップには同じように稼げる商品が眠っている可能性が高いです。1つの商品の仕入れ先が決まったら、そのショップで他に価格差のある商品が販売されていないかをリサーチしてみましょう。

● 大量に注文することで、送料を押さえることができます。

● まとめ買い、定期購入での割引交渉

　ネットショップに問い合わせて、値引き交渉をしてみましょう。ここでも問屋との交渉と同様に、相手のメリットに訴え、将来の展望を示す交渉をするのがポイントです。具体的な値引き交渉のパターンは、次の4通りが一般的です。

- 1つの商品の注文個数によって割引率を変える
- 1度の商品の注文金額によって割引率を変える
- 月間の注文総額によって割引率を変える
- 毎月一定金額以上を継続的に仕入れることを条件に常に一定の割引を得る

割引交渉をするときに1つ注意が必要な点があります。Amazon、ヤフオク！など、サイトによっては外部での直接取引を禁止している場合があります。直接取引を禁止しているサイトに出品しているセラーに対して、あまり露骨な値引き交渉を繰り返していると、購入アカウントを停止されてしまう恐れがあるので注意してください。

● 不良在庫リスト

これまでの手法を発展させた、効果抜群の仕入れ方法があります。それは「問屋やネットショップから不良在庫リストをもらう」という方法です。これは、「割引の交渉時には相手のメリットに訴える」という原則に基づいた戦術です。問屋やネットショップには日本国内ではなかなか売れずに不良在庫になってしまっている商品が眠っている可能性があります。それを、あなたの力で海外に販売してあげる代わりに、商品を安く提供してもらえばお互いにメリットのある関係が築けます。

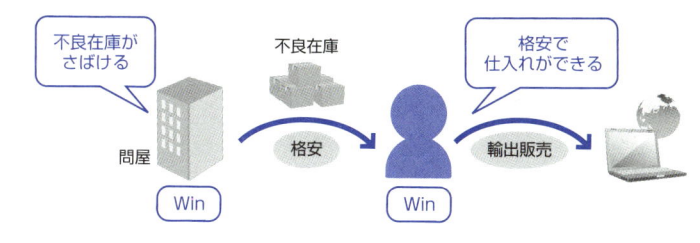

● 実店舗仕入れ、セール

もう1つお薦めなのが「実店舗のセールで仕入れる」という手法です。家電量販店や文具店などでは、決算期などを中心に在庫一掃セールを行なうことがあります。また、ワゴンセールなどを定期的に覗いていると、ネット上で仕入れるよりもずっと安い商品がたくさん置いてあります。

● 掘り出し物を探す

中古のレコードショップやゲームショップでの仕入れも効果的です。実店舗で販売されている中古品はネットでの相場と連動していないケースが多いので、掘り出し物が見つかる可能性があります。

Section 98

第 4 章 | 海外向けに輸出する商品を国内で仕入れる

初心者でも滑らない
海外向け商品セレクト術

| 基本 | 準備 | 輸入仕入れ | 輸入販売 | **輸出仕入れ** | 輸出販売 |

まずは身の回りの不要品を出品して経験を積むこと

　個人輸出を始めるのにあたって、まずお薦めなのが「不要品の出品」です。国内でオークションを始めるときにも、不要品の処分からスタートしてオークションの取引を徐々に勉強していくと効率がよいのと同じように、eBay や海外 Amazon で個人輸出を始めるときにも、まずは身の回りの不要品を出品しながら経験を積んでいきましょう。

　不要品の出品をお薦めする第 1 の理由は、もちろん仕入れのリスクがないこと。タンスの奥に眠っている使わなくなったゲーム、読まなくなった漫画、小さい頃に集めていた野球カードやキャラクターグッズ、ジュースやお菓子についてくるおまけ、もらったけれど使っていない和食器など、身の回りにあるものをどんどん出品していきましょう。不要品を出品すれば、幅広いジャンルの商品を販売することが可能です。「こんなものも売れるのか」、「反対にこれは駄目か」といった具合に、輸出に向いている商品が少しずつわかってくるはずです。出品価格については、eBay では $0.99 スタートのオークション形式、Amazon では最安値付近の値段付けをするとよいでしょう。利益は少なくてよいので、とにかく取引を重ねて輸出の販売に慣れていくことが大切だからです。

| 漫画 | ゲーム | カード | ジュースのおまけ | 和食器 |

▲ 自宅にある幅広いジャンルの不用品をまずは出品してみましょう。

日本のオークションでは値段がつかずに落札されないような商品が、eBay や海外 Amazon では驚くような値段で購入されることもあります。そして、ここでもう一歩踏み込んで考えてみることにしましょう。日本のオークションでは値段がつかないような商品が、海外ではあっと驚く値段がつくということは……。「日本のオークションで中古品の仕入れ」→「海外へ販売」ということが可能になるのです。身の回りの商品を一通り処分してしまったら、比較的高値で落札された商品と同じようなものがオークションで安く出品されていないか探してみましょう。このときお薦めなのが、「まとめ売り」されている商品を探すことです。「まとめ売り」されている商品を落札して、1つずつバラバラにして出品します。それでも中には売れない商品も出てきますので、最後は売れ残った商品を集めて、それをまた eBay で「まとめ売り」してしまいましょう。

《岩手 南部鉄器 鉄瓶、急須、色々まとめて!!》 7個セット!!（Yahoo!オークションで確認）

| カテゴリパス： | オークション> アンティーク、コレクション> 工芸品> 金属工芸> 鉄製> 鉄瓶 |

終了したオークションの商品情報	
サイト	Yahoo!オークション（落札相場）
落札価格	5,800 円 （もっと詳しく）「まとめ 急須」
残り時間	終了　読者の43％以上が年収1,000万円の定期購
入札件数	25 （入札履歴）
開始価格	1,000 円
入札単位	250 円
数量	1

☆ ゲーム ジャンク まとめて（Yahoo!オークションで確認）

| カテゴリパス： | オークション> おもちゃ、ゲーム> ゲーム> テレビゲーム> ファミコン> 本体、アクセサリー> その他 |

終了したオークションの商品情報	
サイト	Yahoo!オークション（落札相場）
落札価格	500 円 （もっと詳しく）「ゲーム まとめ」の
残り時間	終了　読者の43％以上が年収1,000万円の定期購
入札件数	1 （入札履歴）
開始価格	500 円
入札単位	10 円
数量	1

⇒"ゲーム まとめ"をヤフオクで探す

▲「まとめ売り」されている商品を検索したい場合は「商品名　まとめ」「商品名　大量」などで検索してください。

Section 98 初心者でも滑らない海外向け商品セレクト術

Section 99　　第4章｜海外向けに輸出する商品を国内で仕入れる

リアル店舗の販売価格が高い理由

| 基本 | 準備 | 輸入仕入れ | 輸入販売 | **輸出仕入れ** | 輸出販売 |

ネットショップとリアル店舗とではこれだけ違う

　インターネット上で商品を販売する「ネットショップ」に対して、実際に店頭に商品を並べて販売している店舗を「リアル店舗」または「実店舗」と呼ぶことがあります。一般的にリアル店舗はネットショップに比べて販売価格が高く設定されているケースが多いのですが、いったいなぜそんなことになっているのでしょうか。このSectionでは、リアル店舗の販売価格が高くなる理由をご説明します。

● リアル店舗のデメリット

1.店舗の家賃

　リアル店舗では、店の立地が集客に大きく影響するので、都市部の主要駅近くや幹線道路沿いなど、家賃の高いエリアに出店するのが基本になります。一方ネットショップでは、お客様のほとんどはインターネットを通じてショップに訪れてくれるので、わざわざ高い家賃のエリアで営業をする必要はありません。

2.設備費

　リアル店舗では商品の陳列や内外装が売上を左右します。また、POSレジを導入したり、店内の照明を商品の見栄えがよくなるような状態に保ったり、販促用のブースを設置したりと、多くの設備投資が必要になります。

3.人件費

　リアル店舗の運営には、接客のための人件費が必要になります。もちろん、ネットショップでもメールや電話での接客は必要になりますが、お客様に対面して直接接客をするよりも、手間や時間がかかりません。また、あらかじめ商品ページをしっかりと作り込んでおけば、お客様がくる度に毎回商品の説明をしたりする必要もありません。

● **ネットショップのデメリット**

価格競争にさらされる

　インターネット上では情報の収集が容易なので、価格の比較が簡単にできてしまいます。どこの店舗がいくらでその商品を売っているかということが一目瞭然になってしまうのです。現在では、基本的に多くのショップが販売価格を最安値付近に設定することで売上を伸ばしていこうと考えています。そこで起こるのが価格競争です。「あっちのショップが100円値下げしたからうちは150円値下げ」といった具合に、赤字スレスレのライン、ときには赤字になっても資金を回収するために値下げ合戦は続きます。一方のリアル店舗では、同じ駅前にある家電量販店の価格に差があるということは当たり前です。同じ地域にある電気屋さんをすべて廻って価格を比較するのはなかなか難しいでしょう。このような物理的な障壁があるために、リアル店舗では接客やポイント還元などのサービスで他店舗との差別化をすることができるのです。個人的には、実はこれがネットショップの販売価格が安い一番の理由ではないかと考えているとともに、非常によくない傾向であると感じています。

　ビジネスとは本来、価値を産み出してその対価として報酬を得るものです。ショップに訪れてくれたお客様に価格でしか訴求できないショップというのは、ただ商品を右から左に流したことによる差益をとっているに過ぎません。自分で商品を販売するときは「独自の保証をつける」「商品の使用方法についてアフターフォローをする」など**何か少しでもよいので、自分にしかできない価値を付加して販売する努力をしてみてください。**

　インターネットサービスの利便性の向上やSNSの普及で、今後はさらに、ネットショップ上での顧客対応や独自の付加サービスが大切な時代になってくることが予想されます。値下げでしか他店との差別化ができないショップは、生き残りが難しくなるでしょう。

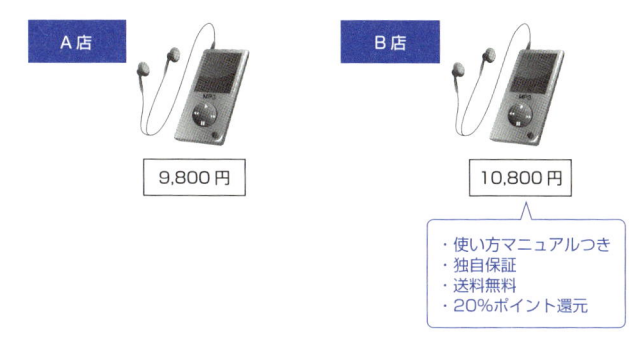

A店	B店
9,800円	10,800円

B店:
・使い方マニュアルつき
・独自保証
・送料無料
・20%ポイント還元

▲ ただ単に値段が安いだけではなく、付加価値をつけて商品を販売しましょう。

Section 99　リアル店舗の販売価格が高い理由

Section 100　第4章｜海外向けに輸出する商品を国内で仕入れる

国内の展示会で卸業者を探す

| 基本 | 準備 | 輸入仕入れ | 輸入販売 | **輸出仕入れ** | 輸出販売 |

よい出展企業と商談をまとめて輸出ビジネスを発展させる

　商品の販売に慣れてきて、コンスタントに利益が出るようになったら、日本国内で開催されている展示会や見本市を訪れて卸業者を探してみましょう。出展している企業は、参加する展示会によって様々です。海外の商品を日本国内向けに販売しようとしている輸入代理店や、日本進出を狙っているメーカーなど、輸出だけでなく輸入の仕入れ先を探すことも可能です。僕たちが卸契約を狙うのは、基本的には日本のメーカーもしくは日本メーカーの代理店です。**卸契約を結ぶことができれば、他のセラーよりも安い価格で安定して商品を仕入れることが可能になるだけでなく、新商品の発売情報をもらえたりもします**。規模が拡大してきたら、自分が売りたいと思う商品の生産を依頼することも可能です。

　参加費は基本的には有料の場合が多いですが、事前に氏名などを登録してエントリーしておくことで無料になるケースもたくさんあります。参加したい展示会が見つかったら、参加費についてしっかりとチェックしておきましょう。また、交通や宿泊については当日、各会場へ直接向かえば大丈夫です。東京や大阪など大都市で開催されるギフトショーは1日で廻り切るのは難しい場合が多いので、地方から参加される場合は、近場のビジネスホテルなどに宿泊してじっくりと廻るのもよいでしょう。

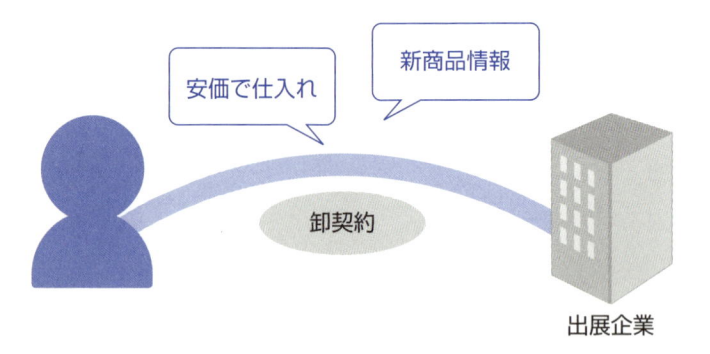

▲ 展示会でよいメーカーと話がまとまれば、今後の輸出ビジネスに大いにプラスとなります。

持ち物としては、名刺は必須です。少なくとも100枚は持っていきましょう。東京ビッグサイトなど大きい会場でしたら、いざというときには会場内で名刺を作成できるサービスコーナーもありますが、時間をロスしてしまうのがもったいないので、名刺は切らさないようにしましょう。その他には筆記用具、カメラなどを持参すると何かと便利です。ただし、写真撮影が禁止されているブースもありますので、撮影前にはブースの担当者の方にきちんと許可を取りましょう。取引は基本的には現金か掛けになります。支払い条件や掛け率などは、それぞれの業者や仕入れの量によって変わってきますので、積極的に交渉をしていきましょう。

なお展示会当日は、ピンポイントで狙っている商品がない限り、1つの業者とあまり長話をしない方がよいです。時間は限られていますので、より多くのブースを廻り、商品の情報を入手してみましょう。ブースで自分の名刺を渡しておけば、後日メールか電話で問い合わせをしたときにスムーズに話が進みます。

開催については「ギフトショー　東京（地域名）」「展示会　2013（年）」というキーワードで検索をすれば、たくさんの情報が出てきます。JETROのホームページや東京ビックサイトのホームページからも調べることができます。

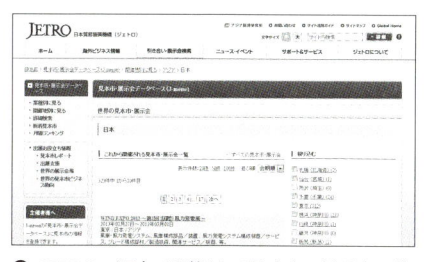

▲ JETRO ／日本で開催される見本市・展示会一覧
参照 URL
http://www.jetro.go.jp/j-messe/?action_fairList=true&type=v2&v_2=009&v_3=002

▲ 東京ビッグサイト
参照 URL
http://www.bigsight.jp/

▲ ギフト NET
参照 URL
http://www.giftshow.co.jp/

▲ ザッカネット／展示会・見本市情報
参照 URL
http://www.zakka.net/event/

Section 101　第4章｜海外向けに輸出する商品を国内で仕入れる

輸出販売でこれだけは気をつけたいことベスト10

| 基本 | 準備 | 輸入仕入れ | 輸入販売 | **輸出仕入れ** | 輸出販売 |

押さえておきたい事例集

　輸出ビジネスにおいて、いくつか気をつけておいたほうがよいことがあります。どれも常識的なことではありますが、あらかじめ事例を押さえておくことで、無用なトラブルなどが起きないように対処することができます。

1.アカウント停止につながるようなことはしない

　eBayやAmazonには圧倒的な集客力があります。この集客力を利用して輸出を始めることは輸出ビジネス初心者にとっては、非常にメリットになります。しかし、これらのモールの力を借りて出品している以上は、モールの規約を遵守する必要があります。規約を無視して、アカウント停止にならないよう十分に注意しましょう。

2.長期在庫はなるべく持たない

　物販ビジネスで利益率と同じくらい大切なのが、資金の回転率です。資金が少ないうちは長期間塩漬けになってしまうような在庫は極力持たないようにしましょう。

3.無意味な価格競争はしない

　値下げに頼る販売戦略はやめましょう。「どうすれば高く売れるか」を考えることが、長期的なビジネススキルの向上につながります。

4.輸出禁止商品を送らない（出品しない）

　輸出が禁止されている商品は、絶対に出品しないようにしましょう（Sec.18参照）。

5.梱包は厳重に

　海外では日本と比べて、荷物の取り扱いが雑な地域も多くあります。梱包は厳重にして、商品の破損を予防しましょう。

6.顧客対応はしっかりと

質問などにはしっかり丁寧に返信しましょう。いい加減な対応をして eBay や Amazon で悪い評価をつけられてしまうと、特に評価が少ないうちは売上に大きく影響します。

7.アンダーバリューはしない

まれに、お客様から商品のインヴォイス（商品を発送する際に税関へ申告する検査で必要な書類）を過少申告して欲しいと依頼される場合があります。しかしインヴォイスの過少申告は脱税行為に加担したとみなされますので、絶対にしないようにしてください。また、商品を商用ではなく贈り物（gift）と記載して送って欲しいと依頼されることもありますが、こちらも同様の理由からお断りするようにしてください。Amazon でも eBay でも、受取時に関税が発生したことによってつけられた悪い評価は削除してもらえるケースがあります。

8.追跡番号をつける

世界の中には郵便事情の悪い国も存在します。到着した荷物の中身の一部が抜きとられていたり、荷物自体が紛失してしまったりするケースもあります。荷物には基本的に追跡番号をつけるようにしましょう。ただし、薄利や低額の商品で「追跡番号をつけたら利益が出ない」、「万一の場合は再送しても構わない」という場合は、追跡番号なしで送ることを考慮してもよいでしょう。

9. 高額商品には保証をつける

高額な商品には、破損や紛失に備えてしっかりと保証をかけましょう。

10.登録住所と別の場所に送らない（詐欺対策）

数多くの取引をしていると、eBay や Amazon で指定した宛先以外に商品を発送するようお願いされることがあります。しかし、その要求には極力応じないようにしてください。というのも、登録されているのと別の住所に送って万一トラブルが発生した場合、eBay や Amazon の保証が適用されなくなってしまうからです。それを逆手に取り、評価の少ない初心者セラーを狙って詐欺をしてくる相手もいます。すべてのケースが詐欺だというわけではありませんが、用心するに越したことはありません。

Section 102

第 4 章｜海外向けに輸出する商品を国内で仕入れる

他のセラーと差をつけるための輸出戦略

| 基本 | 準備 | 輸入仕入れ | 輸入販売 | **輸出仕入れ** | 輸出販売 |

価格差を追わない、調べない

　これまでお伝えした方法をしっかりと実践して、商品リサーチと仕入れを進めていただければ、利益を出していくのはそれ程難しくないでしょう。しかし、さらに稼いでいくために、他のセラーと差をつける輸出戦略について考えていきましょう。

　商品リサーチの基本は、価格差のある商品を探すことです。これまでも、価格差のある商品の探し方について、お話をしてきました。しかし、これはビジネスのスタイルとして正しいのか、もう一度考えてみましょう。価格差を調べてから商品を販売するというのは、すでに誰かが販売した商品の履歴を元に「売れていた商品だからもう一度売れるだろう」と予想して誰かの後追いをする行為です。しかし多くの場合、その商品の利益率が一番高いのは、商品を見つけた瞬間で、あとは競合の参入とともに利益率は徐々に下がっていきます。そして最終的に希望する利益が取れなくなった時

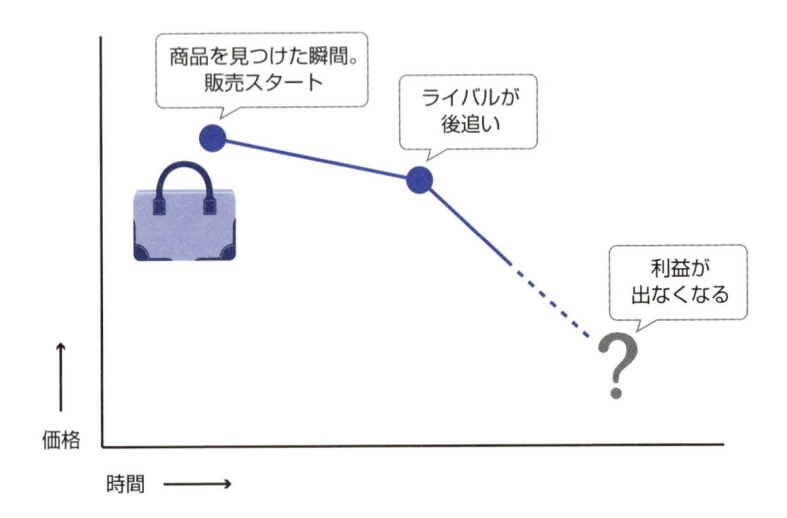

▲ 通常、後追いされる人気商品は、いずれ利益率がなくなるまで値が下がってしまいます。

点で、その商品の取り扱いは終了です。こうして、順番にライフサイクルの終わりを迎える商品が現れるので、新しく稼げる商品を常に探し続けなくてはいけません。また、利益率が下がる一方の商品だけを扱うことになりますので、「いつ売れなくなるんだろう……」と精神的な不安も大きくなると思います。

そこで今回は少し視点を変えて、「その商品がなぜ売れているのか」を考えてみてください。そうすると、商品が売れている理由の裏には必ずお客様の存在が見えてくると思います。お客様はその商品を購入することで、何らかの感情の変化が起こることを求めています。例えば洋服を買うときは、「物理的に洋服が必要だから買う」ということはほとんどなく「この洋服を着て行ったら気分がいい」とか「誰かに認められたら嬉しい」とかそういった理由があります。ですので、**お客様が得たいと思っている感情の変化を読み取ることができれば、そのお客様の一番欲しいものを提供することができます**。そしてそれは、過去に落札された履歴がなくても売れる商品であり、その商品は競合がいないので高い利益率を保てます。

こうして商品そのものをリサーチするだけではなく、商品購入に至ったお客様の感情のプロセスを分析していくことで、他のセラーとはひと味違った、一歩先の世界に進むことができるようになります。

「なぜ売れているのか」「なぜ買うのか」をしっかり考え、他のセラーに差をつけましょう。

Section 102 他のセラーと差をつけるための輸出戦略

Section 103　　第 4 章｜海外向けに輸出する商品を国内で仕入れる

複数の仕入れ先があれば、必然的に安定した収入になる

| 基本 | 準備 | 輸入仕入れ | 輸入販売 | **輸出仕入れ** | 輸出販売 |

ネットショップだけではなく仕入先を開拓していく

　ここまでの内容で、ネットショップでの仕入れをはじめとして、問屋仕入れ、展示会での仕入れなどいろいろな方法で商品を仕入れられるということが理解していただけたかと思います。それぞれの仕入れ先には一長一短あり、どれがよいかというのは、**それぞれの販売スタイルや売上の規模、今後の目標によって変わってきますので、その都度一番よいと思う仕入れ先をチョイスしてください**。また、現在安定した仕入れ先があったとしても、新規の仕入れ先をドンドン開拓していこうという気持ちを忘れないでください。というのも、仕入れ先を1ヵ所に頼っているとビジネスが非常に不安定になるからです。

　いつでも誰でも簡単に仕入れができるネットショップからの仕入れだけに頼っていれば、競合のセラーが増えてきたときに価格で太刀打ちできません。1つの問屋からの割引に頼って仕入れをしていれば、その問屋から契約を打ち切られたり、問屋が倒産してしまったときに、今後安く商品を仕入れるルートはなくなってしまいます。実店舗からのセール品や中古品の仕入れだけを行っていると、商品の供給が店舗任せになるので、仕入れが安定しません。

　複数の仕入れ先があれば、必然的に安定した収入を得られるようになります。これまでに挙げた方法を参考にして、たくさんの仕入れ先を獲得してください。

ネットショップ　　　　問屋　　　　店舗

▲ 仕入れルートを複数確保することで、安定した輸出ビジネスが実践できます。

第5章

国内で仕入れた商品を海外へ販売、輸出する

輸出販売するメリットとデメリット……………228
輸出に向いている商品、向いていない商品…230
販売ターゲットを絞り込む……………………232
輸出販売方法の仕分け方………………………234
Amazonマーケットプレイスで
販売して儲ける…………………………………236
AmazonFBAを使いこなす……………………238
AmazonFBAの注意点…………………………240
eBayで販売して儲ける…………………………242
eBayの落札履歴リサーチ法と
Terapeakの使い方………………………………244
独自サイトでの販売方法………………………246
海外口座開設について…………………………248
海外法人設立について…………………………250
輸出販売攻略法と販売戦略……………………252
破損などがあった場合の対処方法……………254

アカウントを剥奪されないための対処方法…356
便利な翻訳サイトを使い倒す…………………258
難しい文章を翻訳してもらう方法……………260
ファンの作り方…………………………………262
リピーターになってもらう戦略について……264
アップセルに繋げるテクニック………………266
最適な輸送手段を考える………………………268
海外発送業者を使って個人輸出する…………270
航空運賃のアレコレ……………………………272
海上運賃のアレコレ……………………………274
TAXを考慮する…………………………………275
通貨の差を考慮する……………………………276
便利なツールを活用する………………………278
個人輸入&輸出販売ビジネス
お役立ち資料集…………………………………280

輸出販売するメリットとデメリット

基本 | 準備 | 輸入仕入れ | 輸入販売 | 輸出仕入れ | **輸出販売**

無在庫販売がもたらすそれぞれの効能

輸出販売ビジネスにおいてのメリット、デメリットとは何でしょうか。

メリット

・**無在庫販売**

個人輸出ビジネスでは「無在庫販売」という手法がよく利用されています。「無在庫販売」は、まず在庫を持たずに、eBayやAmazonまたはネットショップに商品を登録しておきます。そしてお客様からの注文が入った時点で、日本のAmazonなどで商品を発注→商品が手元に届き次第お客様の元へ発送という流れになります。注文が入ってから商品を発注するため在庫を持つリスクがないのが、無在庫販売の最大のメリットです。この販売スタイルで輸出を始めれば、手元の資金が少なくても一気に稼ぐことが可能になります。

ただし、eBayやAmazonでは在庫を持たずに商品を出品することは実際には許可されていません。無在庫販売は一般的に用いられている手法であるのに、サイトのポリシー上は許可されていないという、少し不思議な状況ではあります。アカウント停止のリスクとバランスを取りながら、メリットを活かしつつ「無在庫販売」には自己責任で取り組むようにしてください。

・**世界の市場へ**

また、世界の市場に対して商品を販売する経験を積めるということも輸出販売のメリットの1つです。2012年現在、日本のGDPは世界第3位とまだまだ大きな市場ですが、今後は縮小傾向にあります。輸出ビジネスを習得して、今後伸びてくることが期待される市場へ向けて商品を販売していきましょう。

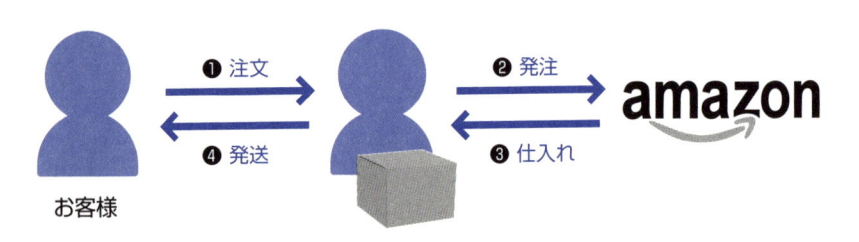

⚠ eBayやAmazonでは無在庫販売は許可していませんので注意しましょう。

デメリット

輸入ビジネスと比較したときの、輸出ビジネスのデメリットを考えてみましょう。

・**価格競争**

まず最初に思い浮かぶのが、輸出販売というより無在庫販売のデメリットについてです。それは、在庫を持たないために誰でも気軽に始められてしまう点です。「誰でも気軽に始められる」というのは、初心者にとっては優しい仕組みではありますが、参入障壁が低くなるため、価格競争などが起こりやすくなります。その結果として、全体の利益総額が減少して、個人輸出ビジネス業界全体が縮小してしまう可能性があります。

無在庫販売で輸出ビジネスを開始！

▲ 無在庫販売で多くの人が参入した場合、価格競争が始まり個人輸出ビジネス業界全体の利益が減る恐れがあります。

・**情報量**

輸入ビジネスと比較すると情報が入ってきづらいのも、輸出ビジネスのデメリットです。得られる情報が少ないということは、取引上のトラブルに巻き込まれたり、うっかり法に触れたりしてしまう可能性をはらんでいます。不要なトラブルを回避するためにも、日頃からしっかりと情報収集をするように心がけましょう。

▲ インターネットだけでなく、書籍や個人輸出ビジネス仲間などから常に情報収集を行いましょう。

Section 105 | 第5章 国内で仕入れた商品を海外へ販売、輸出する

輸出に向いている商品、向いていない商品

基本 | 準備 | 輸入仕入れ | 輸入販売 | 輸出仕入れ | **輸出販売**

検索で探しやすい商品を選ぶ

　個人輸出に向いている商品、向いていない商品には、どのようなものがあるでしょうか。個人輸出入に向いている商品の代表例として一般的によくいわれるのは「小さくて、軽くて、壊れにくいもの」、逆に個人輸出入に向いていないといわれるのは「大きくて、重くて、壊れやすいもの」です。「大きくて、重くて、壊れやすいもの」が個人輸出に向いていないとされている理由は、もちろん送料がかかることと、破損のリスクがあることです。しかし、この考え方はあまりにも一般的になり過ぎたために「競合の多いレッドオーシャン」になりやすいという側面もあります。では、この基準をひとまず無視して、個人輸出に向いている商品というものを考えていきましょう。
　まず、これは物販に限らず、インターネットビジネス全体でいえることですが、**キーワードで商品自体を示せるような商品は検索にヒットしやすいので、売りやすい商品**であるといえるでしょう。

▲ プロダクトデザイナー柳 宗理氏がデザインしたヤカンです。

どういうことかというと、例えば、プロダクトデザイナー柳 宗理氏がデザインされたヤカンです。こちらの商品を購入したい場合、Amazonで商品の特徴を表す「Stainless Steel Kettle」というキーワードで検索すると、1500件以上の商品がヒットします。この中から目的の商品を探すのは至難の業です。一方、デザイナー名の「sori yanagi」で検索すると、ヒットするのは僅か26件ですので、簡単に商品を見つけることができます。このようにキーワードが限定的に使える商品は、検索しやすいのでインターネットでの販売に向いている商品といえます。

▲「sori yanagi」では26件に絞られます。キーワード検索しやすい商品を販売しましょう。

反対に、海外に商品を販売するもので、購入後にメンテナンスなどのアフターサービスが必要になる商品は、輸出に向いていない商品といえるでしょう。しかし、高額な商品であれば、「送料を負担してもらえれば、無料でメンテナンスをします」というサービスを付加することで、商品価値を上げることも可能です。また、写真と文章だけでは商品の特徴が伝わりにくい商品も、輸出に向いていないといえます。インターネット上での取引になるので、実際に手にとってみるまで購入を決断できないような商品は、インターネットでの個人輸出に向いていません。

▲輸出に不向きな要メンテナンスの商品は、無料点検を負荷すると商品価値が上がります。

Section 105 輸出に向いている商品、向いていない商品

販売ターゲットを絞り込む

| 基本 | 準備 | 輸入仕入れ | 輸入販売 | 輸出仕入れ | **輸出販売** |

eBay、ネットショップで出る大きな効果

　商品を販売するときは販売ターゲットを絞り込むことで、相場よりも高い価格で販売することが可能になります。eBayの場合はアカウントを複数取得して、アカウントごとに出品商品のジャンルを分ければ、購入者が安心感を持ち、落札率や落札価格に大きな効果があります。また、関連商品があわせて出品されていれば、様々な商品を雑多に出品している場合と比べて、まとめ買いを誘発しやすいというメリットがあります。

　販売ターゲットを絞り込む効果が高いのは、やはりネットショップでの販売（Sec.113参照）と、メルマガに集めたファンに対して商品を販売するとき（Sec.121参照）です。 ネットショップで商品を販売する際は、できるだけ出品する商品のジャンルを絞った方が効率的です。まずは売りたい商品を1つ見つけて、ネットショッ

A アカウント

B アカウント

C アカウント

● Amazonでは禁止されていますが、eBayではアカウントを複数作成して出品することが可能です。

プを作成します。独自サイトでの販売方法でお伝えする方法で集客をして、反応があるようであれば、それに関連する商品をそのショップに並べたり、関連ショップを増やしたりしてみましょう。

　メルマガを配信する場合は、クリック測定をして、セグメント分けをしていくと効果的です。新しくメルマガを登録してくれた人に、趣向の異なる2つの商品に関するリンクを張ったメルマガを配信して、どのリンクをクリックしたのかで4つのパターンに分けます。例えば、信楽焼の狸の置物を購入してくれたお客様へのメールで、商品Aには茶器、商品Bには忍者のフィギュアのリンクを張っておきクリック測定をすることで、どんな趣味趣向があるかをざっくりと分けることが可能になります。Aだけをクリックしていたら陶器などに、Bだけをクリックしていたら置物やフィギュアに興味がある可能性が高いと予測することができます。

　輸出ビジネスを始めたばかりの頃は、販売ターゲットを絞ることで、いくつか副産物的な効果が発生します。販売する商品の幅が狭まれば、仕入れるショップも徐々に絞られてきます。1つのショップから定期的に商品を購入できるようになると、値引き交渉もしやすくなるというメリットがあるのです。また、扱う商品が限定的であれば、商品知識がつきやいので、より充実したサポートが可能になったり、メルマガなどで配信する内容もより濃くしていったりすることが可能です。

　Amazonでは複数のセラーアカウントを持つことが禁止されているため、これらの手法は使えません。Amazonには、商品1点ごとの出品手数料も、出品数の制限もないため、販売ターゲットを絞り込まない戦略を突き詰めて販売をしていくのが効果的になります。

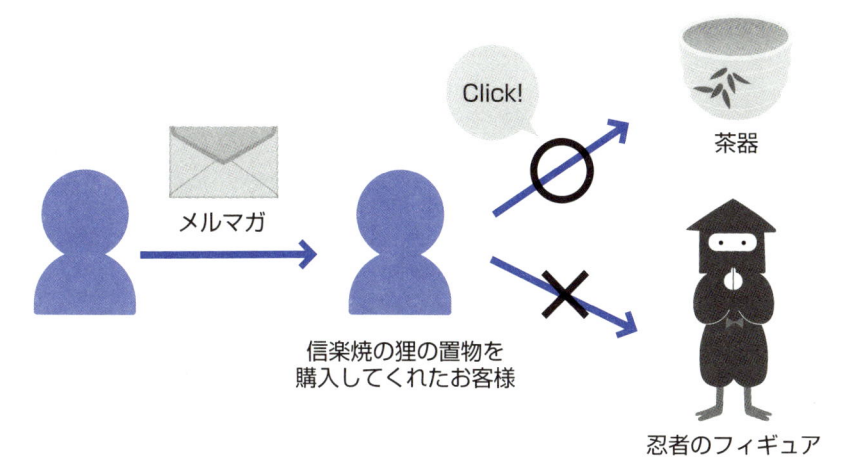

▲ メルマガから興味のあるジャンルを測定してセグメント分けをしましょう。

輸出販売方法の仕分け方

| 基本 | 準備 | 輸入仕入れ | 輸入販売 | 輸出仕入れ | **輸出販売** |

3つの販路それぞれを使い分ける

輸出ビジネスの販路には、eBay、Amazon、独自サイトなどが存在しますが、各サイトの販売方法はどのように変えていけばよいのでしょうか。

1.eBay（Sec.111参照）

eBayでは新規のセラーに、出品リミットというものが設けられており、月間に出品できる個数や金額が制限されています。この出品リミットは取引を重ねていくことで、徐々に増やしていくことが可能ですが、やはり制限がある分だけ効率的に出品していきたいところです。「出品数×商品あたりの平均利益×落札率」で月間の利益は決まります。出品数と出品総額には制限があるので、**「利益率」と「落札率」を上げていくことが、eBayでの利益を増やしていくためのポイント**です。そこで、出品商品の属性を絞ることでまとめ買いを誘導して、落札率のアップにつなげましょう。また、利益率の高い商品としては、中古品を取り扱うのもよいでしょう。eBayではAmazonと違い商品個別の商品写真をアップできるので、お客さんに安心してもらえる商品ページ作りを心がけましょう。また、Terapeak（Sec.112参照）などで検索しても落札履歴がなく、市場価格がわかりにくいものもeBayでの販売に向いています。低価格のオークション形式で出品してみてニーズを探ってみましょう。

● eBay

参照 URL
http://www.ebay.com/

2.Amazon（Sec.108参照）

Amazonでは、eBayのように出品商品の数や金額に関する制限が基本的には存在しないため、**さまざまな商品をどんどん出品していくことが可能**です。日本の

Amazonや楽天に出品されている商品、100円ショップや雑貨屋にあるような商品を登録していきましょう。またAmazonではFBAサービスを利用することで、薄利多売系の商品を効率的に販売することが可能になります。商品をいったんAmazonのFBA倉庫に納品してしまえば、あとは何もしなくてもAmazonが販売から出荷、返品対応までを代行してくれます。1商品売って数百円の利益しか出ない商品でも、月間に100個販売できれば数万円の利益になります。そういった商品をいくつかラインナップできるようになれば、毎月安定した利益を生んでくれるようになります。薄利多売をしていくと、仕入れ先との価格交渉やメーカーとの卸契約の話もスムーズに行えますので、ぜひ実践してみてください。

 Amazon.com

参照URL
http://www.amazon.com/

3.独自サイト（Sec.113参照）

独自サイトはお客さんと1対1の関係がつくりやすく、リピーター獲得のための戦略がとりやすいので、**1つのカテゴリの商品のみ、1つのメーカーのみといった感じで属性を極限まで絞って販売する**とよいでしょう。顧客満足度を高めるように意識したショップ作りを地道に続けていけば、着実に売上をのばしていけるでしょう。また、eBayやAmazonですでに販売実績がある商品を独自サイトでの販売に切り替えていくことで、eBayやAmazonへ支払っていた手数料を節約できるようになります。

eBay	Amazon	独自サイト
・属性を絞る ・中古品	・さまざまな商品 ・薄利多売系	・属性を極限まで絞る ・販売実績のある商品

 各販売サイトには、それぞれに販売が向いている商品があります。

Section 107 輸出販売方法の仕分け方 | 235

Section 108

第 5 章 | 国内で仕入れた商品を海外へ販売、輸出する

Amazonマーケットプレイスで販売して儲ける

| 基本 | 準備 | 輸入仕入れ | 輸入販売 | 輸出仕入れ | **輸出販売** |

最初から Professional 出店をして 3 つのメリットを得る

　ここでは、海外の Amazon で販売する方法について説明します。Amazon.com のセラーアカウントには、Professional（プロ）と Individual（個人）の 2 種類の出店方式があります。

参照 URL
http://services.amazon.com/content/sell-on-amazon.htm/

　Professional 出店をすると月額固定料金 $39.99 が必要になりますが、なるべくなら最初から Professional 出店することをお薦めします。Professional 出店することで得られる代表的なメリットは、以下の 3 点です。

- 商品が 1 つ売れるごとに発生する referral fees $0.99 が不要になる
  41 個以上販売すれば、Professional の方が割安になります。
- 在庫や注文の一括管理機能が利用できるようになる
- featured merchant ステータスの資格がある
  featured merchant ステータスを取得しているかどうかは、Amazon での売上を大きく左右します。Individual 出店をしてしまうと、featured merchant 取得の資格がありません。

referral fees $0.99 不要

在庫・注文一括管理機能

featured merchant ステータスの資格

amazon.com
Professionl

Ⓐ Amazon.com はメリットのある Professional 出店で販売しましょう。

Amazonでは大きく分けて2つの販売方法があります。1つは「無在庫販売」です（Sec.104参照）。無在庫販売には在庫を持たずに輸出ができるという大きなメリットがある一方で、アカウント停止のリスクがあります。Amazonは在庫を持たずに商品を販売することを認めていません。また、「注文キャンセル」や「出荷遅延」はAmazonのアカウント停止の対象となりますが、無在庫販売をしているとこれらを起こしてしまう可能性がぐっと増えてきます（「注文キャンセル」や「出荷遅延」への対処法についてはSec.118で紹介します）。一見ノーリスクの無在庫販売ですが、アカウント停止には十分な注意が必要です。

　2つ目は「FBA販売」です（Sec.109参照）。FBAとは商品の出荷や返品対応などをAmazonの配送センターが代行してくれるサービスです。あらかじめAmazonのFBA倉庫に商品を納品しておき、注文が入ったら、AmazonがFBA倉庫からお客様の元へ商品を直送してくれます。速達配送などAmazon配送センターのサービスが利用できるのは、お客様にとってもメリットです。FBA販売の場合は在庫を持つリスクはありますが、「個々の商品を出荷する手間が省ける」「商品が売れやすくなる」「よい評価を受けやすい」といった様々なメリットもあるので、ある程度資金に余裕があるようでしたら、積極的にFBAを利用して販売することをお薦めします。

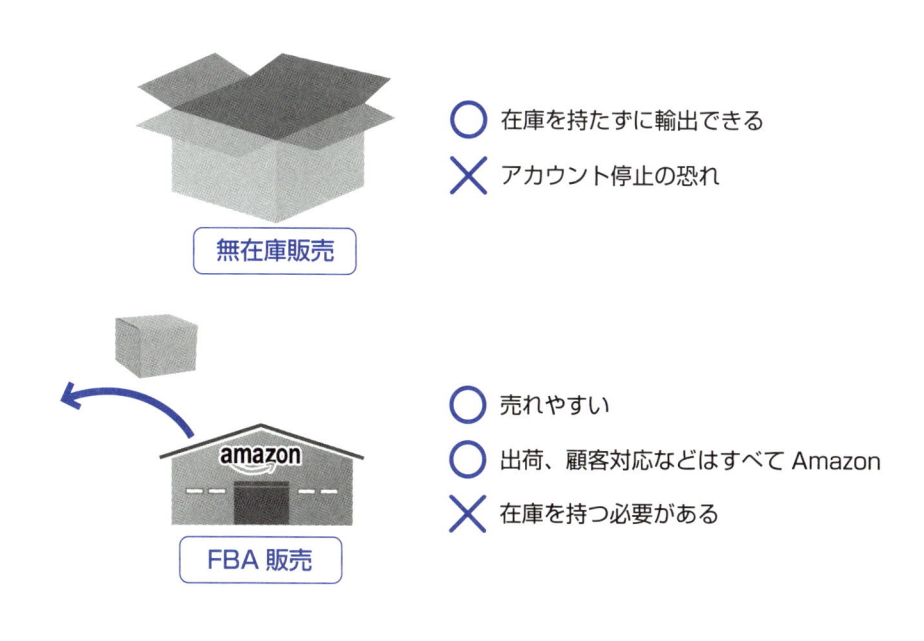

無在庫販売
- ○ 在庫を持たずに輸出できる
- × アカウント停止の恐れ

FBA販売
- ○ 売れやすい
- ○ 出荷、顧客対応などはすべてAmazon
- × 在庫を持つ必要がある

▲ リスクのある無在庫販売よりも、FBA販売で展開するのがお薦めです。

第 5 章 | 国内で仕入れた商品を海外へ販売、輸出する

Section 109

AmazonFBAを使いこなす

| 基本 | 準備 | 輸入仕入れ | 輸入販売 | 輸出仕入れ | **輸出販売** |

人的コスト減少、利益率向上などメリットを大いに活かす

　それでは続いて、FBA販売の効果的な活用方法について説明します。まずは、FBA販売のメリットについて詳しく見ていきましょう。

・人的コストが減少する
FBA販売の場合は商品を一括でFBA倉庫に送ればよいので、注文が入ってから商品を1つ1つ発送するのと比較すると大幅に作業時間が短縮されます。また、返品対応などもAmazonが代行してくれるので顧客対応コストも減少します。

・商品が売れやすくなる
FBA出品されている商品を購入するときに、お客様が利用できるAmazonの速達配送サービスがあります。実際にどれくらいの割合でこの速達配送サービスが利用されているかを測定したところ、779件中369件（47.3%）の注文で速達が選択されていることがわかりました。この結果から、同じ価格でFBA出品と無在庫出品がされていた場合、少なくとも約半数の人が無在庫販売商品を注文しない可能性が高いということが予想されます。

・よい評価を受けやすい
商品の出荷に対しての顧客対応は基本的にAmazonが行なうので、お客様とセラーとの接点が減ることになります。悪い評価をつけるキッカケが少なくなるので、結果的によい評価をもらいやすくなります。

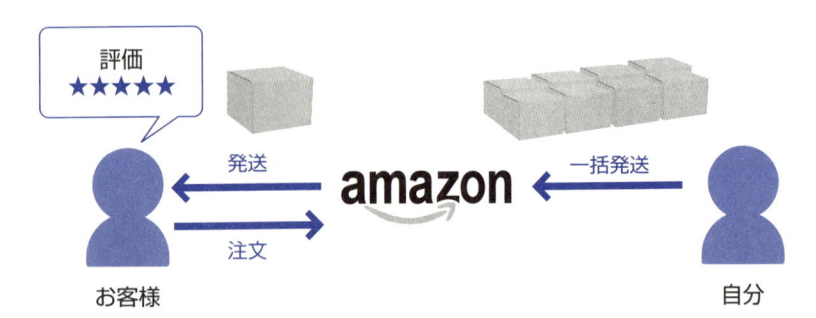

● AmazonFBAを利用すれば人的コスト減少、よい評価がもらえやすいなど、メリットがたくさんあります。

・利益率が向上する
FBAを利用すると、Amazonの販売手数料の他にFBA手数料が発生しますが、送料を考えると結果的に割り安になることがあります。

参照 URL
http://services.amazon.com/fulfillment-by-amazon/benefits.htm

　FBAサービスを利用する手数料は、商品の大きさにもよりますが、概ね$3程度です。一方でFBA販売をすると送料が結果的に割安になる場合が多くあります。EMSで1kgの商品をアメリカまで送った場合の送料は2,400円ですが、FBA倉庫へ一括で商品を納品した場合、僕のケースですと1kgあたり約1,500円程度に納まるので、FBA手数料を加えても、FBA販売したときの方が利益率は高くなります。さらに、FBA販売している商品は「Buy Box」に表示されやすくなるので、最安値付近の値付けをしなくてもよくなるというメリットもあります。「Buy Box」とは写真右側の囲み内のことで、自分の出品している商品がここに表示されていると、購入率が一気に上がります。

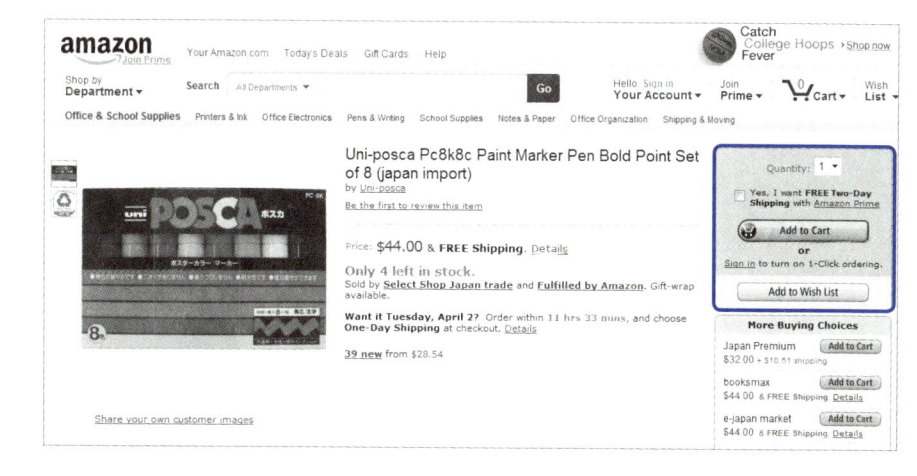

・ある程度まとまった量を一度に納品して送料を割安に押さえる
・1つ販売して、利益が$3程度の薄利多売の商品でも取り扱って評価を稼ぐ
・無在庫販売用に登録した商品の中でコンスタントに売れたものをFBAに切り替える

の3つのポイントを押さえることで、AmazonFBAを効果的に使いこなすことができるでしょう。

Section 109　AmazonFBAを使いこなす

Section 110

AmazonFBAの注意点

基本 | 準備 | 輸入仕入れ | 輸入販売 | 輸出仕入れ | **輸出販売**

Amazon.com の FBA 倉庫へ商品を納品するルート

　Amazon.com では、アメリカ以外から Amazon の FBA 倉庫へ商品を直送することを認めていません。どういうことかというと、「セラー」→「FBA 倉庫」ではなく「セラー」→「アメリカ国内の荷受人」→「FBA 倉庫」というルートで納品する必要があるということです。そのため、僕たちが日本から Amazon.com の FBA 倉庫へ商品を納品する場合は、以下の方法をとることになります。

・**現地のパートナーを経由する**
アメリカに住む知人や、アメリカに物流拠点がある転送業者など、アメリカ国内で荷物の受取をしてくれるパートナー宛に商品を送り、荷受け、関税の立替払い、FBA 倉庫への転送をお願いします。転送業者は、「Ash マート」などがあります。

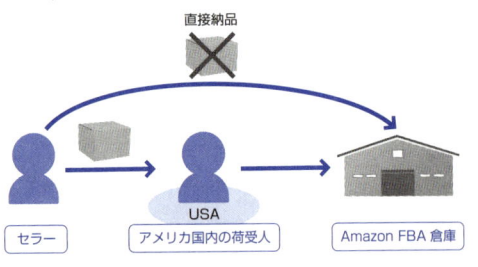

● Amazon.com はアメリカ以外から直接、FBA 倉庫へ納品することを認めていません。

● Ash マート
参照 URL
http://www.ashmart.com/

しかし例外として、以下の方法で送ることもできます。

・「Samuel Shapiro & Company, Inc.」を利用する
Amazon 指定の通関業者である「Samuel Shapiro & Company, Inc.」を通じて FBA 倉庫へ商品を直送する方法。

　通常、商品を海外に輸出した際の通関業務は、日本郵便のサービスを利用した場合は輸出先の税関職員、DHL などのクーリエ（国際宅配便）業者を利用した場合はクーリエ業者が基本的にどちらも無料で代行してくれます。しかし、Amazon の FBA 倉庫へ商品を直接納品したい場合は、「Samuel Shapiro & Company, Inc.」に通関業務を代行してもらい、手数料を支払うようにと Amazon 側が指定しています。そのため、現地に荷受けをしてくれるパートナーや転送業者を探せない場合は「Samuel Shapiro & Company, Inc.」と契約を結び通関、納品をしてもらうという流れになるのです。しかし、契約にあたっては「Samuel Shapiro & Company, Inc.」から支払い方法の確認があったり、契約書の提出を求められたりします。もちろんメールや FAX などでのやり取りは、すべて英語になりますので難易度は少し高いです。英語を扱えない場合は、間に通訳を挟むのがよいでしょう。

● Samuel Shapiro & Company, Inc.

参照 URL
http://www.shapiro.com/

Point

「Samuel Shapiro & Company, Inc.」に通関の代行を依頼するのも、現地の荷受人を通すのも、ともに手数料やその他の費用が発生するので、FBA 納品にかかる費用の総額は割高になります。そこで、関税の後払いサービスやインヴォイスの記載方法の工夫など、いくつかの方法を試しましたが、現状では FBA 倉庫へ商品を直送できるよい方法は見つかっていません。やはりどちらかの方法で納品するしか方法はないようです。

Section 110　AmazonFBA の注意点

eBayで販売して儲ける

基本 | 準備 | 輸入仕入れ | 輸入販売 | 輸出仕入れ | **輸出販売**

手元に在庫を持ち販売して利益率を上げる

　eBayは、世界最大のオークションサイトです。eBayとAmazonでの販売を上手に絡めていくことによって、効率的な利益アップが可能になります。eBayでの輸出にも、是非取り組んでください。

　eBayのセラーアカウントには、個人とストアがあります。初めは個人セラーとして販売を開始して問題ありません。eBayでは新規で登録したセラーに出品リミットを課していて、最初は基本的に月間10商品$500までの出品という非常に厳しいものになっています。取引を積み重ねながら、「リミットアップ」と呼ばれている出品上限（リミット）を延ばしてもらう交渉を月に1度ずつ行い、半年から1年かけてリミットを増やしていくのが一般的です。また、eBayでは複数のアカウントを持つことが許されていて、リミットはそれぞれのアカウントごとに設定されます。販売方法については、eBayでは無在庫販売が主流ですが、Amazonと同様に許可されてい

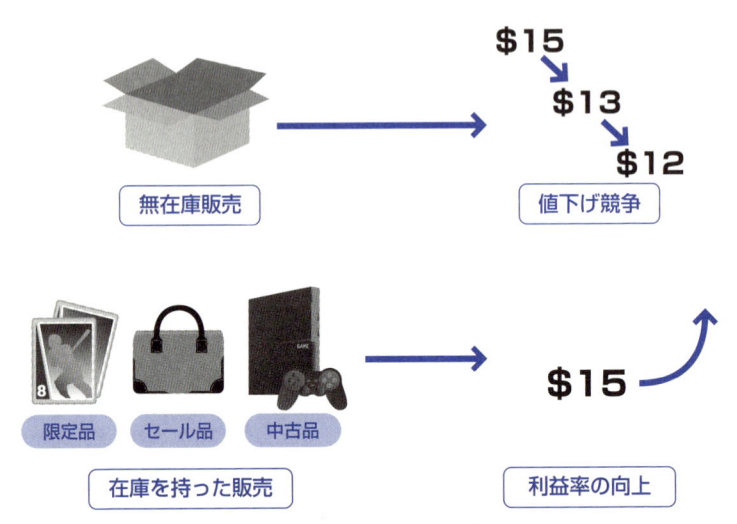

無在庫販売 → $15 → $13 → $12　値下げ競争

限定品　セール品　中古品　→ $15 → 利益率の向上

在庫を持った販売

▲ 無在庫販売でなく、手元に在庫を持った状態での販売で利益を上げましょう。

ません。**値下げ競争が起こりやすい無在庫販売ではなく、限定品、セール品、中古品をあらかじめ仕入れて、手元に在庫を持った状態で商品を販売すれば利益率の向上が期待できます。**取引決済にはPayPalというサービスを利用します。eBayでの出品にはセラーアカウントの認証も含めて、PayPalへの本人確認書類の提出など、はじめは少し煩わしい作業をする必要があります。

　それでは、eBayとAmazonを組み合わせることのメリットについて考えてみましょう。まずいえることは、「サイト間を横断的にリサーチできる」ということです。eBayとAmazon両方のサイトを利用することで、eBayでは取引されているけれどAmazonに出品されていない商品、あるいはその逆パターンの商品が見つかります。どちらか一方のサイトで取引された履歴がある商品を、出品されていないもう片方のサイトに出品すると、需要がある可能性が高いです。最初は競合セラーがいない状態なので、強気の値段付けが可能です。Amazonのランキングやレコメンデーション（お薦め商品表示）機能とeBayの落札履歴、Terapeakを使っての分析結果など、それぞれのサイト特有の販売情報を総合的に判断することによって、より精度の高いリサーチが可能になります。

　またeBayで販売するにあたっては、FBAマルチチャネルを活用する方法があります。FBAマルチチャネルとは、配送代行会社としてAmazonを利用することのできるサービスです。まずAmazonのFBA倉庫に納品した商品を、Amazonに出品しておきます。これと同時にeBayでも同じ商品を出品すれば、2つのサイトで併売することによって在庫リスクを減らすことができます。

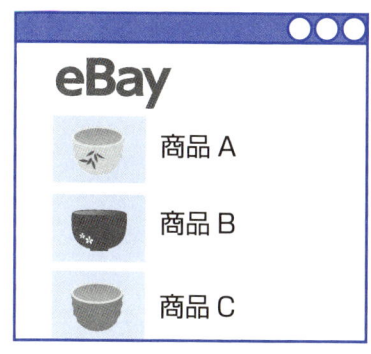

● eBayとAmazonの両サイトを利用することで、横断的にリサーチすることができます。

第 5 章｜国内で仕入れた商品を海外へ販売、輸出する

Section 112 eBayの落札履歴リサーチ法とTerapeakの使い方

| 基本 | 準備 | 輸入仕入れ | 輸入販売 | 輸出仕入れ | **輸出販売** |

リサーチ法を身につけて稼げる商品を確認する

　ここでは、実際に eBay の completed listings や Terapeak を使った、稼げる商品のリサーチ方法について解説します。

　eBay で落札された商品を検索するには、まず eBay トップページの検索ボックス横にある「Advanced」をクリックします。

　次に「Enter keywords or item number」にキーワードを入力し（ここでは「japanese」)、「Search including」の「completed listings」にチェックを入れます。最後に＜ Search ＞をクリックして検索します。また、先に通常の検索を行った後に、検索ボックスの下にある「completed listings」をクリックすることでも、同じように出品終了商品の一覧が表示されます。

　表示された検索結果のうち「商品価格の表示色」が、赤色の物は入札が入らずに出品終了した商品、緑色のものは入札が入って出品終了した（落札された）商品になります。**落札される場合はいくらくらいで取引されているのか、入札されずに終了している商品はどのくらいの数存在しているのか**といったことを分析すれば、**商品の落札相場や市場の競合性**などが見えてきます。

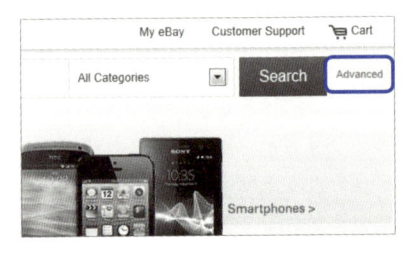

eBay の completed listings 表示は無料で利用できますが、表示される検索結果が2週間だけに限定されているので、さらに詳しいデータを分析したいという場合は、「Terapeak」（http://www.saats.jp/terapeak/index.html）という有料の検索ツールを使うことになります。Terapaak には、1カ国の eBay サイトの落札結果だけを分析できるシングルサイトプラン（2,500円／月）と、世界の eBay 7サイトの分析ができるインターナショナルプラン（3,950円／月または20,777円／年）がありますが、インターナショナルプランの契約をお薦めします。というのも、インターナショナルプランには、セラーの国とバイヤーの国を指定して検索できる機能がついているからです。日本人セラーのデータに絞って検索をかけることで、より効率的なリサーチが可能になります。Terapeak にはたくさんの機能がありますが、ここではデータ分析に便利な2つの機能についてご説明します。

● **商品リサーチ**

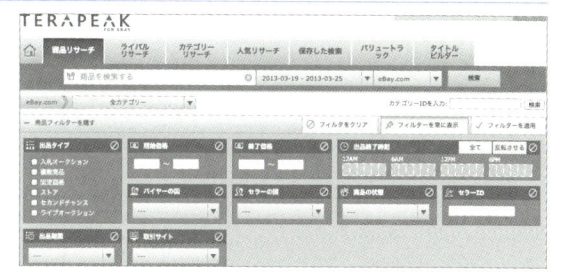

キーワードを入力して検索をかけると、出品終了した商品の一覧が表示されます。最大で365日分の検索結果を見ることが可能ですが、あまり長い期間を指定してしまうと検索結果の表示に時間がかかるので、検索期間は90日以下に設定することをお薦めします。季節物の商品データを見たいときは、1年前までさかのぼりましょう。表示された商品が多い場合は、終了価格、商品の状態、セラーの国などを指定して、検索結果を絞っていくとよいでしょう。

● **ライバルリサーチ**

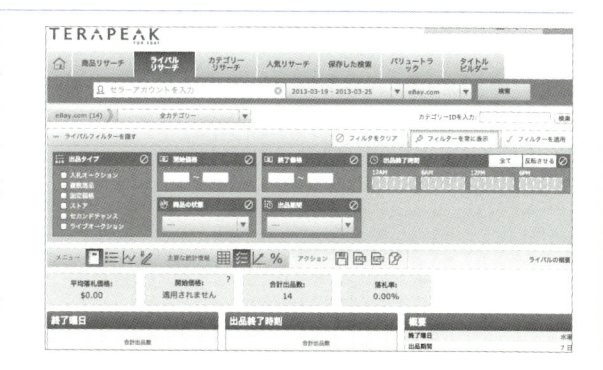

セラーアカウントを入力して検索をかけます。お手本にしたいセラーを見つけたら、出品している商品や出品数、落札率などを徹底的に分析していきましょう。検索期間を30日に設定すると、月間の行動目標の指針になるのでよいでしょう。

Section 112　eBay の落札履歴リサーチ法と Terapeak の使い方

第5章 | 国内で仕入れた商品を海外へ販売、輸出する

Section 113

独自サイトでの販売方法

基本 | 準備 | 輸入仕入れ | 輸入販売 | 輸出仕入れ | **輸出販売**

PPC広告で反応を見てSEOをかけていく

　eBayやAmazonでの販売に慣れてきたら、海外向けのネットショップを作成してみましょう。はじめて海外向けネットショップを作る場合は、おちゃのこネットの利用がお薦めです。おちゃのこネットには言語と通貨の表示を切り替える機能がついているので、簡単に海外向けネットショップを立ち上げることが可能です。1つデメリットがあるとすれば、月額料金を最初に12ヶ月一括払いする必要があることです。

　共用ドメインコースと独自ドメインコースがありますが、SEO的に有利な独自ドメインコースでの契約をお薦めします。合計で3万円程度の初期費用を先に支払うことになりますが、これから1年間、海外ネットショップ運営を行えると考えれば、それ程大きな金額ではないはずです。

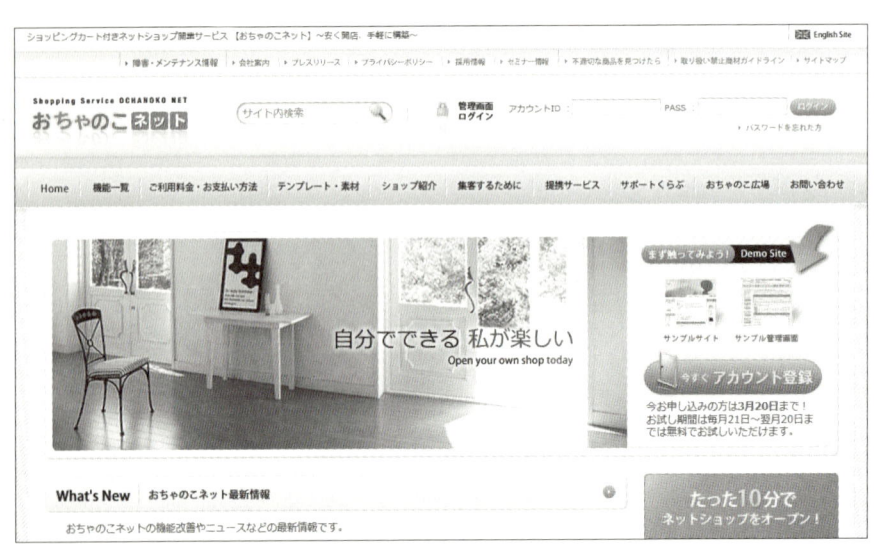

●おちゃのこネット
参照URL
http://www.ocnk.net/

独自サイトでの基本的な販売戦略は、**PPC 広告（クリック課金型広告）で集客して反応を見ながら、時間をかけて SEO（検索エンジン対策）をしていく**というスタイルになります。まずは、販売する商材を選びます。扱う商材は後からいくらでも変更できるので、ここではあまり悩まずに、いままで eBay や Amazon で販売したことがある商品の中で、販売価格が $100 ～ $300 程度のものをチョイスしてください。価格帯を絞るのは、低単価の商材は PPC 広告の費用対効果が悪く、かといってあまりに高額な商品をいきなり取り扱うのはリスクが高いからです。初めてネットショップを構築するときは、商材を絞り込むことで PPC 広告や SEO の効果測定をしやすくなり、その結果 PPC 広告や SEO への理解が早まるはずです。複数の複合キーワードで PPC 広告を出して、広告の効果を分析してから、効果の高いキーワードに対して SEO をかけていきます。具体的な方法については、PPC 広告や SEO の専門書が出ているので、そちらを参考にしてください。

　また、PPC 広告、SEO 以外にも Facebook や Twitter などの SNS を通じて有益な関連情報を配信して、ネットショップに集客する方法も効果的です。併せてチャレンジしてみてください。購入してくれたお客様には、メルマガなどで確実にフォローをして、ファンになってもらいましょう（Sec.121 参照）。

◆Point

「初期費用を押さえたい」「英語にあまり抵抗がない」という場合は、「weebly」というサービスもお薦めです。weebly はドラック＆ドロップで簡単にサイトが作れる、アメリカの無料ホームページサービスです。ショッピングカート機能にも対応しているので、慣れてくればわずか 10 分ほどで本格的なネットショップの立ち上げも可能です。無料版ですと、データの容量制限などがネックになりますが、月々わずか数ドルの有料版にアップグレードすることで解消できるので、是非試してみてください。

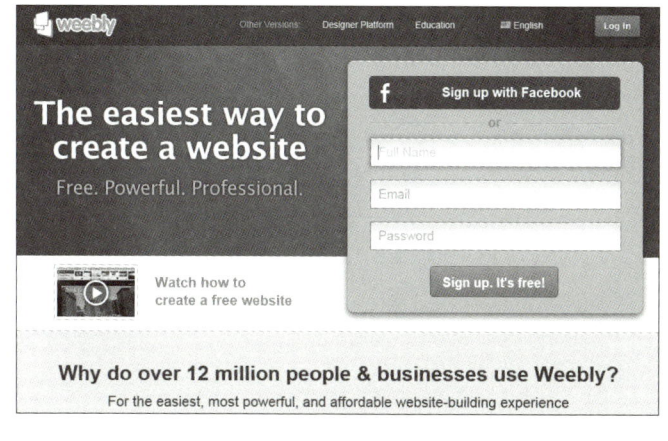

● weebly
参照 URL
http://www.weebly.com/

Section 113　独自サイトでの販売方法

海外口座開設について

基本 | 準備 | 輸入仕入れ | 輸入販売 | 輸出仕入れ | **輸出販売**

Amazonでの輸出ビジネスには海外口座が必要

　Amazon.comやAmazonヨーロッパで販売した商品の売上を受け取るためには、アメリカ、フランス、イギリスなど日本の銀行以外の口座が必要になります。これが、世界最大の売上を誇るECサイトAmazonを使った輸出ビジネスが、eBayでの輸出と比べて、日本でなかなか広まっていかなかった原因のひとつでもあります。将来的には日本の銀行口座やその他の方法でも、Amazonからの売上を受け取れるようになる可能性もありますが、まずは米国サイトAmazon.comでの売上をアメリカの銀行口座で受け取ることを考えていきましょう。アメリカの銀行に口座を開設するためには、多くの場合渡米して、現地銀行窓口で直接申し込みをする必要があります。その際に問題になるのが、やはり言葉の壁です。現地の銀行窓口では、英語での応対が基本になります。もちろん口座開設に必要な書類も英語で作成しなくてはいけません。また、米国の非居住者がアメリカの銀行口座を取得するには細かい審査をされる場合もあり、個人ではなかなか口座開設が難しいのが現状です。

　しかし、その中でもハワイ州の銀行は、日本人にとって口座開設のハードルがかなり低くなっています。ハワイではパスポートを持っていけば、日本語を話せる担当者

● 他国のAmazonを使って輸出するには他国の銀行口座が必要になります。

が窓口で対応してくれて口座開設ができる銀行があります。「銀行口座の開設のためだけにわざわざハワイに行くのは大変だ」という場合は、日本にいながらアメリカの銀行口座開設ができるサービスを提供している銀行があるので、そちらを利用しましょう。

● ユニオンバンクオブカリフォルニア

参照 URL
https://www.unionbank.com/personal-banking/japanese/jpn/index.jsp

　「ユニオンバンク」は三菱東京 UFJ 銀行の子会社で、三菱東京 UFJ 銀行を通じて日本にいながら渡米することなく口座開設をすることが可能です。しかし、上記の方法で開設した銀行口座には、Amazon.com での売上を受け取るのに 1 つ問題があります。それは、上記の方法で開設された銀行口座はいずれも「パーソナルアカウント（個人用銀行口座）」であるということです。アメリカでは個人の預金や生活費の出し入れなどに利用する「パーソナルアカウント」と、事業用の資金のやり取りに利用するための口座「ビジネスアカウント」が区別されています。そのため、**パーソナルアカウントで事業性のある資金の出し入れをすると銀行口座を凍結されてしまう可能性がある**のです。

　では、日本にいながら海外 Amazon での販売を始めることは難しいのでしょうか？次の Section では、実際の僕の体験を元にアメリカのビジネスで活用できる「ビジネスアカウント」の取得方法について紹介します。

Section 114　海外口座開設について | 249

第5章 | 国内で仕入れた商品を海外へ販売、輸出する

Section 115

海外法人設立について

| 基本 | 準備 | 輸入仕入れ | 輸入販売 | 輸出仕入れ | **輸出販売** |

アメリカ法人として銀行口座を開設する

アメリカで「ビジネスアカウント」の銀行口座を開設するためには、大きく分けて、アメリカの個人事業主として開設する方法とアメリカ法人として開設する方法の2つがあります。しかし、アメリカではアメリカに居住しておらず、アメリカ国内で合法的に働く資格のない外国人は個人事業主に登録することができません。そこで、アメリカ法人として開設する方法を使ってビジネスアカウントを開設することを考えましょう。「アメリカに法人を設立するなんて大変そう」と思われるかもしれませんが、そんなことはありません。2012年に実際にアメリカで法人を設立した僕の例をとってご説明します。

僕の場合、ハワイ州に法人を設立し、ハワイの銀行口座のビジネスアカウントを開設しました（2012年当時）。なぜ、ハワイ州に法人を設立したかというと、理由は単純で、法人設立からビジネスアカウント開設までの費用が安かったからです。僕の

個人事業主として開設
アメリカへの居住などが条件

米法人として開設
代行業者にお任せでOK

米法人として開設した方が簡単

● アメリカ法人として開設する方法を使い「ビジネスアカウント」の銀行口座を開設しましょう。

場合は代行会社を利用したので、法人設立にあたって英語の書類作成や提出はしていません。唯一やったのが「実際にハワイの銀行へ行き、ビジネスアカウントを開設する」ということだけです。口座開設にあたって簡単な面談があるのですが、その際の応対方法や銀行に提出する書類も、代行会社のほうですべて作成してくれます。僕が実際に利用した代行会社とサービスを紹介しておきます。

OKIEBISU INTERNATIONAL INC.
兵庫県西宮市高須町 1-1-15-1114
Tel：（0798）47-0810（平日 10:00 〜 20:00）
Skype: okiebisu.international.inc
Phone in U.S. 410-777-8978
Fax：（0798）47-0820
E-mail：ask@okiebisu.com
ハワイ州法人、法人用銀行口座開設パック　128,000 円（紹介の場合は 98,000 円）

なお、現在はハワイ州のすべての銀行において、ハワイ州での事業所の不動産賃貸契約書がないと口座開設ができなくなりました。その代わりとして、現在こちらの会社では、法人税が実質かからないので人気のデラウェア州かネバダ州のどちらかに法人を設立して、アメリカに渡航しなくても事業用銀行口座を開設できるサービス（198,000 円）を提供されています。

法人を設立すると、毎年の税務申告がもちろん必要になります。また、会社を維持するために、最低限かかってくる費用があるので、あらかじめきちんと調べて Amazon でのビジネスをするメリットがあるかを考えてから法人設立をするようにしてください。税務申告の代行業務も、安いところだと年間 25 万程度です。アメリカ法人の維持費は州や代行会社のサービスによって異なりますが、概ね 4 万円から 7 万円程度です。年間で 100 万円くらいの利益が見込めるようであれば、法人を設立して本格的に始めてしまうとよいでしょう。また、法人を設立しなくても利用できる、海外の法人口座レンタルサービスなどもありますので、それらを利用して Amazon での売上を受け取るのもよいでしょう。

● OKIEBISU INTERNATIONAL INC.
参照 URL
http://www.1st-quality-service.com

Section 116

輸出販売攻略法と販売戦略

基本　準備　輸入仕入れ　輸入販売　輸出仕入れ　**輸出販売**

アメリカ以外の大きな市場に目を向ける

　「個人輸出ビジネスやっています」という人のほとんどが、日本からアメリカ（eBay.comやAmazon.com）へ商品を販売しています。「輸出＝日本→アメリカ販売」という思考しか持っていなくても、アメリカ市場の大きさと日本製品の人気で、ある程度稼げてしまいます。でも、せっかくですので柔軟に考えてアメリカ以外の国で販売することを考えてみましょう。Amazonはヨーロッパや中国にもあり、eBayはさらに多く、数十カ国に出店されています。**アメリカ以外にも大きな市場があるので、その市場を狙ってみましょう。**

　例えば、世界の工場である中国から仕入れた商品を、eBayやAmazonを使って世界中で販売していくことを考えます。「世界中」の中には日本も含まれます。日本に住んでいる日本人からすると、中国から日本への輸入ビジネスになりますが、中国側の目線にたてば、中国から日本へ商品を輸出していることになります。同様に、韓国から仕入れてもよいですし、ヨーロッパから仕入れた商品をアメリカや中国に向けて販売してもよいでしょう。

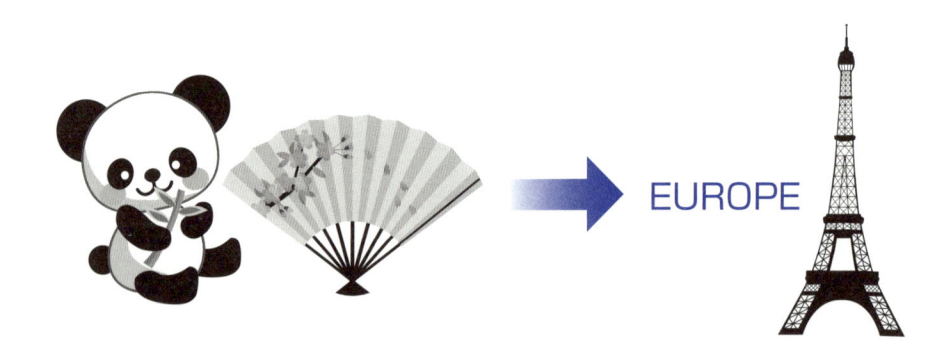

● 中国から仕入れ、ヨーロッパへ輸出するパターンなどもあります。

また、販売や商品リサーチなどに慣れてきたら、今度は商品単体ではなく、ざくっとカテゴリごとに仕入れをすることを考えていきましょう。これはどういうことかといいますと、例えば以下の画像の商品が価格差のあるものだとわかった場合は、「トランスフォーマー Chronicles G1」という商品そのものだけを販売するのではなく、もう少し抽象化して「タカラトミーのフィギュア」とか「トランスフォーマー関連商品」という具合で、細かいリサーチはせずカテゴリごとに仕入れをしてしまおうという方法です。

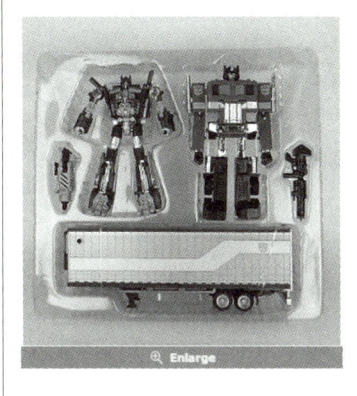

▲ 商品単体ではなく、その商品を含むカテゴリ自体を仕入れる戦略もあります。

　そのときにじっくり考えなくてはいけないのは、「全部でいくら分仕入れて、手元の資金をいつまでにいくらにするつもりなのか」ということです。それを決めたら、あとはその販売に対して、達成度を検証したり、問題を解決していったりすればよいのです。カテゴリを丸ごと仕入れるメリットとしては、

- 商品知識がつきやすい
- リサーチ時間の短縮
- 割引交渉がしやすい
- 出品後に eBay やネットショップでまとめ買いを誘いやすい

などがあります。

破損などがあった場合の対処方法

基本 | 準備 | 輸入仕入れ | 輸入販売 | 輸出仕入れ | **輸出販売**

低額商品と高額商品、AmazonFBAの場合

　お客様に送った商品に破損があった場合は、どのような対応をすればよいでしょうか。まずは、**梱包に不備があった可能性もあるので、お客様にきちんと謝罪して誠意を持って対応することを心がけてください。**低額な商品の場合は、対応コストの方が高くつく可能性が高いので、補償の有無に関わらず、破損についての補償申請はせずに商品の再送、もしくは返金で対応しましょう。新しい商品がすぐに入手可能で再送が可能であれば、再送もしくは返金のどちらかの対応をお客様に選択してもらいましょう。中古の1点ものなど、代替えの商品がどうしても準備できなければ、返金対応になるということを伝えてください。商品はお客様の方で処分してもらいます。

　破損した商品が高額で補償がついている場合は、まずはお客様に現地の郵便局あてに「ダメージレポート」の作成依頼をしてもらってください。「ダメージレポート」の作成には、商品の破損状況がわかるような写真の提出を求められたり、梱包の状況を説明させられたりするので、お客様に若干負担がかかります。メールなどでしっかりとフォローしてください。一方、日本の郵便局へはEMS追跡調査を請求します。ダメージレポートの状況によって補償金額の範囲内で補償が受けられますが、梱包が不完全だと判断された場合などは、補償を受けられないケースもあります。破損した

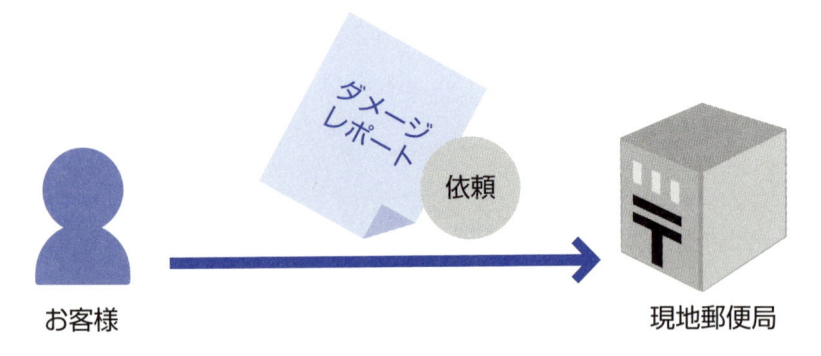

● お客様に負担をかけてしまいますが、現地郵便局へダメージレポートの作成依頼をしてもらいましょう。

商品が高額で補償がない場合は、お客様に商品を返送してもらい状況を確認した後に、新しい商品の再送または返金対応をしましょう。なお、破損した商品はeBayかヤフオク！に出品して、少しでも費用を回収しましょう。

　AmazonのFBA倉庫から発送された商品の返品対応は、Amazonが代行してくれます。商品の破損があった場合、商品はFBA倉庫に返送されて、販売不可の状態になります。そのまま放置しておくと、在庫の保管手数料がかかりますので、低額商品についてはすぐに商品破棄の手続きをしてください。販売不可状態になっている高額商品がある程度FBA倉庫にたまってきたら、MyUS.comなどのアメリカ国内の国際転送業者や現地のパートナーを経由して、破損商品をいったん日本に送り返しましょう。Amazonの返品ポリシーでは購入者がかなり保護されているので、外箱に少し傷がついているような商品でも返品を受けてしまう場合があります。届いた破損品は動作確認をしてから、こちらもeBayかヤフオク！に出品して、費用を回収しましょう。

● 破損品の返送に便利なアメリカの転送業者として、「MyUS.com」などがあります。

参照 URL
http://www.ocnk.net/

返品 → 出品 →

● 返品後は商品の状態を確認し、費用回収のため売り切ってしまいましょう。

Section 117　破損などがあった場合の対処方法

Section 118

第5章 | 国内で仕入れた商品を海外へ販売、輸出する

アカウントを剥奪されないための対処方法

| 基本 | 準備 | 輸入仕入れ | 輸入販売 | 輸出仕入れ | **輸出販売** |

商品チェックと発送設定を忘れずに

　Amazonのアカウント停止の原因として最も注意しなくてはいけないのが、「注文のキャンセル」や「商品の発送遅延」を繰り返してしまうことです。これら2つについての対処法をご紹介します。

　Amazonで無在庫販売をしていると、注文が入った商品の在庫切れでどうしても注文をキャンセルしなくてはいけないケースが出てきます。注文のキャンセルを避けるためには、**出品している商品の在庫が日本のショップにあるかどうかを定期的にチェックする必要があります**。週に1回在庫切れのチェックをすれば、キャンセル数をだいぶ減らすことができるので、週に1回を目安にチェックを行いましょう。週に1度チェックするのが大変であれば、出品している商品の数を減らすのも1つの手です。

　また、注文のキャンセルだけでなく、商品の発送遅延もアカウント停止の原因となります。Amazonではハンドリングタイムを設定することで、発送遅延をある程度は予防することができます。ハンドリングタイムとは、商品に注文が入ってから出荷通知を送るまでの日数のことで、最大14日までの範囲で商品ごとに自由に設定が可能です。デフォルトの設定では2日となっていますので、注文から発送まで2日以上かかることが予想される場合は、すべての商品に**ハンドリングタイムの設定をしましょう**。ただし、本やCDなどメディア系の商品はハンドリングタイムの設定ができないので注意してください。

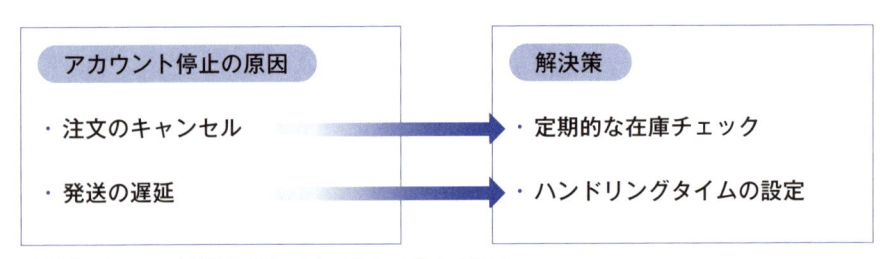

アカウント停止の原因	解決策
・注文のキャンセル	・定期的な在庫チェック
・発送の遅延	・ハンドリングタイムの設定

▲ 注文のキャンセルと発送遅延はアカウント停止の原因となります。

eBayでは、サスペンドと呼ばれるアカウント停止をされることがあります。サスペンドされる基準はAmazonよりも比較的厳しく、

- 新規のセラーアカウントで高額な商品を立て続けに出品した
- eBayとPayPalに登録されているアカウント情報が一致していない
- 海外からのログインが頻繁にあった
- 複数のパソコンから同じアカウントに同時にログインした
- 落札した商品を海外の転送会社宛に送った
- 出品ポリシーに違反している商品を出品した

など多岐にわたっています。アカウントをサスペンドされてしまった場合はメールや電話などでサスペンドの解除交渉をすることになりますが、解除の交渉時に怪しまれるようなことをしてしまうと、永久サスペンドという状態になってしまう可能性もあります。

　eBayやAmazonで販売をしている中で、アカウントの停止はもっともキツい出来事です。アカウント停止をされないためには、規約を十分に読み込み、情報収集をして、怪しまれるような行動をとらないように心がけましょう。また、お客様にとって不利益になるような対応をすることもアカウント停止の理由になりうるので、絶対にNGです。

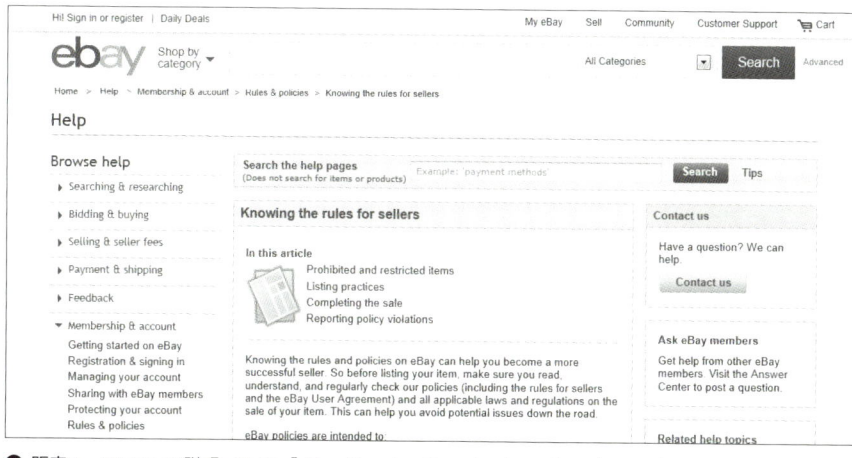

● 販売ルールについて説明している「eBay Knowing the rules for sellers ｜ eBay」

参照URL
http://pages.ebay.com/help/sell/policies.html

Section 119 便利な翻訳サイトを使い倒す

第5章｜国内で仕入れた商品を海外へ販売、輸出する

| 基本 | 準備 | 輸入仕入れ | 輸入販売 | 輸出仕入れ | **輸出販売** |

翻訳サービスを有効活用する

「輸出ビジネスをするのに英語力は必須でしょうか？」という質問を本当に多くもらいます。輸出ビジネスをする上で、英語ができるということは大きなアドバンテージにはなりますが、別に「必ずできなくてはいけないもの」ではありません。その証拠に僕も英語はほとんど話せませんし、特別なトレーニングや勉強もしていません。便利な**翻訳サイトや翻訳サービスを活用しながら取り組めば、英語力がなくても輸出ビジネスで稼ぐことは可能**です。英語力よりもまず、あなたが身につけなくてはいけないものは、商品知識や販売経験、セールス力や発想力といった総合的なビジネス力です。取引している中で、どうしても不足してしまう英語力は、ツールを利用したり、通訳さんに翻訳をお願いすることで、ほとんどクリアできてしまいます。ここでは、輸出入ビジネスに役立つ便利な翻訳サイトやツールをご紹介します。

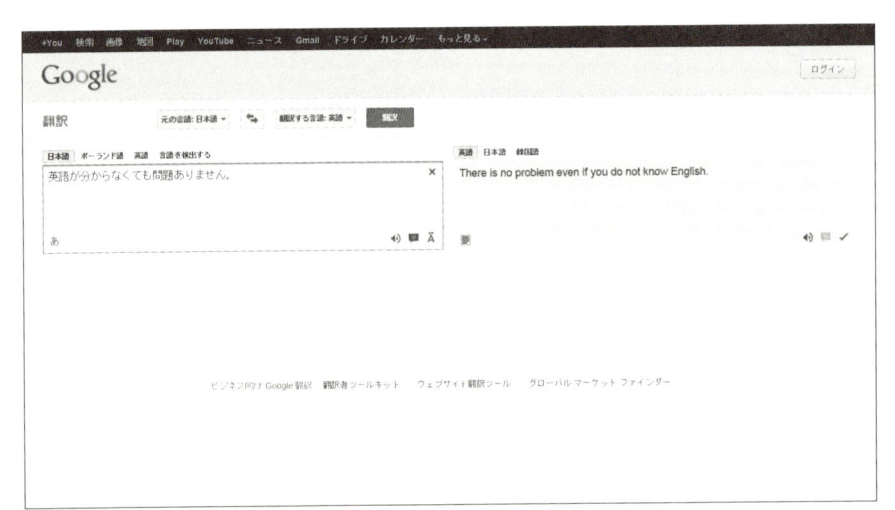

▲ Google 翻訳を使えば、日本語を簡単に英語またはその他の言語に翻訳できます。

参照 URL
http://translate.google.co.jp/

数ある無料翻訳サイトの中で一番お薦めなのが「Google 翻訳」です。翻訳のスピードも早く、英語だけでなくフランス語、ドイツ語、中国語などにも対応しているので、ヨーロッパ圏や中国とのビジネスをするときにも重宝します。また Google 翻訳にはドキュメントの翻訳機能というものがあります。Word や Excel などのファイルをアップロードすればファイル全体を一括で翻訳してくれるので、契約書やマニュアルなども簡単に翻訳できてしまいます。英語の翻訳サイトは他にも「excite 翻訳」など無料のものがたくさんありますので、使いやすいものを選んで利用してみてください。

　次にお薦めしたいのは「Google Chrome」という Web ブラウザ（http://www.google.co.jp/intl/ja/chrome/browser/）です。このブラウザに組み込まれている翻訳機能を使うことで、Web ページ全体を一気に翻訳することが可能になります。もちろん Google 翻訳と同様に英語以外の言語にも対応しています。外国語で作られたサイトに慣れていなければ、初めて eBay や Amazon の画面を見たときなどは、何がなんだかまったくわからないと思います。そんなときは、Google Chrome のページ翻訳機能で全体を一括で翻訳してしまい、直感的に使いこなせるようになるまで使い込んでください。次第に慣れてくれば、翻訳をしない状態でも問題なく使えるようになるでしょう。

　紹介したツール以外にも多くの無料サービスがあるので、自分で調べて使いやすいものを選ぶとよいでしょう。

●「Google Chrome」で右クリックし、<日本語に翻訳>をクリックすると、Web ページ全体が翻訳されます。

Section 119　便利な翻訳サイトを使い倒す

第 5 章 | 国内で仕入れた商品を海外へ販売、輸出する

難しい文章を翻訳してもらう方法

| 基本 | 準備 | 輸入仕入れ | 輸入販売 | 輸出仕入れ | **輸出販売** |

難しい英語はプロに任せる

　取引を数多く重ねていくうちに、Google 翻訳などの無料の翻訳サービスを利用してもいまいち意味がわからないことも出てくると思います。また、海外の会社と契約を交わしたりする際には、それなりの英語力が必要になります。そんなときに便利なサービスと、輸出ビジネスを楽しみながら長く続けていくためのとっておきの Web サイトを 3 つ紹介します。翻訳サービスを使うときのポイントとしては、プライバシーポリシー、出品テンプレート、自己紹介文、取引用のテンプレートなどの、**一度作成したらしばらく使い回せるテンプレート文章を作成してもらうと効果的**です。

SAATS

● 月額 10,500 円で回数無制限の翻訳サービスに加えて Skype や SNS での輸出ビジネスサポートが受けられます。

参照 URL
http://www.saats.jp/portal/

gengo

🅰 1文字2.6円〜。フランス語、ドイツ語などにも対応しています。

参照 URL
http://ja.gengo.com/

Webで翻訳

🅰 最短90分で翻訳してくれるサービスがあります。

参照 URL
http://web-trans.jp/

　近くに英語ができる人、英語に興味がある人がいれば、その人の力を借りるのもお薦めです。あなたが取り組んでいる輸出ビジネスを周囲に理解してもらい、協力し合って楽しみながらビジネスをすることが、ビジネスを長く続けるためのコツにもなります。身近な人の力を借りたり、自分が稼げるようになったら今度はその人を引き上げてあげたりと、稼ぐことだけに注視せずに、ビジネスを通じて人生を豊かにしていけたら、素晴らしいことでしょう。

Section 120　難しい文章を翻訳してもらう方法

Section 121　第5章｜国内で仕入れた商品を海外へ販売、輸出する

ファンの作り方

基本　準備　輸入仕入れ　輸入販売　輸出仕入れ　**輸出販売**

一度仕組みを構築すればあとはそれを繰り返すだけ

　ここでは、一度購入してくれたお客様にファンになってもらうための方法について解説します。ひと通りの流れを作ってしまえば、後はそれ程労力は必要がないので、是非チャレンジしてみてください。

● 小さな感動を与える

　まずはお客様に小さな感動を与えましょう。「商品を丁寧に梱包する」「ちょっとしたオマケを封入する」など、ほんの少しの気遣いで構いません。日本人の細かな気遣いは海外で感動を呼びます。まずは、相手に「おや？」と思わせるキッカケを作ることが大切です。オマケは軽くて安い日本風のもので、購入してくれた商品に関連しているとなおよいでしょう。

● キレイに梱包することで、相手に小さな感動を与えることができます。

● 自分のことを知ってもらう

　多くの情報に簡単にアクセスできるインターネットを通じた取引だからこそ、自分のことを知ってもらい「その他大勢のセラー」から抜け出しましょう。商品を購入してくれたお礼を添えて、できれば写真入りで、自分がどんな人物であるかを書いた手紙を同封してください。

● 小さなステップを踏んでもらう

自分のことを知ってもらえたら、次はお客様に小さなステップを踏んでもらいましょう。メルマガや YouTube チャンネル、Facebook ページの URL を手紙の最後に書いておきます。特典を用意しておけば、メルマガに登録してくれる確率は大きく上がります。特典は落札してくれた商品に関連するちょっとした動画や PDF を作ってあらかじめアップしておき、登録してくれた方に URL を伝えるとよいでしょう。

● 距離を縮める

少なくとも、週に 1、2 回程度はメルマガかブログ、Facebook ページを更新して、接触してください。定期的に接触することで親近感がわき、距離を縮める効果があります。

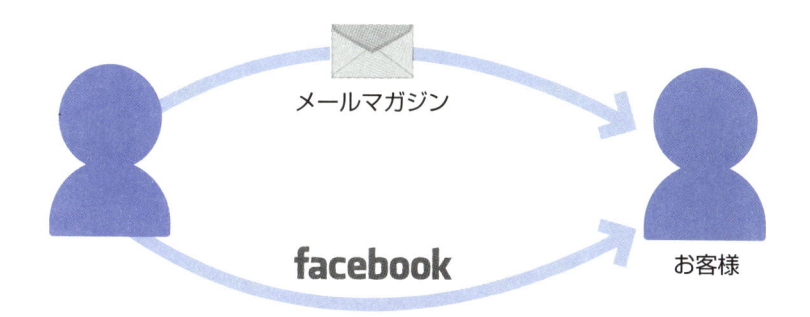

▲ 定期的にこちらから発信し距離を縮めると、ファンになってもらいやすいです。

　以上の流れを作ることができれば、一定の割合で必ずファンになってくれる人が出てきます。ファンになってくれた人は自主的にリピート購入してくれることもありますし、定期的にメルマガでセールスをかけてもよいでしょう。さらに、リピートしてくれた回数や購入してくれた総額に応じて、その人をどんどん特別扱いしていきます。年間の注文総額ランキングを定期的にメルマガで配信して、上位入賞者にはプレゼントを準備してもよいでしょう。メルマガでこうした情報を配信することで「もう少し買えばプレゼントがもらえる」とか「他の人がたくさん買っているのだから、このセラーは信頼できる」と思わせられる効果があります。

> **Point**
> ファン作りための戦略は、自社サイトを運営するようになってから行うようにしましょう。Amazon や eBay では基本的に、サイト外での取引へ誘導することを禁止しています。悪質な誘導行為だと見なされた場合、最悪アカウント停止などの措置をされてしまう可能性もあるので、十分注意してください。

第 5 章 | 国内で仕入れた商品を海外へ販売、輸出する

リピーターになってもらう戦略について

| 基本 | 準備 | 輸入仕入れ | 輸入販売 | 輸出仕入れ | **輸出販売** |

ポイント制度でリピーターを掴む

　リピーターを獲得することは、顧客獲得のコスト削減や、長期的なビジネスの安定のための非常に大切なポイントです。あなたは、「リピーターを集めて長期安定的にビジネスを運営していける状況」と、「常に新規顧客の開拓を続けて、毎月の売上の増減に戦々恐々している状況」のどちらをお望みでしょうか？　一般的に、新規顧客を獲得するためのコストはリピーターに再度商品を購入してもらうコストに比べて5倍以上かかるといわれています。目先の利益を多少切り捨てたとしても、リピーターの獲得に力を注ぐのは、数字の上でも正しい決断といえるでしょう。お客様にファンになってもらう基本的な流れについては、Sec.121 で説明しましたので、ここではもう少し踏み込んだ「リピーター戦略」について考えていきましょう。

　リピーター戦略には、ポイント制度を導入することが効果的です。ポイント制度はスーパーや飲食店など、リアル店舗では一般的に用いられています。これをインターネットでの販売にも応用してみましょう。

　例えば、名刺サイズのポイントカードを作成して、商品を購入してくれたお客様全員に封入します。カードには「ポイントカードを2枚集めて、写真を撮り、メールで送ってくれたら景品をプレゼントします」と記載しておいてください。プレゼントするものは、購入してくれた商品に関連した動画や PDF など、渡すのに送料や手間がかからないものがよいでしょう。例えば、浴衣を買ってくれたお客様には浴衣の着

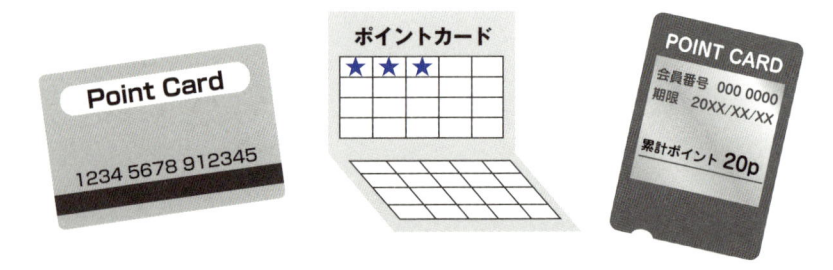

●リアル店舗で展開されているポイント制度をネット販売に活用しましょう。

方を録画した動画を送ったり、ゲームを購入してくれた方にはゲームの攻略法を書いたPDFを送ったりという具合です。これでeBayやAmazonといった、プラットフォームサイト内でのリピート購入を促せるだけでなく、プレゼントを請求してくれたお客様のメールアドレスも手に入れることができます。

　また、**メルマガ購読によるポイント制度も効果的**です。お客様がせっかくメルマガに登録してくれたのであれば、次はメルマガにもポイント制度を導入しましょう。メルマガ配信システム「エキスパート@メール プロ」にはポイント付与機能があります。お客様が、メルマガに記載されているURLをクリックすると、自動的にポイントが付与されて、一定のポイントが貯まったら自動メールを送信する設定ができます。「ポイントを貯める」という目的でメルマガを読むのを楽しみにしてくれるお客様も増えるでしょうし、「URLをクリックする」という能動的な行動を繰り返すことで、お客様に参加意識が生まれるので、少しずつ、あなたとショップを特別な存在として認識してくれるようになる効果が期待できます。

　他にも、お客様がメルマガの購読で貯めてくれたポイントに応じて、プレゼントやイベントを準備してみるという手もあります。すでに何度か出てきた、動画やPDFのプレゼントに加えて、クーポン券のプレゼント、シークレットセールへの招待などもお薦めです。シークレットセールは赤字覚悟で「お祭り感」を大々的に演出するとよいでしょう。

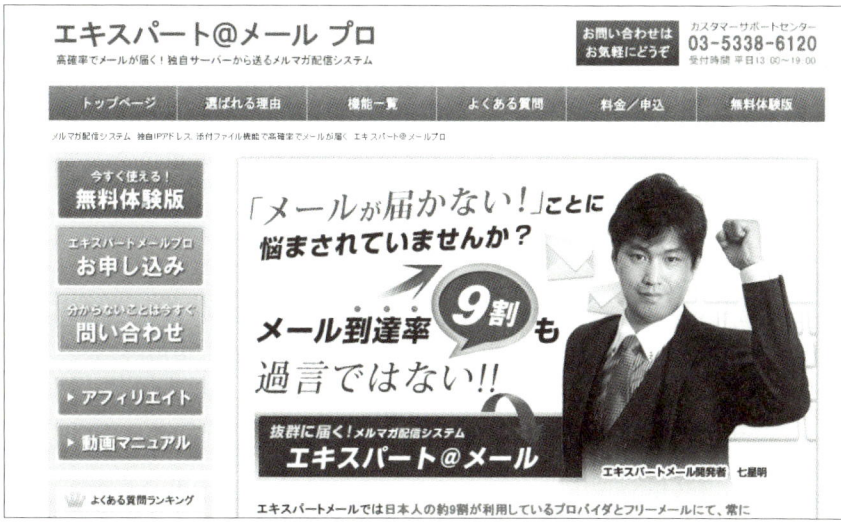

▲ エキスパート@メール プロ

参照 URL
http://expert-mail.net/

Section 122　リピーターになってもらう戦略について

Section 123

第 5 章 | 国内で仕入れた商品を海外へ販売、輸出する

アップセルに繋げるテクニック

| 基本 | 準備 | 輸入仕入れ | 輸入販売 | 輸出仕入れ | **輸出販売** |

販売単価を上げる方法

　クロスセルやアップセルという言葉を聞いたことはあるでしょうか。インターネットでの輸出販売でも、これらのアプローチを最大限に活用して、顧客の販売単価アップを目指していきましょう。

　クロスセルとは、ある商品を購入しようとしているお客様に対して、関連商品の提案をして最終的な販売点数を増やすことで、顧客単価のアップを目指すアプローチです。例えば、ハンバーガーを買うときに「ご一緒にポテトもいかがでしょうか」と提案されたり、パソコンを買うときに「一緒に買えばプリンタが3,000円引きです」などと提案された経験はないでしょうか。それがクロスセルです。

　一方**アップセルとは、お客様に対して、より販売単価や利益率の高い商品を提案することで、販売単価のアップを目指すアプローチ**です。同様に例を挙げると、「プラス20円でドリンクをMサイズに変更可能です」とか「あと4,000円出せばメモリが倍の4GBのモデルに変更できます」などの提案がアップセルになります。

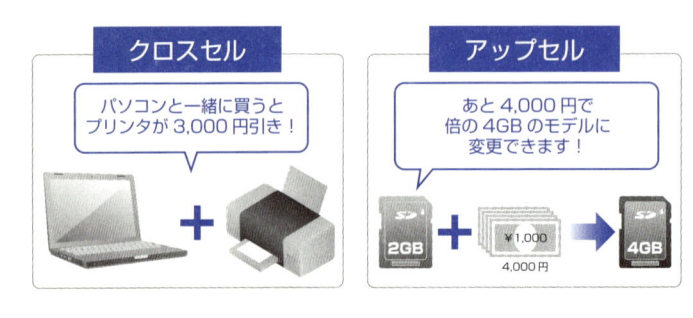

クロスセル
パソコンと一緒に買うと
プリンタが3,000円引き！

アップセル
あと4,000円で
倍の4GBのモデルに
変更できます！

● クロスセルとアップセルによるアプローチを最大限に利用しましょう。

　それでは、各販売チャネルごとのクロスセル、アップセルについて考えていきましょう。

● Amazon

　実は、AmazonのサイトにはすでにA超強力なクロスセル、アップセルをするための機能が盛り込まれています。それが、Amazonのレコメンド機能です。日本の

Amazonを利用したことがあれば「よく一緒に購入されている商品」とか「この商品を買った人はこんな商品も買っています」という表示を見たことがあるかもしれません。Amazonではユーザーのページ遷移や購入履歴をデータ化しておくことで、お客様に対して、自動的に別の商品の提案をしているのです。ただし、これはAmazon内でのまとめ買いなどを促進するための機能ですので、自分が出品している商品が表示されるとは限りません。セラーごとに個別の商品ページが作れないAmazonでは、アップセルやクロスセルをかけるのは、なかなか難しいのが現状です。

▲ 開いているページの商品と一緒に購入されることの多い商品が表示されます。

● eBay

eBayでは複数のアカウントを持って、アカウントごとに販売する商品のジャンルを絞ることで、ショップのオリジナル性がアピールできるので、まとめ買いを促すことができます。さらに、スクロールギャラリーを使って、自分の出品商品の一覧を、個別の商品説明画面に表示するとよいでしょう。「Auctiva」（オークティバ）（http://www.auctiva.com/）というeBay用の出品ツールを使えば、誰でも簡単にスクロールギャラリーを作成することができます。また、eBayでは低価格スタートのオークション形式の商品で集客をして、利益率の高い即決価格の商品をまとめ買いしてもらうように誘導する戦略も効果的です。

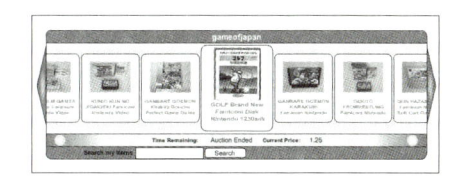

▲ eBayでは商品説明画面に、他の出品商品の紹介ができます。

● ネットショップ、メルマガ

商品のページ作成の自由度が高いネットショップ、お客様との1対1の関係が作りやすいメルマガでは、さまざまなクロスセル、アップセルのための手法が盛り込めます。

- ・関連商品で利益率の高いものを商品ページ内で紹介する
- ・その商品の上位版を購入した方からの商品レビューをページ内で紹介する
- ・まずは安価なお試しセットを提供して、後でメルマガなどで上位版の購入を薦める
- ・$○○以上の購入で送料無料とする
- ・消耗品であれば定期購入の割引プランがあることを伝える
- ・1年間保証などのプランを提案する

Section 124

最適な輸送手段を考える

| 基本 | 準備 | 輸入仕入れ | 輸入販売 | 輸出仕入れ | **輸出販売** |

EMS か国際郵便を SAL 便扱いで送る方法がベスト

　お客様に購入してもらった商品を、海外へ発送する場合はどんな方法があるかを学んでいきましょう。個人で輸出ビジネスをしている場合、最も使い勝手がよいのが、日本郵便（郵便局）の国際郵便サービスを利用することです。郵便局は日本全国にあり、多くの地域で自宅や事務所まで荷物の集荷にもきてくれます。日本郵便の国際郵便サービスは「国際スピード郵便（EMS）」「国際小包」「国際郵便（印刷物、小型包装物）」に分類され、国際小包と国際郵便の輸送方法は、**スピード重視の航空便、コスト重視の船便、両方のよさをミックスしたエコノミー航空（SAL）便**に分かれます。これらの発送方法に加えて最近では、e パケットという EMS と航空便の中間のようなサービスもスタートしました。

　この中で個人輸出ビジネスに向いている発送方法は、EMS もしくは国際郵便（小型包装物）を SAL 便扱いで送るというやり方です。それぞれのサイズ、重量制限、送料は以下の通りです。

	EMS	国際郵便（小型包装物）SAL 便
最大の長さ	1.5m 以内	60cm 以内
長さ＋幅＋厚さ	2.75m 以内	90cm 以内
重さ	30kg 以内	2kg 以内
送料 （アメリカの場合）	2kg まで　　　　　4,000 円 5kg まで　　　　　8,200 円 15kg まで　　　　19,500 円 30kg まで　　　　36,000 円 http://www.post.japanpost.jp/int/charge/list/ems_all.html	100g まで　　　　　180 円 500g まで　　　　　580 円 1,000g まで　　　 1,080 円 2,000g まで　　　 2,080 円 書留をつける場合は +410 円 http://www.post.japanpost.jp/int/charge/list/normal2.html

注：EMS や SAL は一部発送できない地域があるのでご注意ください。

EMSには、差し出し個数に応じた送料の割引があります。割引には都度割引と月間割引があり、都度割引は1度の発送で10個以上の荷物を送れば10%から、月間割引は月間50個以上の発送で10%から割引が適用されます。

ただ、取引量の少ないはじめのうちは、一度にまとまった量を発送するのはなかなか難しいと思います。そこで、ある方法を使って、商品1個から正規料金よりも安い価格で荷物を送る方法をご紹介します。それは、金券ショップから切手を購入して、切手で送料を支払うという方法です。料金別納を利用して切手払いをする際は、1回の最低出荷個数などが決められていますが、担当者によっては対応してくれる場合もあるので、お近くの郵便局で確認してみてください。

Amazon の FBA 倉庫にまとまった量を送るときは、DHL などのクーリエ（国際宅配便）業者を利用した方が安くなる場合があります（Sec.126参照）。

🔴「チケッティ」などの金券ショップの Web サイトで切手の取扱状況を確認してみましょう。

参照 URL
http://www.tickety.jp/

Section 124　最適な輸送手段を考える　269

海外発送業者を使って個人輸出する

| 基本 | 準備 | 輸入仕入れ | 輸入販売 | 輸出仕入れ | **輸出販売** |

発送作業は外注化し自分は商品リサーチに専念

　海外でどんな商品が人気があって、そういった商品をどのようにして探したらいいかのコツが掴めてくると、どんどん売れるようになってくるはずです。売れた商品を大切に梱包してお客様の元へ発送。最初はこの作業が嬉しくてたまらないことでしょう。ただし、誰でも1日に使える時間は限られています。サラリーマンやOL、学生などをしながらであれば、輸出ビジネスをするために毎日まとまった時間を捻出するのはなかなか難しいかもしれません。それでも、商品のリサーチ、仕入れ、出品、梱包発送とやることは山ほどあります。せっかく商品が売れ始めて、今後の展望が開けてきても、時間を捻出するのが難しいために、それ以上販売するのにブレーキをかけてしまう……。そんな悪循環に陥らないためにも、誰かに任せられる作業はどんどん外注化していきましょう。その中でも、**作業が簡単な梱包と発送業務は外注化に向いています**。そこで捻出できた時間を使って、**あなたは商品のリサーチ**などに時間を使っていきましょう。

● 海外発送業者に依頼する

　この海外発送業者は、Sec.110でいうFBA納品をしてもらうための転送業者とは異なります。これらの海外発送業者の拠点は日本にありますので、日本の仕入れ先から直接商品を海外発送業者宛に送ってもらい、検品後にお客様まで商品を直送してもらうという流れになります。Googleで「海外発

▲ 転送コム

参照URL
http://www.tenso.com/

送　代行」というキーワードで検索すると、海外のお客様宛に商品の発送をしてくれる、便利な海外発送代行サービスがいくつか出てきます。商品の発送代行1件あたりの手数料はだいたい300円～500円程度が相場となっています。また、海外発送代行業者がDHLなどの運送会社と運賃の大口割引契約をしている場合は、特別の割引レートで荷物を送れることもあるので、詳しくは代行業者に問い合わせてみてください。

▲ 海外転送.com

参照URL
http://www.kaigaitenso.com/

● 個人（SOHO）に発送業務を外注する

　前述の海外発送業者は、在庫の保管をしてくれない場合がほとんどです。在庫の保管をお願いしたい場合は、個人のSOHOさんなどに商品の保管及び発送代行をしてもらうとよいでしょう。代行してもらう個人のパートナーを探すには、＠SOHOなどの在宅ワークを募集している求人サイトに募集を出したり、FacebookやTwitterなどのSNSに書き込みをするといいでしょう。「いきなり求人は大変そう」と感じるのであれば、軌道に乗るまでは、昼間に在宅率の高い友人や家族を探してお願いしてみるのがいいですね。個人に依頼する場合の手数料は、依頼する相手によるので、一概にはいえませんが、1件の発送あたり、だいたい100～300円程度が相場です。

▲ ＠SOHO

参照URL
http://www.atsoho.com/

航空運賃のアレコレ

基本 | 準備 | 輸入仕入れ | 輸入販売 | 輸出仕入れ | **輸出販売**

EMSとクーリエ業者のメリット、デメリットを比較

　日本郵便のサービスを利用して、商品を1つずつ発送する場合の送料は、Sec.124でご説明しました。それでは、数百kg単位の荷物を送る際の航空運賃はどのようになっているのでしょうか。AmazonのFBA倉庫に荷物を送る場合などを例に挙げてご説明します。

　AmazonのFBA倉庫へ商品を納品するには、「セラー」→「アメリカ国内の荷受人」→「FBA倉庫」というルートで納品する必要があるという説明をしました。ですので、FBA倉庫へ商品を納品する場合、「セラー」→「アメリカ国内の荷受人」部分をEMSや国際小包などの日本郵便のサービスか、DHL、ヤマト運輸国際宅急便などクーリエ業者のサービスを利用して送ることになります。EMSとDHLなどのクーリエ業者のメリットとデメリットについて比較をしてみましょう。

	EMS	DHL
送料割引	あり 例 月間50個の発送で10%OFF 月間500個で20%OFF	あり 月間の総出荷kg数やエリアの担当営業により異なる
燃油サーチャージ	なし	あり　22.5%（2013年1月）
例：アメリカに30kg送った場合	36,000円	契約料金の一例 22,000円（送料）+4950円（燃油サーチャージ）=26,950円
容積重量計算	なし	あり

　DHLなどの**クーリエ業者と条件のいい運賃割引契約がとれれば、EMSで送るより送料は割安になるケースがほとんど**です。DHLは各エリアごとに営業担当者がいますので、出荷量が増えてきたら、一度見積もりをもってきてもらうとよいでしょう。しかし、DHLを利用して発送した場合の送料については注意する点が2つあります。

1. 燃油サーチャージ（フューエルサーチャージ）

原油の価格変動によって、燃料費が急激に上昇した際に備えて、通常の送料とは別建てで支払う必要のある料金です。燃油サーチャージは運送会社や時期によって変動します（2013年1月現在、DHLは22.5％）。

2. 容積重量計算

DHLなどで荷物を送る場合は、EMSにはない「容積重量」という考え方が適用されます。容積重量とは、荷物の容積から換算される重量のことで、DHLなどで荷物を送る場合は、荷物の実際の重さである「実重量」と「容積重量」のうち、重い方が適用されて送料が決まります。

容積重量について例えば、手元にあるDVDソフトのサイズと重量を測ってみたところ、実重量＝約130g、サイズ＝約19cm×13cm×1cmでした。この商品を100本送る場合、商品を隙間なくビッチリつめると容積重量は19cm×13cm×100cm＝約5kgです。緩衝剤などを詰めることを考えても、7〜8kgで収まるでしょう。一方、実重量は130g×100本で13kgになるので、実重量が勝ちます。ということは、DVDソフトくらいの密度のものを詰めていくのであれば容積負けする可能性は少なくなる計算になります。

一方、手元にあったフィギュアで測ってみたところ、実重量＝約380g、サイズ＝約6.5cm×21.5cm×21.5cmだったので、同様に100個送った場合を計算すると実重量＝38kg、容積重量＝60.5kg（ビッチリ詰めた場合）となり、容積重量が勝ちます。緩衝剤などを入れることを考えると、倍近い重量になるでしょう。

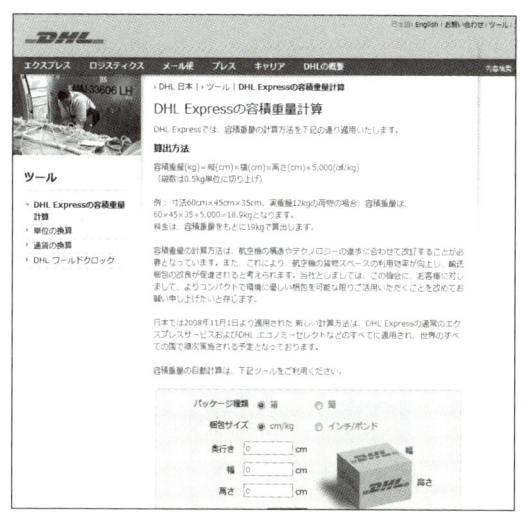

●「DHL Expressの容積重量計算」
参照URL
http://www.dhl.co.jp/ja/tools/volumetric_weight_express.html

Section 126 航空運賃のアレコレ | 273

Section 127

海上運賃のアレコレ

`基本` `準備` `輸入仕入れ` `輸入販売` `輸出仕入れ` **`輸出販売`**

時間はかかるが安価な運賃が魅力

　Sec.124に出てきた国際小包や国際郵便は、船便を使って荷物を海上運送することが可能です。**船便のメリットは何といっても価格の安さです。一方のデメリットは荷物の到着までにかなりの時間がかかるという点です。**中国で最大約1ヶ月、アメリカやヨーロッパであれば、2〜3ヶ月かかるケースもあります。これでは、eBayやAmazonで売れた商品を個別に発送するには時間がかかり過ぎです。では、船便は一切使う価値がないのかというと、そうでもありません。特に一度に送る商品の重量が増えてくると、船便のメリットは一気に大きくなります。具体的には数百kg単位で荷物を送る場合です。

　この場合、日本郵便の船便を使うのではなく、フォワーダーと呼ばれる貨物利用運送業者やクーリエ業者の提供している、LCL（海上小口混載）を利用することになります。商品を送る地域や航空便の契約料金にもよりますが、だいたい一度に200kg程度を送るような場合に、LCLの利用を検討してみるとよいでしょう。具体的な僕のケースでは、日本→中国間で約600kg（ダンボール）の荷物をLCLで送った場合、航空便を使って荷物を送った場合に比べて、約13万円の送料を押さえることができました。

　また、フォワーダーやクーリエ業者の提供しているLCLを利用すると、日本→中国間は約1〜2週間で荷物が届くので配送スピードもそれ程気になりません。

　船便を利用して荷物を輸送した場合、基本的には輸入者が港で荷物を引き取り、自分で通関手続きを行なう必要があります。LCLを利用する場合は、これらの作業を代行してくれることが多いのですが、送料以外にも通関代行手数料、日本国内の配達料金など様々な諸費用がかかります。諸費用に関しては事前にしっかりと確認して、のちのち金銭トラブルが起こらないようにしてください。

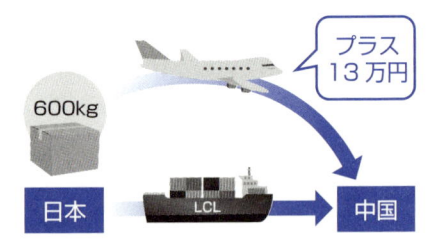

▲ 輸送運賃を安く押さえるには、時間はややかかりますがLCLが一番です。

Section 128

第 5 章 | 国内で仕入れた商品を海外へ販売、輸出する

TAXを考慮する

基本 | 準備 | 輸入仕入れ | 輸入販売 | 輸出仕入れ | **輸出販売**

ケースにより誰が支払うかが異なる

商品を海外に輸出した場合、**商品の金額に応じて輸入関税や消費税が発生**します。

● 商品を直送する場合

お客様に商品を直送した場合、輸入関税、消費税はお客様が商品を受け取るときに購入金額に応じた額を支払うことになりますので、購入前にしっかりと理解していただきましょう。eBay や Amazon、各ネットショップのプライバシーポリシーや商品説明、コンディションノートなどに「商品を受け取るときに関税などの支払いが発生する可能性があります」とひとこと記載しておくことで、不要なトラブルはある程度回避することができます。また、eBay や Amazon では、関税の支払いが発生したことによりつけられた悪い評価を削除してもらえる場合があります。不当につけられてしまったと感じる評価については、各サイトのサポートセンターに評価の削除依頼をしてください。

● 現地の倉庫から商品を発送する場合

一方、Amazon の FBA 倉庫や現地の発送代行業者にあらかじめ商品を納品して、そこからお客様に商品を届ける場合、関税、消費税は輸入業者としてこちら側が支払うことになります。このときの関税及び消費税額は、仕入れ金額に対してかかります。

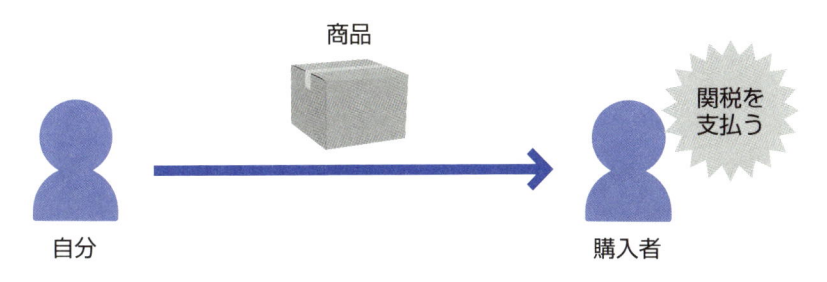

自分 → 商品 → 購入者（関税を支払う）

▲ 購入者が関税を支払う場合は、あらかじめ知らせておきましょう。

通貨の差を考慮する

| 基本 | 準備 | 輸入仕入れ | 輸入販売 | 輸出仕入れ | **輸出販売** |

売り上げて得た外貨を日本円に両替するタイミングを決めておく

2012年9月27日現在 As of September 27, 2012

公表相場は、原則、1通貨単位の円相場ですが、以下通貨のみ100通貨単位の円相場です。
インドネシア・ルピア、韓国ウォン
2001年までのベルギー・フラン、イタリア・リラ、スペイン・ペセタ、1992年迄のメキシコ・ペソ(1993年～1通貨単位)

Currency	通貨名	略称 Code	TTS	TTB	TTM
US Dollar	米ドル	USD	78.67	76.67	77.67

尚、公表仲値(TTM)は、TTSとTTBの中間の相場であり、(TTS+TTB)/2で算出されます。また、TTS、TTBのどちらかでも参考相場の場合は、TTMも参考相場となります。

2012年12月27日現在 As of December 27, 2012

公表相場は、原則、1通貨単位の円相場ですが、以下通貨のみ100通貨単位の円相場です。
インドネシア・ルピア、韓国ウォン
2001年までのベルギー・フラン、イタリア・リラ、スペイン・ペセタ、1992年迄のメキシコ・ペソ(1993年～1通貨単位)

Currency	通貨名	略称 Code	TTS	TTB	TTM
US Dollar	米ドル	USD	86.70	84.70	85.70

尚、公表仲値(TTM)は、TTSとTTBの中間の相場であり、(TTS+TTB)/2で算出されます。また、TTS、TTBのどちらかでも参考相場の場合は、TTMも参考相場となります。

▲「三菱UFJリサーチ&コンサルティング」ホームページより。

　上の図は2012年の為替相場の変動を表しています。TTSやTTBは実際の為替相場とは異なりますが、3ヶ月で8円程度推移していることに注目してください。ここからは、極端な例ですが、実際に僕が体験した話です。

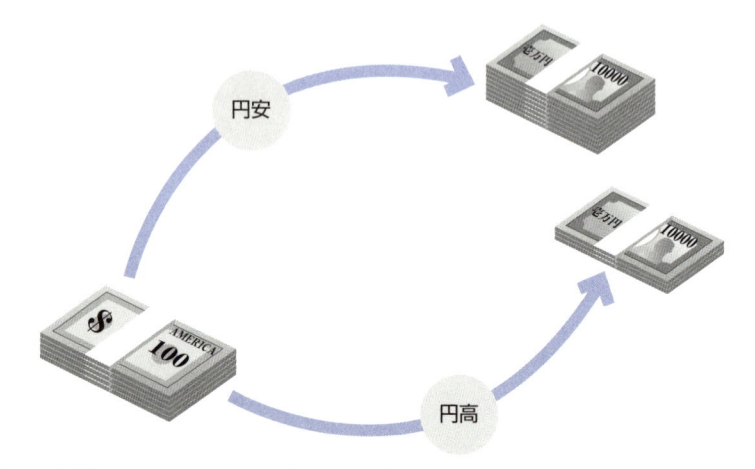

▲ 両替時の為替相場により、同じ額でも日本円にすると大きく異なります。

僕が本格的にAmazonでの輸出ビジネスを始めた2012年は歴史的な円高が続いていました。そのため、為替相場を1ドル＝78円として利益計算をしていましたが、商品の仕入れや販売方法を工夫することで、円高の中でも安定的に利益率30％以上（円計算）を出すことができていました。また、アメリカの銀行から日本の銀行へ国際送金をするとき、数千円単位の送金手数料と為替両替手数料が発生するので、Amazonで売り上げたドルでの売上は資金が不足してくるまでは基本的にアメリカの銀行口座へプールしておいたのです。ところが、2012年の11月末から日本の政治情勢の変化によって、為替相場が急激に円安に振れ始めました。そして、最終的には1ドル＝87円程度になった時点でアメリカAmazonでのまとまった売上を日本円に両替したのです。その結果として、日本円で計算したときの最終的な利益率は10％程度上昇して、40％以上になったのですが、このとき僕は少し恐怖を感じました。というのも、このケースはたまたまラッキーだっただけで、逆に円高に振れて利益率が減少してしまう可能性もあったわけです。

　政治や世界各国の経済情勢に目を向けていれば長期的な為替相場を予想することは、少しくらいはできるかもしれませんが、それが物販の利益率に大きく影響を及ぼすようなレベルであるとすれば、そのビジネスは不安定であるといわざるを得ません。ですので、**輸出ビジネスをする場合外貨で得た売上をどのタイミングで日本円に両替するかのスキームをきっちりと決める必要があります**。送金のタイミングはそれぞれの売上や仕入れの状況によって決めて構いませんが、「いくらの売上が銀行に貯まったら」といった金額ではなく「月に何回」と時間単位で決めるとよいでしょう。

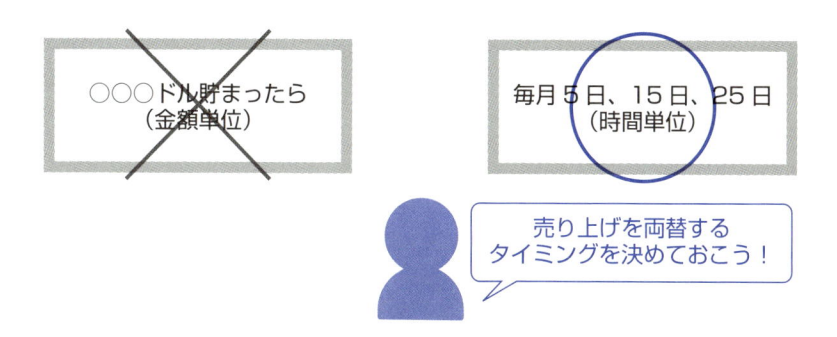

　逆に、輸入ビジネスの場合は仕入れの時点で為替が確定しているので「為替相場の影響で後々利益率（円計算）が変わってくる」というようなことはありません。もちろん商品が値崩れしたりして利益率が変わることはありますが、それは物販ビジネスの範疇ですので、そのリスクは自分自身で管理するものになります。

▲ 外貨を両替するタイミングについて、スキームを決めておきましょう。

Section 129 通貨の差を考慮する

第 5 章　国内で仕入れた商品を海外へ販売、輸出する

Section 130

便利なツールを活用する

基本　準備　輸入仕入れ　輸入販売　輸出仕入れ　**輸出販売**

ツールの活用で個人輸出ビジネスの効率化を図る

　ここでは、僕が実際に利用しているツールを紹介します。試しに利用してみて、自分に合うものだったらどんどん活用しましょう。

● Terapeak（テラピーク）

http://saats.jp/terapeak/

　eBay の落札履歴を最大過去 365 日間に渡ってリサーチできます。過去の落札相場や月間落札数などをリサーチし、その商品が今後どのような売れ行きをするのかを予想できます。ライバルセラーの販売状況や落札者の地域を絞っての検索も可能なので、より精度の高いリサーチ結果が得られます。

● eBaySaurs（イーベイザウルス）

http://labs.ebay.com/demos/qnet/

　eBay でユーザーが検索したキーワードのデータに基づいて、関連の複合キーワードを表示します。商品リサーチをする際のアイデアになるほか、商品ページに記載するキーワード候補のリサーチにも役に立ちます。

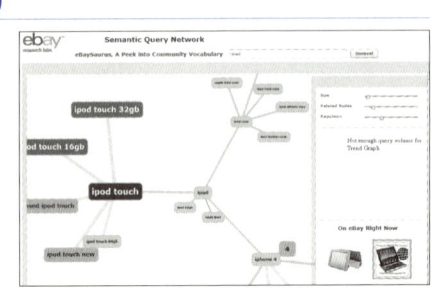

● Turbo Lister（ターボ・リスター）

http://education.ebay.co.jp/learnmore/sellingtools/turbolister.html

　eBay の一括出品ツールです。データを csv 形式で残しておくことができるので、のちのちの商品リスト管理にも重宝します。

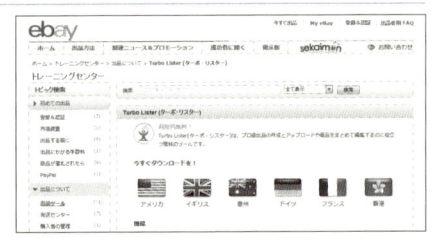

● Rank Tracer（ランク・トレーサー）

http://www.ranktracer.com/

　Amazonに出品されている商品のランキングをチェックできるツールです。Amazonではランキング変動を追いかけることで、商品の実売個数をある程度予想することができます。無料版では直近のランキングしか取得することはできませんが、お金を支払えば最大1年間分のランキングをチェックして保存しておいてくれます。

● Feedback five（フィードバックファイブ）

http://www.feedbackfive.com/

　Amazonの自動評価依頼ツールです。

● FeedbackPro（フィードバックプロ）

http://applications.ebay.com/selling?ViewEAppDetails&stab=4&rpgN=2&riPP=15&appType=1&appId=feedbackpro.highvolumeseller.com

　eBayの自動評価依頼ツールです。

● Fulfillment by Amazon　Revenue Calculator
（FBAカリキュレーター）

https://sellercentral.amazon.com/gp/fbacalc/fba-calculator.html/ref=xm_fbacalc_mst1_home

　Amazon.comでFBA販売をするときのFBA手数料を計算してくれるツールです。

● SmaSurf for Webブラウザ拡張機能

http://www.smasurf.com/web-browser-extensions

　Amazonの商品ページからワンクリックで、他国のAmazonでの価格やGoogleでの検索結果にアクセスできます。

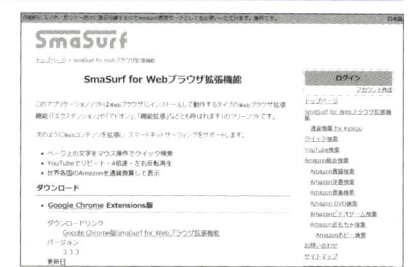

Section 130　便利なツールを活用する　279

個人輸入＆輸出販売ビジネス
お役立ち資料集

| 基本 | 準備 | 輸入仕入れ | 輸入販売 | 輸出仕入れ | **輸出販売** |

税関
参照 URL http://www.customs.go.jp/

▲ 輸出入時の検査、関税徴収などの税関手続きに関する情報を掲載。税関手続き FAQ が便利。

JETRO
参照 URL http://www.jetro.go.jp/indexj.html

▲ 独立行政法人・日本貿易振興機構（ジェトロ）の Web サイト。貿易に関する最新情報が入手できる。

ミプロ
参照 URL http://www.mipro.or.jp/

▲ 一般財団法人・対日貿易投資交流促進協会（ミプロ）の Web サイト。小口輸入の不明点はここで解決。

Vector
参照 URL http://www.vector.co.jp/

▲ 最新のフリー及びシェアウェアが入手できる。オークション管理ソフトなどもここで入手可能。

オークファン
参照 URL http://aucfan.com/

▲ ヤフオク！や Amazon など各サイトの落札価格情報などをリサーチできる。

＠SOHO
参照 URL http://www.atsoho.com/

▲ 作業を外注する際に SOHO やフリーランスのパートナーを探すことができる求人情報ポータルサイト。

Google 翻訳

参照URL http://translate.google.co.jp/

▲ テキストやWebサイトを翻訳できるオンライン翻訳サイト。40言語以上の翻訳が可能。

Yahoo! ファイナンス 外国為替情報

参照URL http://info.finance.yahoo.co.jp/exchange/

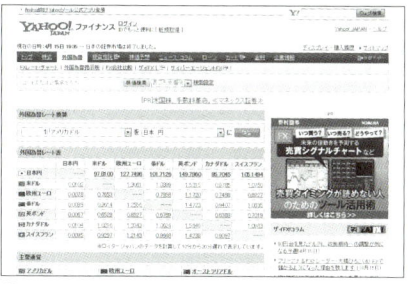

▲ ドル、ユーロ、ポンド、豪ドル、カナダドルなどの為替相場を、リアルタイム更新で確認できる。

TAKEWARI

参照URL http://www.takewari.com/

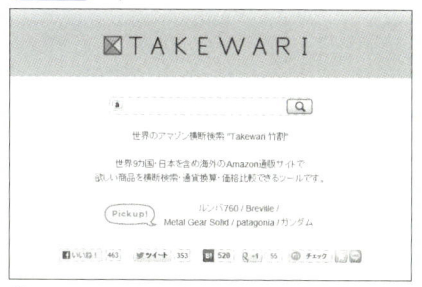

▲ 世界9カ国のAmazonを横断的に価格比較などができるWebサイト。

Google プロダクトサーチ

参照URL http://www.google.com/shopping

▲ 目当ての商品を探す際にキーワードから購入可能なネットショップが検索できるWebサイト。

Wholesale Central

参照URL http://www.wholesalecentral.com/

▲ アメリカの卸販売業者をまとめているポータルサイト。個人輸入仕入れをする際に利用すると便利。

フルフィルメント by Amazon
～出品者様向けの販売支援サービス～

参照URL http://services.amazon.co.jp/services/fulfillment-by-amazon/merit.html

▲ Amazonで商品を販売する際に外すことのできないFBAサービス。

Section 131 個人輸入&輸出販売ビジネスお役立ち資料集

Spear net

参照 URL http://spearnet-us.com/move/

▲ 転送業者のWebサイト。日本語に対応しているので、英語がわからなくても利用できる。

myUS.com

参照 URL http://www.myus.com

▲ 日本での利用者も多い転送業者のWebサイト。アメリカのネットショップからの仕入れに便利。

Ashマート

参照 URL http://www.ashmart.com/

▲ アメリカのAmazonFBAを利用する際に、現地の荷受人として利用するのに最適な転送業者。

転送コム

参照 URL http://www.tenso.com/

▲ 日本の仕入先から直接商品を海外発送業者宛に送り、検品を経てお客様に直送するサービス。

USPS

参照 URL https://www.usps.com/

▲ 海外から日本に送る場合、ほかの運送会社よりも少し安く送ることができるアメリカの郵便局。

DHL

参照 URL http://www.dhl.co.jp/ja.html

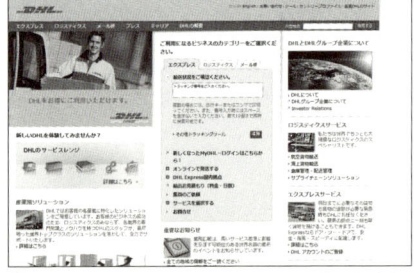

▲ 航空便をメインとするドイツの国際宅配便業者。輸送状況の確認もすることがでる。

FedEx

参照 URL http://www.fedex.com/jp/

▲ 航空便をメインとするアメリカの国際宅配便業者。海外から日本へ仕入れで利用する際に便利。

Terapeak

参照 URL http://www.saats.jp/terapeak/index.html

▲ eBayの落札データをリサーチできる有料Webサービス（2,500円～／月）。

weebly

参照 URL http://www.weebly.com/

▲ ショッピングカート機能も利用できるアメリカの無料ホームページサービス。

OKIEBISU INTERNATIONAL

参照 URL http://www.1st-quality-service.com

▲ 海外法人設立、海外法人銀行口座開設サービスを提供する日本の代行業者。

SAATS

参照 URL http://www.saats.jp/portal/

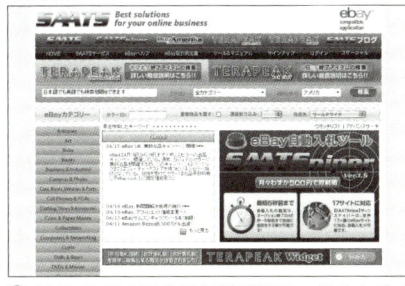

▲ 月額10,500円の無制限翻訳サービスなどでeBay利用を力強くサポートしてくれる。

エキスパート@プロ

参照 URL http://expert-mail.net/

▲ ポイント付与やステップメールなど各種機能のメールマガジンの配信ができるサービス。

Section 131 個人輸入&輸出販売ビジネスお役立ち資料集

おわりに

　この書籍の発行元である技術評論社から発売された『ネット副業の達人が教える！＜ジャンル別＞成功体験BEST65（得する＜コレだけ！＞技）』の取材後、私は担当者に「メチャメチャ面白い企画があるんですが、企画書を見ていただけないでしょうか？」と持ちかけました。そのときは、頭の中のイメージしかなかったわけですが、何ごとも勢いは重要ですからね。そして大急ぎでこの書籍の企画書、構成案などを書きながら「これは凄いヤバい内容になるぞ！」と直感しました。実際にメルマガやブログなどで伝えられることは私の持っているスキルのほんの一部だけなので、自分のスキルを網羅し、体系的にまとめることができました。こういう機会がないとここまで深く書いたりしませんので、「実践的でありながら深い内容にするしかないな」と思ったのです。実際、お金をいただいてたくさんの方を指導する立場なので、こういったプライドを常に持ち続けております。「個人輸入なら山口裕一郎。この業界の代表選手だ！　超実践型という看板に偽りなし」。執筆でも同じ気持ちで取り組むというのは当たり前のことで、「どうせやるなら、とことんやる！」というのが私のポリシー、というかそういう生き方しかできない人間なんで……（苦笑）。その結果、リアルで実践的な内容になったと自負しております。

　読み終えた今、どんな気持ちですか？　行動しないと1円も稼げません。小さなことでも構わないので、毎日、実践することが重要です。「昨日より今日」、その繰り返しです。つまずいたりすることも、試行錯誤する日もあるでしょう。成功の秘訣は諦めないことなので、成功するまでしつこくやればよいのです。そんな小学生でもわかることをやらない人が、多いわ多いわ（苦笑）。それでも心が折れそうなときは、私のような何の資格もなく、貿易などの経験もなかったミュージシャン崩れ、いや、社会的にはプー太郎だった人間でもこうして普通の会社員以上の結果を出し続けていると思っていただければ、勇気が出るのではないでしょうか？　もし挫けそうなときは「アイツだってできたんだから、自分だってできるはず」と思えば、やる気が出るのではないでしょうか？

　本気でやれば誰でもできますよ（キッパリ）。そういう他の著者が書かないようなことをたくさん盛り込みたいという気持ちだったので、加筆や修正の連続はかなりしんどく、骨身を削りながら書きました。この書籍に関わったたくさんの人々の「エネルギー」が詰まっており、書籍だけではなく私に関わったすべての人に感謝しております。利益を得る過程で得た「自信」、そこに辿り着くまでに必要な「分析力」「想像力」「忍耐力」はビジネスだけではなく、これからの人生にも大きく役立つでしょう。本書が大きく稼ぐきっかけになればとても嬉しいです。

　　中国・シンセンにて

　　　　　　　　　　　　　　　　　　　　　　　　　　　　　　山口裕一郎

おわりに

　いま、僕たちを取り巻く世界は、ものすごいスピードで変化を遂げています。世界中でインターネットやモバイル通信網が発達したことによって、国や地域を越えた情報に、簡単にアクセスできるようになりました。またTwitterやFacebookをはじめとするSNSが普及したことで、インターネット越しの相手とも、すぐ側に居るような感覚でいつでもコミュニケーションを取ることが可能です。世界はどんどんグローバル化しており、国境や言語の壁は薄れつつあります。きっとここ十数年で僕らの生活や仕事を取り巻く環境は、劇的に変化していくことでしょう。

　こうしたインターネットやSNSなどの発達のおかげで、個人が稼ぎやすくなる環境は一気に整ってきました。SNSを通じて世界中と繋がり、自分の売りたい商品を、売りたい相手にだけ売っていく。会社や組織にも所属せず、独立してたったひとり、自分の力で稼いでいく人というのは、今後もどんどん増えてくるはずです。

　ところで、こうして個人で稼ぐ人がどんどん増えてくると、個人輸入輸出ビジネスは飽和してしまうのでしょうか？　答えは「No」です。現代は顧客のニーズは多様化していて、その中のニッチなニーズを満たすようなビジネスの種はたくさん存在しているのです。例えば、月間50万円くらいの利益を見込めるような商材があったとしても、年商数百億もあるような企業であれば、リスクやコストを考え、おそらくその商材の取り扱いをしないケースがほとんどでしょう。しかし個人で取り扱うことを考えた場合はどうでしょうか？　月間50万円を個人で稼げるのであれば、ある意味十分な金額ではありませんか。

　いまの時代は、その気になれば誰でも簡単にインターネットを通じて世界中の商品を購入することが可能です。また、自分の家の不要品など、国内では値段のつかないようなものも、海外の人に販売して利益を得ることが可能です。しかし、多くの人はそれをしません。それはなぜか？

・騙されるかもしれないという不安
・時間をかけて取引の方法を覚えるのが面倒だという気持ち
・英語のできない自分にそんなことができるわけがないという思い込み

　こうした感情がブレーキになり、多くの人は個人輸入や個人輸出をしようとは思わないのです。しかし、本書を最後まで読んでいただいたあなたは、個人輸入輸出ビジネスをすることはそれ程大変ではないと感じてくれていることでしょう。もしそうだとすれば、輸入、輸出に感情のブレーキを持っている方たちの代わりに、商品の売買をしてあげてください。その代わりにお金を少しいただけば、それは立派なビジネスになります。あなたの今後のビジネスが、うまく軌道に乗っていくことを心から願っております！

柿沼たかひろ

Index
索引

記号・数字・英字

Amazon …………………… 38, 86, 88, 208, 234, 266
AmazonFBA …………… 120, 122, 139, 237, 238, 240, 255
AmazonFBA 料金シミュレーター（ベータ）… 71, 89, 91
Amazon プライム …………………………………… 122
Amazon マーケットプレイス … 96, 114, 118, 138, 156, 161, 236
Amazon マーケットプレイス保証 ……………… 48, 174
Buy Box …………………………………………… 239
eBay ……………… 38, 77, 100, 200, 232, 234, 242, 267
eBay バイヤーズプロテクション …………………… 50
Google Chrome ………………………………… 83, 259
PayPal …………………………… 39, 77, 83, 100, 243
PayPal 買い手保護制度 ……………………………… 49
PayPal バイヤーズプロテクション補償 …… 39, 50, 174
PDCA サイクル …………………………………… 110
PPC 広告 ………………………………… 117, 132, 247
PSE マーク ………………………………………… 37
SEO 対策 ………………………………… 132, 247
SOHO …………………………………… 31, 125, 271
TAKEWARI ……………………………………… 98
Terapeak ………………………………… 34, 243, 244
Yahoo! ショッピング ………………… 117, 142, 172
Yahoo! ファイナンス ……………………………… 95
Yahoo! プレミアム ………………………………… 126
YouTube ……………………………………… 151, 263

あ行

アカウント停止 ………………………… 222, 237, 256
アップセル ………………………………… 189, 266
アフターサービス ………………………………… 231
アンダーバリュー ………………………………… 223
意匠権 ……………………………………………… 47
インヴォイス ……………………………………… 42, 223
印字封筒 ………………………………………… 163
エコノミー航空（SAL）便 ……………………… 268
エスカレーション ………………………………… 49
オークファン ………………… 34, 71, 84, 93, 95, 140

か行

海外口座開設 …………………………………… 248
海外ネットショップ ……………………………… 77
海外の Amazon ……………………………… 76, 88, 200
海外発送業者 …………………………………… 270
海外法人設立 …………………………………… 250
海上運賃 ………………………………………… 274
ガイドライン違反 ………………………… 83, 131, 161
該非判定 ………………………………………… 47
価格競争 ………………………… 67, 149, 219, 222, 229
価格差 …………………………………………… 224
掛け ……………………………………………… 213

為替相場 ………………………………………… 276
関税率 ……………………………………………… 37
キーワード …………………………………… 146, 202
キーワード検索 …………………………………… 145
季節商品 ………………………………………… 160
クーリエ業者 ………………………… 241, 269, 272
クレーム ………………………………………… 52, 170
クレジットカード ……………………………… 38, 100
クロスセル ……………………………………… 266
軽犯罪法・銃刀法 ………………………………… 35
現金取引 ………………………………………… 213
検針 ……………………………………………… 37
航空運賃 ………………………………………… 272
航空法 ……………………………………………… 35
購入率 ……………………………………… 135, 153, 164
顧客リスト ………………… 125, 179, 184, 189, 190
国際小包 ………………………………………… 268
国際宅急便 ……………………………………… 43
国際郵便 ………………………………………… 268
国際郵便小包 …………………………………… 43
個人 ID ……………………………………… 23, 127
個人情報保護法 ………………………………… 172
コピー商品 ……………………………………… 36
古物商 …………………………………………… 177

さ行

詐欺対策 ………………………………………… 223
サスペンド ……………………………………… 257
サンプル ………………………………………… 80
仕入れ … 34, 38, 60, 76, 78, 102, 129, 208, 210, 212, 214, 226
仕入れ相場 ……………………………………… 70
消費税 …………………………………………… 275
商標権 …………………………………………… 47
商標登録 ………………………………………… 36
商品画像 ………………………………………… 150
商品名 ……………………………………………… 76
情報収集 …………………………………… 62, 64, 94
小ロット ……………………………………… 83, 102
食品衛生法 ……………………………………… 35, 37
ショッピングカート獲得 ……………………… 139
ショッピングモール …………………………… 180
新品商品 …………………………………… 59, 208
スタート価格 …………………………………… 140
ステップメール ………………………………… 183
スピード勝負 ……………………………………… 66
スプリットランテスト ………………………… 154
税関 ………………………………………… 45, 46
製造物責任法（PL 法）………………………… 37
専門店 …………………………………… 133, 134
送料無料 ………………………………………… 184
送料利益 ………………………………………… 166

即決価格 …………………………………	140
損害賠償限度額 ………………………………	50

た行

タイトル文 …………………………………	144
大量仕入れ ………………………………	83, 102, 213
大量発送 ……………………………………	167
卓上シーラー ………………………………	162
ダメージレポート …………………………	254
単純接触効果 ……………………………	79, 186
中古商品 ……………………………………	209
長期在庫 ……………………………………	222
著作権法 ……………………………………	36
追跡番号 ……………………………………	223
通関 …………………………………………	42, 241
通販番組 ……………………………………	63, 65
ツール ………………………………	136, 194, 278
定型外発送 …………………………………	164
テスト販売 …………………………………	63, 81, 154
電安法 ………………………………	37, 54, 175
電圧 …………………………………………	37
展示会 ………………………………………	220, 226
転送業者 ……………………………………	106
特定商取引法 ………………………………	168
特許権 ………………………………………	47
トラッキングナンバー ……………………	108
問屋仕入れ …………………………………	212, 226

な行

ナイジェリア詐欺 …………………………	105
偽物 …………………………………………	104, 174
値付け ……………………………………	138, 140, 142
ネットオークション ………………………	124, 158
ネットショップ …	117, 125, 132, 172, 187, 210, 226, 232, 246, 267

は行

パーソナルアカウント ……………………	249
バーチャルオフィス ………………………	168
バックエンド商品 …………………………	27, 143, 188
バリュー感 …………………………………	146, 148
販促方法 ……………………………………	149
ハンドリングタイム ………………………	256
販売ターゲット ……………………………	232
販路 …………………………………………	114, 234
ビジネスアカウント ………………………	249, 250
評価 ………………………………	40, 138, 156, 158, 223, 238
船便 …………………………………………	268, 274
不良在庫リスト ……………………………	215
ブログ ………………………………	132, 183, 186, 263
プロマーチャント …………………………	118, 161
フロント商品 ………………………	27, 143, 183, 188

返金保証 ……………………………………	21, 153
保税地域 ……………………………………	42
翻訳 …………………………………………	76, 258

ま行

まとめ売り …………………………………	217
ミプロ ………………………………………	45
無在庫販売 ………………………………	228, 237, 242
無料オファー戦略 …………………………	182
メール便 ……………………………………	164
メルマガ …………	172, 183, 186, 189, 233, 247, 263, 265, 267
モバオク …………………………	116, 130, 141, 158, 160

や行

薬事法 ………………………………	35, 37, 175
ヤフオク！ ………………………	115, 126, 140, 158, 209
ヤフオク！ストア ………………	115, 125, 127, 172, 177
輸出規制品 …………………………………	46
輸出禁止商品 ………………………………	222
輸出禁制品 …………………………………	46
輸入関税 ……………………………………	275
輸入規制品 …………………………………	44, 46
輸入禁止品 …………………………………	44, 46
輸入制限品 …………………………………	44

ら行

ライティングテクニック …………………	144, 152
落札金額 ……………………………………	145
落札相場価格 ………………………………	140
楽天市場 …………………	117, 142, 172, 177, 180, 208
楽天オークション ………………	116, 128, 141, 158
楽天スーパーオークション ……………	129, 143, 177
リアル店舗 …………………………………	64, 218
リージョンコード …………………………	175
利益率 ………………………………………	224, 239
リサーチ術 …………………………………	202
リスク・リバーサル ………………………	21
リピーター …………………………………	264
リミットアップ ……………………………	242
両替 …………………………………………	277
レバレッジ …………………………………	14
レビュー ……………………………………	152, 187
レンタルオフィス …………………………	168
ロングセラー販売 …………………………	66

わ行

ワシントン条約 ……………………………	37
割引交渉 ……………………………………	214
悪い評価を削除 ……………………………	156, 158

■著者略歴
山口裕一郎（やまぐち・ゆういちろう）
1970年生まれ、東京都出身。株式会社グローリー代表取締役、超実践型オークションスクール山口塾代表。本書では序章〜3章の個人輸入を担当。

柿沼たかひろ（かきぬま・たかひろ）
1978年生まれ、神奈川県出身。株式会社ビレッジグリーン代表取締役。本書では4、5章の個人輸出を担当。

- 編集／DTP……………………… リンクアップ
- カバー／本文デザイン ………… リンクアップ
- 担当 ……………………………… 大和田洋平（技術評論社）
- 技術評論社ホームページ ……… http://book.gihyo.jp

■問い合わせについて
本書の内容に関するご質問は、下記の宛先までFAXまたは書面にてお送りください。なお電話によるご質問、および本書に記載されている内容以外の事柄に関するご質問にはお答えできかねます。あらかじめご了承ください。

〒162-0846
東京都新宿区市谷左内町21-13
株式会社技術評論社　書籍編集部
「ネットでらくらく！個人輸入＆輸出で〈儲ける〉超実践テク131」質問係
FAX：03-3513-6167

※なお、ご質問の際に記載いただいた個人情報は、ご質問の返答以外の目的には使用いたしません。
　また、ご質問の返答後は速やかに破棄させていただきます。

ネットでらくらく！個人輸入＆輸出で〈儲ける〉超実践テク131

2013年6月25日　初版　第1刷発行

著者	山口裕一郎、柿沼たかひろ
発行者	片岡　巌
発行所	株式会社技術評論社 東京都新宿区市谷左内町21-13 　　電話：03-3513-6150　販売促進部 　　　　　03-3513-6160　書籍編集部
印刷／製本	港北出版印刷株式会社

定価はカバーに表示してあります。

本書の一部または全部を著作権法の定める範囲を越え、
無断で複写、複製、転載、テープ化、ファイルに落とすことを禁じます。

©2013　山口裕一郎、柿沼たかひろ

造本には細心の注意を払っておりますが、万一、乱丁（ページの乱れ）や落丁（ページの抜け）がございましたら、小社販売促進部までお送りください。送料小社負担にてお取り替えいたします。

ISBN978-4-7741-5681-1　C2004
Printed in Japan